Um vinhedo na Toscana

FERENC MÁTÉ

Um vinhedo na Toscana

una passione italiana

Tradução
Drago

Copyright © 2007, Ferenc Máté
Publicado originalmente por Albatross Books, um selo da W.W. Norton & Company
Copyright da edição brasileira © 2010, Editora Pensamento-Cultrix Ltda.

Todos os direitos reservados. Nenhuma parte deste livro pode ser reproduzida ou usada de qualquer forma ou por qualquer meio, eletrônico ou mecânico, inclusive fotocópias, gravações ou sistema de armazenamento em banco de dados, sem permissão por escrito, exceto nos casos de trechos curtos citados em resenhas críticas ou artigos de revistas.

A Editora Pensamento-Cultrix Ltda. não se responsabiliza por eventuais mudanças ocorridas nos endereços convencionais ou eletrônicos citados neste livro.

Coordenação editorial: Manoel Lauand
Capa e projeto gráfico: Gabriela Guenther
Editoração eletrônica: Estúdio Sambaqui
Foto da capa: Ferenc Máté

Dados Internacionais de Catalogação na Publicação (CIP)
(Câmara Brasileira do Livro, SP, Brasil)

Máté, Ferenc
   Um vinhedo na Toscana : una passione italiana / Ferenc Máté ; tradução Drago. -- São Paulo : Seoman, 2010.

Título original: A vineyard in Tuscany.
ISBN 978-85-98903-22-4

1. Uvas - Toscana (Itália) 2. Vinhos - Toscana (Itália) - Guias 3. Vinhos e vinificação - Toscana (Itália) I. Título.

10-10157   CDD-641.229455

Índices para catálogo sistemático:
1. Guias : Vinhos : Toscana : Itália
641.229455
2. Toscana : Itália : Vinhos : Guias
641.229455

O primeiro número à esquerda indica a edição, ou reedição, desta obra. A primeira dezena à direita indica o ano em que esta edição, ou reedição, foi publicada.

Edição
2-3-4-5-6-7-8

Ano
11-12-13-14-15-16

Seoman é um selo editorial da Pensamento-Cultrix.
Direitos de tradução para o Brasil adquiridos com exclusividade pela
EDITORA PENSAMENTO-CULTRIX LTDA.
R. Dr. Mário Vicente, 368 — 04270-000 — São Paulo, SP
Fone: (11) 2066-9000 — Fax: (11) 2066-9008
E-mail: atendimento@pensamento-cultrix.com.br
http://www.pensamento-cultrix.com.br
que se reserva a propriedade literária desta tradução.
Foi feito o depósito legal.

Para Candace e Buster.
E para o nosso caro amigo Carlo Corino.

Índice

1. A *Soddisfazione* 9
2. O Vinhedo Vizinho 13
3. Nossa Vida Toscana 22
4. Caçando Ruínas 31
5. As Treze Melhores 39
6. A Joia da Coroa 50
7. Primeiro Passo: Como Entornar 54
8. Um Novo Amigo 59
9. Sr. Grude 63
10. O Batismo 68
11. Os Últimos *Contadini* 75
12. O Novo *Contadino* 79
13. Sem Volta 86
14. Um Vizinho Mestre em Vinhos 93
15. O Tesouro Enterrado 99
16. A Fonte Perdida 106
17. As Vigas de Dante 114
18. O Armagedom Humano 123
19. Vinhateiro 129
20. Riccardo, o Fantasma 134
21. Natal nas Dolomitas 143

22. Pedras e Pessoas 153

23. Uma Vinha de Cada Vez 158

24. Os Terraços Etruscos 164

25. O Coração da Casa 172

26. Está Chovendo Cervos 176

27. A Cidade Antiga 183

28. O Trator Indomável 189

29. Viagem a Bordeaux 193

30. O Adeus do Pedreiro 199

31. Um Sótão em Roma 202

32. A Víbora 208

33. *La Vendemmia* 216

34. Vulcões Púrpura 230

35. Sant'Antimo 234

36. Degustadores do Japão 237

37. "Um Vinho Enfeitiçante" 243

38. Véspera de Ano Novo 251

Agradecimentos 256

A Propriedade Vinícola Máté 258

Receitas Clássicas da Cozinha Toscana 260

1 ~ A *Soddisfazione*

Paolucci e eu estávamos sentados nos gastos degraus de pedra de sua casa, com pão e *prosciutto* em uma das mãos e um copo de vinho tinto na outra. Faltava uma hora para o almoço e olhando por entre os ciprestes, através do vale, podíamos ver a cidade de Montepulciano, sobre uma colina. Os sinos badalavam no campanário e enchiam o ar do meio-dia com sua música. Rosanna emergiu do vinhedo, transpirando devido ao calor, e atirou sua enxada, com a lâmina para baixo, dentro de um balde d'água, para que o cabo de madeira não ficasse ressecado. Com a manga da blusa, ela limpou o suor de sua fronte e dirigiu-se à cozinha, para mexer o javali selvagem que cozinhava *in umido*.

— Não se preocupe, Rosa — disse Paolucci. — Quando eu ganhar na loteria, as coisas serão diferentes.

— E eu vou ganhar um cabo novo para a minha enxada? — indagou Rosanna, sarcástica.

— Não haverá mais enxadas! — retorquiu Paolucci. — Não será mais preciso carpir, podar, nem escorar essas videiras *maledetti*. Não haverá mais preocupações quanto a fungos, bolor, excesso de chuva ou estiagem. Você vai viver só no bem-bom e eu vou apenas beber mais vinho.

— Mais do que agora? — perguntou Rosanna. — Só se você conseguir beber enquanto dorme.

Paolucci bebeu um gole. — Eu rezo a Deus para que não haja uma vida após a morte — resmungou ele. — Porque, se houver, ela vai encher minha paciência até o final dos tempos.

Ele tornou a encher nossos copos. — Você não iria querer ter um vinhedo, Francesco — sentenciou. —Você não iria querer ter uma mulher, também; embora seja um pouco tarde para remediar isso. Mas ainda não é tarde para *não* querer um vinhedo. Um vinhedo é como um túmulo: o morto, ali, não pode jamais sair da terra.

— Mas e quanto à *soddisfazione*? — perguntei.

— Aqui está a *soddisfazione*! — disse ele, erguendo seu copo. — Eu posso lhe dar toda a *soddisfazione* que você puder beber. Por que arruinar sua vida?

Ele poderia estar falando consigo mesmo.

⁓✼⁓

Enquanto caminhava de volta para casa, após o almoço, tudo quanto eu podia pensar era em possuir minhas próprias videiras.

Nossa casa ficava ao pé de um despenhadeiro, a uns quatrocentos metros da casa de Paolucci, descendo pela estradinha poeirenta. Ela era conhecida como *La Marinaia*, "a esposa do marinheiro", e por que tinha esse nome — estando situada a quase cem quilômetros do mar — só Deus sabe. Os vizinhos, certamente, não sabiam; e nenhum deles jamais havia perdido sequer uma noite de sono pensando a respeito.

A casa havia sido restaurada poucos anos antes, com pesadas vigas de carvalho no teto e lajotas de cerâmica, feitas à mão, no piso. O pavimento térreo — que antigamente abrigava os estábulos — continha, agora, uma longa sala de entrada, com muito espaço para guardar livros, uma despensa, alguns degraus abaixo, e uma cozinha oposta a uma lareira, com portas de vidro que se abriam para o jardim. A sala de jantar tinha dimensões apropriadas para solenes declarações reais, e a sala de estar possuía uma lareira grande o bastante para assar a maior leitoa da cidade. No andar superior havia três dormitórios, com vistas para Montepulciano que enterneceriam o coração de qualquer desenhista de cenários para óperas.

Os jardins que circundavam a casa eram uma obra faraônica do antigo proprietário, um financista. As colinas em torno de Montepulciano são constituídas principalmente de argila; por isso, a terra boa teve de ser "importada" para o plantio de ciprestes, louro, alfazema e alecrim. Astutamente, o financista havia plantado um bosque de nogueiras visando vender a madeira para a indústria moveleira de alto padrão em vinte anos e rechear seus próprios cofres; mas, na argila dura, as árvores mal puderam desenvolver-se e sua madeira não bastava sequer para a produção de palitos de dente, quando ele morreu.

Embora a casa estivesse em meio a um mar de campos e vinhas, apenas dois acres nos pertenciam; e neles nós plantamos apenas o essencial: cinquenta oliveiras, aproximadamente da altura de um homem adulto.

Para ser proprietário de um vinhedo eu teria de adquirir mais terras.

Caminhando, eu passei pelas videiras de Paolucci, pelo laguinho cheio de juncos, onde patos selvagens faziam seus ninhos, e pelo vinhedo Talosa, que chegava quase à nossa casa. Um romano falastrão administrava a propriedade. Ao longo dos anos ele já havia trapaceado cada um dos vizinhos de algum modo; e, certa vez, eu ouvi o banqueiro que mora na outra margem do riacho gritar-lhe: "Sorte sua que aqui não é a Sicília, senão você estaria morto!"

Contemplei as fileiras de vinhas que se debruçavam sobre a encosta da colina; os brotos que surgem nos ramos podados e o solo recém-arado, que esperava pela chuva. Sonhei com o meu próprio vinhedo, em pleno alvoroço da *vendemmia*, a colheita das uvas — interrompida ao meio-dia por grandes refeições servidas sobre longas mesas debaixo dos caramanchões, antes de todos voltarem às videiras, ligeiramente embriagados e sorridentes, com as tesouras cortando os *grappoli* duas vezes mais depressa. Então, sonhei com as semanas passadas na adega, durante a fermentação, e com o aroma doce e inebriante que inundaria a atmosfera do recinto e permaneceria comigo quando eu saísse dali para a noite estrelada. E com as longas noites de inverno, pensando nos barris de carvalho cheios com o vinho que descansava, envelhecendo lentamente.

Então, o sonho chegou à sua melhor parte: uma garrafa, sobre a mesa coberta por uma fina toalha, refletindo a luz das velas, diante do olhar admirado dos nossos convidados, que analisavam o elegante rótulo do vinho produzido por nós mesmos.

2 ~ O Vinhedo Vizinho

Os toscanos detestam os romanos. Isto não é devido apenas a uma querela de dois mil anos, sobre a qual D. H. Lawrence escreveu que "os romanos, com seus costumeiros modos 'amigáveis', varreram do mapa [...] a existência dos etruscos, como nação e como povo [...] o resultado inevitável de seu expansionismo, com E maiúsculo, que é a própria razão de ser de um povo como os romanos." Tampouco isto se deve ao enorme dispêndio de tempo e dinheiro pelos papas vestidos de veludo que, na Idade Média, enviaram exércitos para subjugar a Toscana. Ao contrário, os toscanos apreciam muitíssimo a única contribuição da Igreja Católica Romana à sua cultura: a *bestemmia*, ou a blasfêmia. Por definição, a *bestemmia* envolve os papas, os santos, os sacerdotes e — sobretudo — *La Madonna*, em conjunção com porcos, cães, lobos, serpentes e outros animais domésticos e selvagens; em combinações e posições tão criativas que fariam inveja aos mais dedicados praticantes de yoga tântrica.

O atual desprezo deve-se fundamentalmente ao fato de os toscanos — cujas *parole sono d'oro*, ou palavras são de (ou valem) ouro — haverem descoberto, por meio das mais amargas experiências, que os romanos são, muito frequentemente, os mais traiçoeiros e desavergonhados escroques.

Eu tentei adquirir o vinhedo vizinho à minha casa do mais desavergonhado de todos eles.

Na maioria dos países, iniciar um vinhedo não é algo especialmente difícil: você tem apenas de sair em campo, plantar algumas mudas de videira no solo e pronto. Mas não na Toscana. Toda a região é estritamente controlada; e transformar um trigal ou uma pastagem em um vinhedo é transitar por um campo minado de burocracia. As regulamentações são particularmente draconianas nas zonas controladas pela DOCG (*Denominazione di Origine Controllata e Garantita*; "Denominação de Origem Controlada e Garantida"), produtoras dos vinhos Chianti Classico, Vino Nobile de Montepulciano e do mundialmente cobiçado Brunello di Montalcino, eleito o "Vinho do Ano de 2006" pela conceituada revista *Wine Spectator*. As uvas da DOCG devem ser plantadas dentro de limites rigorosamente determinados da região; se você plantá-las no outro lado de uma estrada ou para além de certo fosso, poderá fazê-lo fora do padrão. A DOCG também controla a colheita de uvas por acre e a quantidade produzida de vinho. Além disso, para evitar fraudes, o vinho não pode sair da região antes de haver sido engarrafado e rotulado. Na verdade, integrantes de uma espécie de "esquadrão antifraude", conhecidos como *I Frodi*, costumam fazer visitas surpresa às vinícolas e obrigá-las a prestar contas até da última gota do vinho que produzem — exceto, é claro, algumas caixas de garrafas, que eles levam como suborno.

Os limites de cada pastagem, vinhedo, olival ou bosque são demarcados em um mapa geral, chamado *il catasto* — palavra curiosamente semelhante a "catástrofe", cuja etimologia é tornada evidente quando se olha para os campos da região. Não existe sequer uma linha reta em toda Toscana. Como e por que as fronteiras sinuosas, os estranhos recônditos e as inusitadas arestas vieram a ser definidas, ao longo dos milênios, é algo que transcende a capacidade da imaginação mais criativa. Logicamente, o topo de algumas colinas ou certos riachos consistem-se, às vezes, em óbvios limites naturais; mas, com igual frequência, as linhas limítrofes são desviadas para incluir uma árvore ou uma rocha, ou porque, certa vez, uma galinha pôs seus ovos sob determinado arbusto, ou porque um determinado lugar foi onde a tataravó de alguém fez uma oferta especial ao padre da paróquia.

Assim, mudar a "utilização" de qualquer terreno para um vinhedo requer algo apenas um pouco menos difícil de obter do que um decreto papal. Primeiramente, é preciso adquirir os direitos de plantação. Estes são obtidos dos primeiros proprietários a haverem plantado videiras, registradas no *catasto*. Você pode estar se perguntando por que alguém registraria as videiras que, um dia, plantou em suas próprias terras? E a resposta, obviamente, é: para poder vender os direitos de plantação, mais tarde. Porém, a maioria dos vendedores desses direitos é formada por pequenos proprietários de fazendas onde praticam a agricultura de subsistência, donos apenas de umas poucas centenas de videiras; e, para perfazer um vinhedo de um acre é necessário encontrar quatro ou cinco desses fazendeiros dispostos a vender seus direitos de plantação. Para aumentar seus ganhos, eles os venderão "por debaixo dos panos", evitando pagar os impostos. Tal como muitas outras coisas na Toscana, essas transações são realizadas por meio de intermediários, que tratam de assegurar que os vendedores e os compradores jamais venham a encontrar-se. Deste modo, o intermediário pode favorecer-se das duas pontas; e, estando no meio de ambas, é em seus bolsos que boa parte do dinheiro vai parar. Sim, eu disse dinheiro. Não é raro ver uma maleta abarrotada de cédulas sobre a mesa, durante uma dessas transações; e, uma vez que tudo é feito no mais absoluto sigilo, não existem comprovantes de recibo. É por isso que a palavra de um toscano deve valer ouro: caso contrário, haveria derramamento de sangue, todos os dias. E é por isso que eu jamais deveria haver tentado fazer negócios com um romano.

Um canto do vinhedo, no terreno acima, quase tocava a nossa *piazzetta* de tijolos, que fora aberta na encosta da colina. Candace, nosso filho Peter e eu passávamos a maior parte das noites de verão ali, comendo e bebendo sobre a mesa de mármore, debaixo de uma videira. Em muitas tardes quentes de verão eu me sentei ali, contemplando o vinhedo e sonhando com a possibilidade de ser dono dele, um dia. O vinhedo não era muito grande: apenas um pouco maior do que três acres, mas poderia produzir cerca de 8.000 garrafas de vinho por ano — quantidade suficiente para iniciar uma pequena vinícola. O que me motivava não era a ganância ou um mero devaneio romântico: tudo tinha mais a ver com o fato de, como escritor, eu não possuir uma pensão ou aposentadoria; e embora andasse apenas por volta dos quarenta anos de idade, seria reconfortante pensar que, quando estivesse velho demais para vagar pelo mundo, eu poderia contar com a renda proveniente do nosso próprio vinhedo.

O vinhedo — propriedade de um consórcio romano, tal como outros no mesmo vale — encontrava-se em estado desolador. Esses grupos de investidores raramente são reunidos devido ao conhecimento sobre vinhos que seus membros possuem; e estes, geralmente, limitam-se a contratar um administrador para a propriedade, para fazê-la render ao máximo. A paixão pela vida no campo ou pelos vinhedos não tem lugar nesse tipo de operação. Os vinhedos de propriedade dessas corporações — tal como o que ficava no terreno acima do nosso — são, frequentemente, sufocados pelo mato alto, até necessitarem ser bombardeados com herbicidas. Os novos brotos florescem, dependurando-se de qualquer jeito, sem serem podados; e, sobrecarregados de fertilizantes, produzem cachos monstruosos, sem muito sabor, aroma e *finesse*. As estacas de apoio para as plantas estão quebradas ou tortas; e o solo raramente é arado, ou é arado na época errada, porque os proprietários desses vinhedos não ligam a mínima.

Em contraste direto a isto, há os vinhedos possuídos e cuidados por pessoas que os amam. Nestes, as vinhas mais parecem espécimes pertencentes a um jardim japonês: cuidadosamente podadas, com as ervas daninhas arrancadas manualmente ou por algum tipo de arado mecânico aflitivamente vagaroso, que passa entre as fileiras de caules viçosos, livrando-os de quaisquer ameaças. A poda dos cachos ainda verdes — muito onerosa, em termos de tempo e de uvas perdidas — é a norma: apenas um cacho é preservado em cada galho, visando concentrar o sabor das uvas.

O vinhedo no terreno acima do nosso mais parecia uma velha ruína abandonada, esperando pelo amor e o carinho que pudessem trazê-la de volta à vida.

⁂

— Acho que vou fazer uma oferta pelo vinhedo —, eu disse a Candace, que lia à luz do crepúsculo.

Ela olhou para mim como uma mãe cujo filho tivesse acabado de anunciar que desejava ser o novo Jesus.

— Isso é ótimo, querido —, suspirou ela.

— Ouvi dizer que eles o venderiam por dez mil pratas o acre.

— Belo negócio.

— Nós poderíamos transformar a garagem subterrânea em uma adega.

— Por que não?

— Veja só, o Château Petrus possui apenas uns poucos acres, como esse vinhedo; e o solo é todo argiloso, tal como esse. Mas seus proprietários são milionários. Podres de ricos!

Ela sequer suspirou.

Encorajado pelo silêncio dela, arrisquei perguntar, cheio de entusiasmo: — Então, como devemos chamar a nossa vinícola?

Ela pôs de lado o livro que estava lendo, tirou seus óculos, e indagou irônica: — Que tal "Vinícola Ralph Kramden"?

⁂

Mal pude dormir naquela noite.

Na manhã seguinte, bem cedinho, eu já estava subindo a estradinha poeirenta para um encontro com o administrador romano do vinhedo, em suas adegas localizadas quase no topo do Montepulciano. Fiz uma breve parada ao passar pela casa de Paolucci, para dizer-lhe aonde estava indo e por quê.

— Você quer algumas videiras? Pegue as minhas! — ele gritou para mim, enquanto eu me afastava.

— Quero que elas estejam perto da minha casa —, sorri, em resposta.

— Tudo bem. Vou mandar arrancar as malditas pela raiz, e depois as entrego para você, em um carrinho.

Era sempre bom ter um pretexto para ir à cidade. Eu caminhava pela estradinha até o sopé da colina e, então, ziguezagueava pelo cemitério, passando pelo belo templo renascentista de San Biagio — com suas belas paredes de travertino e sua torre imaculadamente branca, contra a colina verde ao fundo — e subia, e subia, até as maciças muralhas da cidade, para olhar para trás e avistar o campo que se estendia a perder de vista, lá embaixo. Bem no centro deste, como um barquinho em meio a um mar verdejante, ficava a nossa casa: *La Marinaia*, o sonho perfeito. Exceto pelo maldito vinhedo, tão tentador, ao lado dela.

As adegas da Talosa fizeram-me corar de inveja. Elas eram cavernas profundas, escavadas na rocha arenosa da colina pelos etruscos, milênios atrás; e, por trás do portão de ferro trabalhado, os enormes tonéis de carvalho, cheios de vinho, descansavam na perfumada obscuridade. O romano, todo sorrisos, impeliu seu corpanzil informe na minha direção, cumprimentando-me efusivamente, com tapinhas nas costas, e falando tão alto como se eu estivesse no outro lado do vale.

— Ouvi um boato — vociferou ele — de que você gostaria de adquirir um vinhedo.

A Talosa possuía mais de cem acres de videiras espalhados em torno de Montepulciano. Ele abriu um velho mapa e uma cópia do *catasto* sobre a mesa, conferiu as medidas e sorriu.

— Tenho um perfeito para você! A dez minutos de carro da sua casa. Recebe insolação pelo oeste; de modo que as suas uvas não irão cozinhar. Dois acres; terreno não muito íngreme. O preço atual é de dez mil dólares por acre; mas, como somos amigos, faço por nove mil, para você.

Eu estava chocado; e me sentindo péssimo por haver pensado mal dele. Eu o agradeci, mas disse-lhe que realmente desejava adquirir o vinhedo ao lado da nossa casa. Contei a ele que não queria possuir um vinhedo apenas para exibi-lo; mas, sim, para cultivá-lo, sem utilizar herbicidas. Em outras palavras, eu planejava cultivar um vinhedo orgânico.

Ele abriu um sorriso ainda mais largo. E eu poderia jurar que o vi lambendo os beiços.

— Eu compreendo a sua intenção — disse ele. —Também não gosto dessas coisas. Por mim, eu também cultivaria meus vinhedos organicamente; mas, você sabe, os proprietários... Eu tenho de viver, não é?

— O vinhedo está um tanto abandonado — ponderei. — É preciso colocar novas estacas, mais algumas videiras, abrir novos fossos de irrigação. Mas, com um pouco de trabalho, eu acho que posso...

— É claro que você pode — ele sorriu, encorajador. — Mas, para ser completamente honesto, aquelas videiras são velhas — disse ele. — Mais uns dez anos, e elas terão de ser replantadas. Por isso, eu vou fazer um preço especial para você.

Tive de me conter para não beijar ambas as bochechas dele.

— Aquilo ali poderia ser um novo Château Petrus — alegrou-se ele, percebendo minha excitação.

— Bem, acho que não tão cedo — menti.

— Com a sua inteligência e aquelas terras, não irá levar muito tempo.

Eu deveria ter desconfiado. Senão naquele exato momento, ao menos quando ele desapareceu de vista, por trás de sua escrivaninha. Ele pareceu hesitar por um momento, olhou para o mapa e digitou alguns números em sua calculadora.

— Você quer que eu diga o preço em liras ou em dólares norte-americanos? — perguntou ele, com água na boca.

Para mim, pouco importava se ele me dissesse o preço em rublos ou em ienes. Eu só queria ouvir o preço. Uma vez que o preço do acre de um vinhedo em boas condições, com excelente exposição ao sol, era de nove mil dólares, imaginei que o preço do acre deste, velho, íngreme e precisando de um bocado de trabalho — além do fato de sermos vizinhos e, como ele mesmo dissera, "amigos" — giraria em torno de sete mil, por acre.

Ele apanhou uma folha de papel, escrevinhou alguma coisa e empurrou-a para mim. — Aí está! — ribombou. — Uma oferta oficial, com preço especial, de amigo para amigo. Tudo no papel. Está até mesmo assinada!

Eu olhei para o papel, sem poder acreditar em meus próprios olhos. Como pude pensar mal daquele sujeito? Ele era um verdadeiro amigo. Mais do que isso: um cavalheiro notável, daquele tipo que não se faz mais. Pensei tudo isso com os olhos marejados; porque, sobre o papel, dançava diante de mim o número cinco.

— Eu terei o dinheiro no final de... Foi então que a adega começou a rodopiar. Senti um calor abrasador. Enquanto falava, dei-me conta e percorri com os olhos a infinita sucessão de zeros que alongava-se à direita do número cinco, sobre a folha de papel.

— Cinquenta mil? — engasguei.

— *Dollari Americani!* — ressaltou ele, rindo tão estrondosamente que os tonéis chegaram a oscilar.

— Mas, você disse que éramos "amigos"... — apelei.

— Os melhores amigos — corrigiu ele. — Se não fôssemos, eu pediria cem mil. Mas, como é para você, fica por apenas cinquenta.

— Mas o outro vinhedo custava apenas nove...

Ele empurrou o mapa diante de mim e curvou-se sobre ele, aproximando-se de mim, como um lobo que olha diretamente nos olhos de uma galinha.

— Este fica ali — disse ele, fincando um dedo gorducho sobre uma área distante, próxima da margem do mapa. — E este outro fica aqui. Bem ao lado da sua casa.

O ar me faltava.

— Ora, vamos — disse ele, conciliadoramente sorridente. — O que serão cinquenta mil dólares por acre, quando você ganhar um milhão com o seu novo Petrus, amanhã?

Desabei sobre uma cadeira, sem fala. Qualquer homem de negócios decente teria argumentado, contra-argumentado, feito uma contraproposta. Em vez disso, eu estava muito ocupado pensando se deveria arrancar a pia de pedra da parede e usá-la para esmagar a cabeça dele, ou espremer seu corpanzil de sapo dentro do vaso sanitário e puxar a descarga.

Levantei-me para sair dali. À porta, lembrei-me das palavras do banqueiro sobre a Sicília. Voltei-me e perguntei a ele: —Você não teria um vinhedo nas vizinhanças de Palermo, para que pudéssemos dar uma olhada?

Ele soltou uma risadinha nervosa e encolheu-se sobre sua cadeira, tentando tornar-se um alvo menor.

Porém, o destino foi bom para mim. Em poucos meses, foi-me oferecida a oportunidade de praticar uma doce vingança.

3 ~ Nossa Vida Toscana

OS HÚNGAROS FLORESCEM NA ADVERSIDADE. Nossas chances de vencer são multiplicadas por dez, quando iniciamos em último lugar; e embora possa parecer que estamos constantemente ocupados demais, bebendo e dançando, para nos preocuparmos, só podemos ser pressionados até um certo limite — tal como os russos descobriram durante a revolução de 1956. Não é que sejamos beligerantes ou difíceis de conviver, mas é bom ser cuidadoso com um povo que permaneceu inalterado por mil anos, sem impor qualquer espécie de barreiras às suas fronteiras naturais, para evitar a miscigenação. Eu ouvi a única explicação lógica para isto da minha avó: "Quem se casaria com um húngaro, a menos que tivesse de fazê-lo?"

Enquanto bebericava meu segundo uísque na alta e estreita casa de Andrew, com vista para todo o vale, eu já havia traçado meus planos — ainda que tivesse sido mais sensato se seguisse o exemplo de Andrew. Ele é um refinado pintor e escultor inglês (William Wordsworth foi seu antepassado, cuja escrivaninha Andrew herdou e ainda conserva) que consegue viver e trabalhar na Toscana, e ainda *apreciar* isso. Ele também consegue encontrar tempo para fazer longas viagens, pelo simples fato de não possuir terras. Ou, para ser mais preciso, sua casa ocupa toda a extensão do terreno que ele possui. Seu *palazzotto* de três andares está localizado no limite extremo da cidade; e quando digo "limite extremo", quero dizer que a casa está construída junto a grande muralha que cerca

Montepulciano — muralha esta que, neste ponto, no lado noroeste, assenta-se sobre um despenhadeiro de rocha porosa, com uma floresta e o cemitério, lá embaixo. Seu estúdio de escultura e a adega de vinhos ficam no pavimento inferior; o estúdio de pintura e a cozinha ficam acima, e os dormitórios localizam-se no último piso. Toda a casa recebe abundante iluminação natural e, em um dia claro, ele pode avistar até a China, sobre o horizonte. Quando se sente entediado, ele põe suas malas no carro, fecha as portas e janelas da casa e parte em jornadas de duração indeterminada, para a Grécia, a Espanha, a Sicília ou a Lua. Por que eu não pude aprender com seu exemplo de vida feliz? Que espécie de maldição me compelia a querer ter mais? Mais *terras*, acima de tudo!

Andrew ouviu pacientemente minha ladainha; mas, em vez de conselhos, ele deu-me um saco de papel da padaria, contendo uma *focaccia* fresquinha, ainda quente. Ele derramou um pouco de azeite de oliva em uma tigela pequena diante de mim e, como se estivesse tentando acalmar um gato, disse-me: — Coma. Você irá se sentir melhor.

No interior da *focaccia* havia pedacinhos de azeitonas e ramos esfarelados de alecrim. De fato, tanto o pão, quanto o escuro azeite de oliva tornaram-me mais calmo. Ou teria sido o *single malt* do Islay, envelhecido por dezesseis anos?

Pela janela eu contemplei andorinhas mergulhando e arremetendo na corrente de vento que subia pelas muralhas. Eu já havia me decidido: nós nos mudaríamos. Venderíamos a casa, cercada e sitiada pelas terras do sapo, e compraríamos uma ruína qualquer, com um vinhedo.

Agora, devo confessar outro dos meus "fracos". Por toda a minha vida, sempre quis reconstruir uma ruína. Aos cinco anos de idade, nas manhãs ensolaradas de domingo, eu cruzava o Danúbio com o meu avô, para colher flores silvestres nas colinas de Buda, para a vovó. Lembro-me de haver avistado a parede meio desmoronada de uma antiga torre de vigia e de ter sonhado com ela, pelo resto da semana inteira: como eu reassentaria as pedras, colocaria novas vigas e me tornaria dono e senhor do meu próprio castelo. Jamais pude deixar para trás este sonho infantil.

La Marinaia roubou-me essas alegrias. Ela havia sido construída tão perfeitamente — com seus jardins e tudo mais — que a única coisa que restava para mim era aparar a grama (possivelmente, a tarefa mais maçante que Deus criou para o homem).

Esperei pelo aconselhamento de Andrew quanto aos meus planos, mas ele limitou-se a menear a cabeça, sorrir e tornar a encher meu copo. Afinal, quando o copo ficou vazio novamente, e eu ainda insistia em levar minha ideia adiante, ele disse: — Não venda a casa antes de comer. A vida sempre parece diferente após o almoço.

A caminho de casa, eu parei no *Duomo*, na *Piazza Grande*, na parte mais alta da cidade, para clarear minha mente e pedir conselhos à *Madonna*. Exibida em uma pequena moldura, ela é um produto do *quattrocento*, pintada sobre madeira, segurando seu Menino nos braços. Ao fundo há um céu azul escuro; e ela tem uma expressão enigmática que, dependendo da luminosidade, pode ser interpretada como encorajadora ou reprovadora. O *Duomo* encontrava-se — como quase sempre — sem uma só alma viva. Uma luz suave filtrava-se pelas janelas do clerestório, iluminando as melancólicas tumbas dos cardeais no piso de mármore. A *Madonna* esperava. Ajoelhei-me sob ela, fazendo uma careta por causa do *scotch*; mas isto pareceu não aborrecê-la. Contei a ela sobre os acontecimentos do dia e seu semblante tornou-se sombrio; e no momento exato em que cheguei à palavra "vinhedo", risos incontidos partiram das paredes e ecoaram sob o domo. As portas da frente da igreja abriram-se, dando passagem a um grupo de pequenos estudantes, com mochilas às costas. A garotada enxameou pela igreja enquanto eu me quedei ali, sem uma resposta final da *Madonna*. A menos, é claro, que esta se consistisse no próprio riso das crianças.

Quando compramos *La Marinaia*, eu tinha certeza de que só a deixaria quando fosse carregado para fora dali, em um caixão. No entanto, ali estava eu, considerando a perspectiva de mudar de casa, botando um pé no caminho da nossa casa definitiva — que, preferencialmente, localizava-se colina abaixo. A única coisa que não me deixava à vontade seria ter de contar isso a Paolucci. Para evitar momentaneamente esta tarefa, tomei uma estradinha secundária, cortei caminho através de vinhedos e de um campo de papoulas (não existem cercas, na Toscana — a menos que alguém esteja tentando manter carneiros em confinamento), atravessei o riacho e subi pela colina, até chegar à nossa casa.

Candace estava — como sempre — em sua horta, carpindo. Ela carpe a terra seja dia ou noite, chova ou faça sol, não importando a estação do ano. Anos mais tarde, nosso filho descreveu-a, diante de todos os convidados de uma festa de aniversário da vovó, como "Minha Mãe, a Grande: grande cozinheira, grande corredora e grande carpideira." A vovó riu até saírem lágrimas de seus olhos. Os homens presentes ergueram uma sobrancelha. ["Carpideira", em inglês (*hoer*), soa praticamente igual à palavra "prostituta" (*whore*).]

— O sapo pediu um preço exorbitante — disse eu. — Então, acho que nós devemos dar o fora daqui e encontrar um lugar com mais terras.

— Isso é ótimo, querido — ela suspirou.

— Estou falando sério.

— É claro que está! Você sempre fala sério. Mas você irá sentir-se melhor após o almoço.

Há certas coisas na vida que as mulheres não conseguem entender. O que elas parecem entender — e muito bem, aliás — é como utilizar as palavras como se fossem facas. É por isso que as mulheres jamais deflagram guerras. Elas não precisam. Com poucas palavras, elas são capazes de destroçar um adversário, mais rápido do que poderíamos fatiar um salame. E elas fazem isso sem despender o menor esforço — frequentemente, com um sorriso nos lábios.

— O que disse Paolucci, quando você contou isso a ele? — perguntou a Grande Carpideira.

⁂

Os Paolucci eram, verdadeiramente, a nossa família. Ou, mais precisamente, eles nos haviam adotado.

Eles não apenas nos ensinaram — com infinita paciência — o idioma italiano, mas nos aconselharam acerca de todos os aspectos do trabalho no campo. Eles também nos ajudaram a plantar nossa horta, podaram e cuidaram de nossas árvores frutíferas, amoreiras, figueiras e oliveiras e nos mostraram até mesmo como procurar *porcini* e *chanterelles*. Quase todos os domingos, nossa presença era aguardada para o festim familiar — para os quais éramos, com muita frequência, os únicos convidados. Ali, nos empanturrávamos a partir do meio-dia; começando por *crostini* sortidos — pão torrado, coberto por cogumelos, patê de fígado ou tomates. Então, passávamos aos dois diferentes tipos de *pasta* — *lasagna al sugo*, *ravioli con funghi* ou *pinci al cinghiale* — seguido por uma galinha d'angola ou pato assado no forno a lenha, e enormes costelas tostadas sobre o fogo; ou vitela recheada com linguiças ou presunto, acompanhada por cogumelos ou maçãs. Finalmente, chegava a vez dos doces: alguns, embebidos em *grappa*; outros, como o *tiramisù*, soterrados sob uma espessa camada de creme *chantilly*. E, quando nossos corações estavam prestes a sucumbir, um violento café *espresso* os trazia de volta à vida.

À noitinha, eles ou nós visitávamos uns aos outros, para sentarmo-nos em torno da lareira, mergulhando nossos *cantuccini* — um tipo de biscoito duro, assado com amêndoas — em um copo de *vin santo*, um vinho doce, envelhecido e rico como um xerez. Nós conversávamos ou jogávamos cartas; ou assistíamos às crianças fazerem seus deveres de casa, ou à *Nonna* tricotar meias de lã. Passávamos todos os feriados juntos: Natal, Páscoa, Anunciação, Liberação e todas as outras datas festivas terminadas em "ação" com as quais os italianos preenchem o calendário, todos os anos. E, no gesto mais comovedor de todos, o casamento de Carla, a filha dos Paolucci, foi adiado do verão para o outono, porque nós tínhamos de estar em Vancouver em julho, para um evento da nossa família biológica.

Tentávamos fazer o melhor possível para retribuir a tudo isso. Em junho, ajudamos a ceifar as longas fileiras de feno; e enfardamos e estocamos a colheita, para servir de alimento para as vacas, no inverno. Ajudávamos com a manutenção das videiras o ano todo: podando-as em janeiro, atando os brotos às estacas em maio, e com a *vendemmia*, em outubro. Na primavera, podávamos as oliveiras; e em novembro, ajudávamos a colher as azeitonas. No final do inverno, descíamos até o riacho para cortar lenha; assávamos linguiças e bebíamos vinho, para nos manter aquecidos e, então, carregávamos toda a madeira para casa com o trator, patinando na lama. E em um dia frio, pouco antes do Natal, transformamos uma porca em linguiças, *prosciutto*, salame e costeletas de porco.

Contudo, mais consistente do que a ligação deles conosco era o amor que tinham por nosso filho Peter, a quem chamamos carinhosamente de Buster. Eles não se limitavam a agarrá-lo e abraçá-lo, mas também o "confiscavam". As meninas, Eleanora e Carla, ambas adolescentes, levavam-no para cima e para baixo, como se ele fosse um grande boneco. Elas o levavam consigo quando iam às compras, à natação, para passeios e, às vezes, até mesmo quando saíam com seus namorados. Rosanna e a *Nonna* eram mais contidas em suas demonstrações de afeto; porém, uma vez que ele entrasse no território delas — a cozinha —, elas simplesmente fechavam a porta e disputavam entre si quem o cobriria mais de mimos. Rosanna ensinou-o a cozinhar; ele mexia as panelas, amassava e esticava a massa e — mais do que qualquer outra coisa — comia de tudo, durante todos os estágios de preparação dos pratos. A *Nonna* tricotou tantas meias e luvinhas para ele que todas as ovelhas do vale devem ter se ressentido, naqueles invernos. Todos os dias ele subia com ela ao sótão, para virar e salgar os presuntos que curavam. Ele a ajudava com o trabalho na horta, ao alimentar as galinhas e a vasculhar os arbustos à procura de ovos escondidos ou a cercar e tanger uma leitoa desgarrada.

Assim que ele tornou-se suficientemente crescido, ainda antes de completar cinco anos de idade, Paolucci levava-o no colo enquanto dirigia o trator, ou sobre a sela, ao cavalgar. Ele sentava-se por horas a fio, na atmosfera quente e de aroma adocicado de seu estábulo, enquanto Buster olhava fixamente para suas quatro vacas, um bezerro e um bode, como se quisesse contar cada fio do pelo sobre seus corpos. Quando o veterinário trouxe um carneirinho que fora desmamado, Paolucci ordenhou uma de suas vacas, encheu uma mamadeira com o leite e deixou que Buster "amamentasse" o animalzinho com a chupeta de borracha. Durante a *vendemmia*, ele viajava a bordo de um carrinho de mão de outro vizinho, Bazzotti, ajudando a encher as cestas dos colhedores e, na *cantina*, socando e esmagando as uvas com um pilão quase tão grande quanto ele mesmo.

Por tudo isso, dizer aos Paolucci que iríamos nos mudar seria o mesmo que dizer a pais que seus filhos não iriam mais viver em casa.

Além de não possuir um vinhedo e de estar situada demasiadamente próxima de um vinhedo alheio, *La Marinaia* tinha outro defeito: não havia nela sequer um bosque digno de ser assim chamado. Eu sempre achei que as florestas faziam parte indissociável da vida no campo; não apenas devido ao fato de proporcionarem lenha para o fogo, mas, também, pelos aromas, cores, animais, mistérios e — é claro — pelos cogumelos *porcini* que contêm.

Nós também nos encontrávamos um tanto próximos demais da cidade; e a minha ideia de felicidade é poder balançar os pés sentado sobre a beirada do mundo. Mais ainda: a casa era muito pequena. Nossos hóspedes tinham de amontoar-se no meu escritório — já bastante atulhado — e Candace não tinha seu cantinho para pintar. Ela tentou fazer isso na sala de jantar, mas o cheiro da tinta a óleo fez com que alguns dos melhores jantares acabassem tendo gosto de terebintina. Afinal, ela conseguiu arranjar um estúdio em uma localidade nos confins de Montepulciano —

e, junto com o estúdio, um companheiro: Vittorio, o último cavalheiro interiorano de sua espécie.

Vittorio encontrava-se em sua "melhor idade"; esguio, elegante e sempre impecavelmente bem-vestido, mesmo que saísse de casa apenas para ir até a padaria. Na Toscana, esta não é uma tarefa de menor importância — uma vez que se é obrigado a parar a cada três ou quatro metros para ouvir alguma *chiacchiera*, "fofoca", quer seja dos outros concidadãos em suas andanças diárias ou dos lojistas, que saem detrás de seus balcões para ouvir os boatos mais recentes. Além do inevitável tema do clima, as conversas incluem as últimas novidades sobre a vida dos vizinhos: quem se casou com quem, quem abandonou quem, quem saiu da cidade dirigindo um automóvel, sendo seguido imediatamente por você-sabe-quem.

Vittorio vivia em uma ruazinha formada por uma escadaria sinuosa, na qual — por isso mesmo — não passavam automóveis; e o único ruído proveniente da rua era o das conversas. Ele era proprietário de um vasto espaço, vizinho à sua casa, cujas janelas abriam-se para o misterioso jardim de um convento. No passado, o espaço abrigara uma oficina gráfica; mas, agora, encontrava-se desocupado. Candace estava radiante: o aluguel daquele amplo aposento era de apenas cinquenta dólares por mês — enquanto em Nova York ela pagava 400 dólares por um "buraco na parede", tão escuro e úmido que o antigo ocupante (que cultivava fungos, em casa) foi notificado pelo departamento de saúde pública. A princípio, Vittorio mostrou-se hesitante em alugar o lugar por achá-lo muito acanhado; indigno de uma artista. As paredes tinham um acabamento rústico, de gesso; o piso de cimento estava todo trincado; e as antigas vigas do teto haviam sido pintadas com piche. Mas as portas e janelas abriam e fechavam perfeitamente, e havia até mesmo um banheiro: um buraco revestido de cerâmica — que, uma vez, fora branca — num canto do piso. Afinal, Vittorio concordou em alugá-lo, com a condição de que lhe déssemos um mês para que fizesse uma limpeza geral.

Quando voltamos para ver o lugar, após a limpeza, acabamos passando direto: ele estava irreconhecível. O exterior havia sido pintado, as portas e janelas foram lixadas e envernizadas, cortinas de renda foram instaladas e floreiras com gerânios foram colocadas sob as janelas. Por dentro, as paredes haviam recebido uma cobertura totalmente nova e o piso fora substituído por lajotas de cerâmica; todo o teto havia sido limpo com jato de areia e as vigas de carvalho receberam tratamento especial. O lugar onde havia o buraco no chão fora isolado, com paredes revestidas de azulejos brancos, um vaso sanitário, um bidê, uma pia e um chuveiro.

— Mais adequado para uma artista — disse Vittorio, suavemente.

Candace deu-lhe um abraço perturbadoramente duradouro.

Aquele estúdio, também, seria mais uma vítima do meu sonho.

4 ~ Caçando Ruínas

Poucas coisas na vida são tão maravilhosas quanto passar tardes livres nas colinas da Toscana, procurando por ruínas. A área dos sonhos é surpreendentemente pequena, estendendo-se de Montepulciano para o norte, até Trequanda; a oeste até Massa Marittima; e ao sul, até Pitigliano. Percorri essa região tantas vezes — de bicicleta, de carro ou a pé — que os fazendeiros passaram a me reconhecer e dirigirem-se a mim como *Il Cercatore*: "O Buscador".

A maior parte da área é selvagem, com densas florestas ou rústicas pastagens montanhesas, pontilhada por poucas casas e apenas algumas estradinhas estreitas e tortuosas, atravessando vales e desfiladeiros. À luz do entardecer ou em meio à bruma do inverno, seu mar de colinas compõe uma paisagem de tirar o fôlego. Mais abaixo das florestas, grande parte dos campos é cultivada com um misto de olivais, trigais e vinhedos.

Eu comecei modestamente, escalando a pé as colinas que ficavam atrás de nossa casa. Daquele ponto até Pienza, quase todas as propriedades pertencem a pecuaristas da Sardenha, que se instalaram aqui na década de 1960, quando a terra era barata e os incentivos governamentais fluíam como água. Desde então, a região tornou-se famosa pelo *pecorino*, um queijo forte de leite de ovelhas, feito em pequenas formas redondas, que é especialmente bom quando muito fresco — com, no máximo, duas semanas de fabricação, ele é macio, branco e suave — ou envelhecido por mais de quatro meses, quando adquire um rico sabor picante e torna-se quase tão denso quanto o *parmigiano*.

As fazendas de criação de ovelhas são grandes — pois esses animais devoram cada talo de relva que possam encontrar; e, por isso, demandam pastagens de dimensões consideráveis — e atravessá-las a pé é fácil, desde que se encontre uma porteira ou se consiga pular uma cerca. Este é o paraíso dos "caçadores de ruínas"; pois vastas extensões de terra costumavam pertencer a uma mesma família e pouquíssimas *poderi* (casas) de pedra foram restauradas.

Eu atravessei um campo — as ovelhas me encararam, mas continuaram pastando —, desci uma ravina coberta de árvores e encontrei minha primeira ruína: um antigo moinho abandonado. Nenhuma outra construção poderia ser mais envolta em mistérios. Aninhada em uma depressão sombria entre duas colinas, suas paredes eram cercadas por um denso bosque de carvalhos e choupos. Alimentadas por um pequeno córrego, as árvores cresceram majestosas, ao longo dos séculos. Nos fundos da pequena construção havia um abrigo de pedras, sem janelas — ao qual adentrei pela única abertura disponível, uma porta baixa, e esperei até que meus olhos se acostumassem à escuridão. A luz filtrava-se debilmente pelo espaço vazio. O abrigo era, na verdade, uma enorme cisterna, revestida de tijolos, com um teto arqueado para criar um longo túnel. A água costumava ser armazenada aqui, para mover as rodas do moinho quando a corrente do córrego baixasse muito. Que lugar perfeito este poderia ser para escrever, para deixar a imaginação correr livre no silêncio e na iluminação fraca; e que lugar agradavelmente fresco durante todo o verão, quando o inclemente sol da Toscana castiga o vale aberto. Sentei-me ali, em meio a um silêncio tão absoluto que meus ouvidos começaram a zumbir; até que ouvi passos no caminho de pedras acima. Era Bonari, o criador de porcos que morava nas proximidades. Ele atirava um anzol em um laguinho, atrás do reservatório. Trocamos um *buonasera*, mas nos encaramos de maneira desconfiada, cada um achando que o outro era meio louco.

—Você acha mesmo que vai apanhar algum peixe nessa poça d'água? — desdenhei.

— E você acha que poderá sobreviver nesse buraco úmido? — replicou ele.

— É silencioso e fresco. Um bom lugar para viver.

Ele contemplou a sombria umidade e deu de ombros. — Se você for um rato.

❧

Não é aconselhável sair para caçar ruínas sóbrio. É melhor começar logo após o almoço, quando o sol ainda está alto, o estômago está cheio e a mente acesa pelo vinho. O vinho não serve apenas para dar maior disposição; mas, também, para que você não se importe com a distância que tiver de caminhar, com os paredões que terá de escalar ou com o estrago que os espinheiros fizerem em suas pernas. E caso seja tomado pelo ardente desejo de possuir uma determinada arcada, um panorama particularmente deslumbrante ou um sótão especialmente encantador, você esquecerá tudo assim que o efeito do vinho passar. É muito provável que os *contadini* que encontrar pelos campos em seu caminho estejam tão "corados" quanto você — o que facilitará o estabelecimento de novas amizades e fará com que você seja convidado a ouvir histórias sobre "os velhos tempos". Você também poderá ouvir falar sobre um lugarzinho secreto no meio da floresta, ou no topo de uma colina, onde algumas ruínas jazem ocultas. Contudo, às vezes não há ruína alguma; e você pode ver-se envolvido em uma conversa por horas a fio; ou, ao menos em um caso — em que um fazendeiro ouviu dizer que eu havia escrito alguns livros —, ter de ouvir a uma interminável e mortalmente enfadonha sessão de poesia.

A cada dia eu ampliava o meu raio de ação. Descobri construções intrigantes sobre cumes de colinas inacessíveis — onde a *tramontana*, o vento que sopra no inverno, pode levantar você do chão ou o sol de verão assa a pele, desde a alvorada até o crepúsculo — e em lugares em que as árvores levariam décadas para crescer na argila dura, antes de proporcionarem alguma sombra. Também encontrei casas em belos lugarzinhos, encravados nas encostas das colinas ou mesmo entre duas delas; mas essas ruínas não eram maiores do que uma caixa de sapatos ou seus tetos haviam desabado e suas paredes mal podiam manter-se erguidas — o que significava que elas teriam de ser demolidas e totalmente reconstruídas.

O que dificultava a procura era a minha insistência quanto ao vinhedo. Quando já me encontrava rondando as imediações de Pienza — apenas a uns treze quilômetros na direção oeste — eu entrei em uma zona de calor sufocante e de duríssimo *tufo*, um solo de rocha porosa, no qual as videiras jamais poderiam germinar.

Nos dias chuvosos eu saía no Matra, um velho carro-esporte francês, com uma carroceria de fibra de vidro tão espessa quanto a casca de um ovo, montada sobre uma estrutura de aço quase tão robusta quanto um clipe de papel. Contudo, o carrinho é maravilhosamente estável, com sua largura (ele possui três assentos, lado a lado) quase igual ao comprimento; e tão baixo que, dentro dele, é difícil enxergar as faixas pintadas no asfalto da estrada. Nas estradas sinuosas da Toscana ele é um sonho: tão fácil de pilotar quanto um carrinho de bebê, com um motor central suficientemente potente para jogar você para fora das curvas.

Porém, uma vez que você tome uma das estradas de terra muito comuns na região, irá sair derrapando e chacoalhando, com grande estardalhaço. Qualquer pessoa de bom-senso evitaria essas rotas secundárias acidentadas — a menos que tivesse nascido húngara e, portanto, jamais tivesse aprendido o significado da palavra "não". Assim, tão logo vi uma ruína assomando sobre uma colina distante, eu pisei fundo no Matra, que derrapou e sacolejou muito até que, com um estouro ensurdecedor, o motor morreu, ainda acelerado. No meio do nada, sem uma única casa ao alcance da visão, me vi sentado ali. Estava escurecendo, e eu comecei a praguejar em húngaro. Isto é algo que demanda tempo, uma vez que somos campeões mundiais de praguejamento, tal como ficou provado em um evento internacional, no qual meu vitorioso compatriota conseguiu vociferar por trinta minutos inteirinhos, sem repetir um único termo. Ele venceu até mesmo os toscanos.

Eu praguejei tanto que fiquei sem fôlego. E percebi que estava sem uma lanterna, também.

Rastejando sob o carro, eu esperava encontrar o cabo de transmissão arrebentado sobre o chão; mas nada havia ali, exceto algumas centenas de formigas e uma barra de metal pendurada, que outrora servia para ajudar na troca das marchas. Tudo o que me restava era fazer mais algumas sugestões aos santos, em voz alta.

— *Buonasera* —, ouvi dizer uma voz gentil.

Tirei minha cabeça debaixo do carro e não precisei olhar muito longe. Ali estava uma pequenina senhora idosa, trajada à tradicional maneira toscana: com um vestido fino sob um avental. Ela segurava uma vara comprida e encontrava-se cercada por um bando de ovelhas curiosas. Expliquei-lhe o meu problema e ela sorriu.

— Minha casa fica próximo daqui —, disse ela. — E lá tem uma lanterna. Talvez o meu marido possa ajudar a consertar o seu carro.

Olhei em volta e não vi casa alguma.

— É muito longe para empurrar o carro até lá — disse eu.

— Empurrar, não — ela disse. — Puxar.

Nada é mais embaraçoso do que assistir a três carneiros, lado a lado, puxando o seu carro-esporte por uma corda.

Tornei minha busca mais abrangente. Meu vale preferido, nos arredores de Petroio, era muito pequeno e não dispunha de terras para a plantação de um vinhedo. O Monte Amiata, um vulcão adormecido, era muito alto e frio para as videiras. As terras baixas, na direção do mar, não possuíam antigas ruínas porque, até recentemente, eram uma extensão pantanosa, infestada de focos de malária, e quem quer que tivesse construído algo ali, não havia durado muito tempo antes de morrer.

A região em torno de Siena — possivelmente a cidade mais bela da Toscana — era muito quente e seca. Além disso, abrigava uma monstruosidade da qual não se poderia fugir: um gigantesco silo de metal e concreto, da altura de um prédio de vinte andares, abandonado e ameaçando desabar. Demoli-lo custaria muito caro; por isso, ele permanece ali, em meio ao vale verdejante, até hoje, como um monumento permanente à imbecilidade. Ele fazia parte de um projeto governamental para o desenvolvimento de uma região empobrecida. As colinas de Siena são feitas de argila dura, e no solo árido apenas os grãos mais resistentes haviam vicejado, até que alguém decidiu transformar o vale na maior fonte produtora do fruto nacional da Itália: o tomate. Todos comemoraram, as máquinas chegaram, e o silo e uma fábrica de tomates enlatados foram erguidos, da noite para o dia. Houve bandas de música, desfiles e festejos. Os tomates foram plantados e, em umas poucas centenas de acres, brotos tímidos floresceram sob a brisa quente. Porém, após uma semana, os brotos verdejantes do vale assumiram uma tonalidade uniformemente amarronzada; e logo cada um deles mirrou e as plantas morreram — tudo porque alguém se esqueceu de que falta às colinas em torno de Siena a única coisa de que os tomateiros necessitam em abundância: água. Assim, os únicos tomates maduros que o silo viu, foram os que o guarda trazia em sua marmita, todos os dias.

Afinal, eu desisti. Não havia uma só árvore, em toda Toscana, por trás da qual eu já não tivesse procurado. Não pense que sou impaciente: estou falando de uma busca que se estendeu por meses. Não reiniciei a procura até a primavera seguinte, quando toda a Itália envolveu-se em uma verdadeira "caçada judicial", chamada *mani pulite* — "mãos limpas". O principal juiz federal havia decidido extirpar a cultura da distribuição de propinas; por isso, muita gente que até o dia anterior havia ostentado orgulhosamente sua riqueza tornou-se suspeitosamente "pobre", de um dia para o outro. Ferraris e Maseratis desapareceram das ruas; casas de praia e chalés de esqui foram fechados, de uma costa à outra; casacos de pele sumiram, mulheres tremeram e burocratas de colarinho branco arfaram devido ao esforço por terem de aparar seus próprios gramados.

Era um dia calmo em *La Marinaia*. Após uma manhã inteira escrevendo, eu e Buster jogávamos futebol no campinho atrás da casa. Com suas perninhas musculosas — que desenvolvera pedalando seu tratorzinho de brinquedo pelas colinas, todos os dias —, ele chutava a bola com tanta força que as paredes da casa tremiam, cada vez que eu não conseguia defender um de seus "canhonaços".

Candace ajudava Eleanora com seu dever de casa de inglês, sob o caramanchão, quando me chamou: — Querido, acho que encontrei o seu sonho.

Eu congelei. Buster chutou a bola e *La Marinaia* tremeu. Fui até ali, para ver. As duas praticavam o inglês lendo um exemplar italiano da revista *Country House*, que trazia uma fotografia no alto de cada página, sobre duas colunas de texto — uma em italiano, outra em inglês. Olhei para a foto sem poder acreditar no que via. Tratava-se de uma fotografia aérea de um pequeno castelo encantado. Ele parecia abandonado havia muitos anos; as oliveiras em torno da construção quase desapareciam em meio aos espinheiros e o mato cobria as árvores frutíferas. O bosque que descia pela encosta da colina mais parecia uma selva impenetrável e um celeiro para armazenagem de feno havia ruído completamente.

Mas, a casa — meu Deus, a casa! Ela devia ter sido construída há vários séculos. Anexos e ampliações haviam sido acrescentados por todos os lados; os telhados inclinavam-se em várias direções e as portas e janelas eram todas diferentes entre si. Parecia que o nível do solo ou — mais provavelmente — as ideias tivessem mudado à medida que as gerações foram se sucedendo. Duas alas — cada uma com dois andares; uma com um telhado de duas águas e outra coberta por um telhado simples — formavam entre si algo com que eu havia sonhado, todos aqueles anos: um pátio. Passando as duas alas, a casa espalhava-se generosamente pelo terreno; e do centro dela, erguia-se uma joia rara: uma torre. O cabeçalho da matéria dizia: "Propriedade Vinícola em Potencial – Toscana"

Comecei a suar em bicas. — Preciso beber alguma coisa —, eu disse.

— Papai, venha jogar bola! — gritou Buster.

— As pernas do papai não conseguem mais se mexer, querido — disse Candace. Ela serviu-me um copo de vinho. — É melhor se sentar —, disse ela, preocupada, — antes que eu leia o resto para você.

"Localizada na mais prestigiosa região viticultora da Itália, em Montalcino, uma oportunidade rara para o estabelecimento de uma vinícola diferenciada, para os conhecedores mais exigentes. Ao lado de uma das duas colinas inclusas na propriedade, a casa é uma antiga abadia do século XIII, com 465 m² de área construída. Uma edificação fabulosa, pronta para ser criativamente restaurada. Cercada por 70 acres de terras, com florestas, olivais, campos agricultáveis e um pequeno vinhedo. Trinta acres de terra ideal para o cultivo de videiras, incluindo cinco acres com os direitos de plantação de uvas para a produção do Brunello di Montalcino." Por último, havia o preço.

Candace encheu novamente o meu copo. — Não pare de respirar agora, querido. Nós estamos sendo esperados para o jantar.

Caminhei de volta ao campinho de futebol. Bam! A bola passou por mim, atingindo a parede.

— Papai! — reclamou Buster. — Não tem graça se você não se mexer!

5 ~ As Treze Melhores

A ESTRADA QUE VAI DE MONTEPULCIANO A MONTALCINO é o sonho de todo fanático por carros esportivos. Ela contém nada menos do que 240 curvas; ou, trocando em miúdos, você dirige fazendo curvas o tempo inteiro, pois em todos os quarenta quilômetros do trajeto, há apenas três trechos em linha reta com mais de cinquenta metros de extensão. Isto não se consiste em um desafio, se você puder manter-se dentro do limite estipulado de velocidade de 60 km/h; mas tentar dirigir a 160 km/h, certamente, exige muita atenção.

Passando San Biagio e sua avenida margeada de ciprestes, a estrada toma o rumo oeste, cortando pequenos campos cultivados e olivais, e desce a encosta da colina em um estirão de uns duzentos metros. Se calcular bem, você pode chegar a desenvolver 160 km/h no final da reta, quando será forçado a pisar no freio até fazer os discos soltarem fumaça, pois nesse ponto é que começam as curvas de verdade. Você inicia a subida pelas curvas cegas até passar pelas ovelhas de Cucuzi e corre pelo despenhadeiro por todo o caminho até Pienza, tentando "passar reto" pelas curvas usando as duas pistas da estrada (e invadindo um pouco o acostamento, também; pois você aprendeu nas aulas da Srta. McClelland, na sexta série, que a distância mais curta entre dois pontos é sempre uma linha reta).

A certa altura, sair das curvas a 100 km/h parece uma coisa normal — até que você aviste os *carabinieri*, os guardas da polícia nacional, armados até os dentes, na saída para Petroio. Eles aproximam-se sorrindo em seus coletes à prova de balas, com suas Uzis balançando à informal maneira italiana — mas com os dedos no gatilho, de modo que não precisem perder tempo, se decidirem transformar seu carro em uma peneira. Você logo percebe que todos são homens; a maioria, provenientes do Sul, e, como todos os italianos, apaixonados por automóveis — especialmente os baixos, velozes e exóticos, que aderem-se à estrada. Com muita frequência, ao avistá-los à distância, eu tive de forçar os freios do Matra, quando eles acenavam — com aquelas tabuletas vermelhas, do tipo usado por guardas de trânsito para permitir que os estudantes atravessem a rua, diante das escolas — para que eu parasse. Eles tentam parecer austeros enquanto conferem seus documentos, mas logo pedem para que você abra o capô, para que possam dar uma olhada no motor. Eles sorriem docilmente, até que você sorria para eles e tenha a brilhante ideia de oferecer-lhes a oportunidade de "darem uma voltinha". Com este gesto, eles podem transformar você em um amigo para toda a vida.

A partir desse ponto, você tem de arrastar-se pelo trânsito das cidades de Pienza e San Quirico; mas, com um esforço concentrado, é possível fazer a viagem toda em menos de meia hora — incluindo o tempo gasto trocando apertos de mão com os guardas.

☙❦❧

Candace viajava comigo, naquele dia; portanto, dirigi devagar. E, não tendo de concentrar-me muito, saí da estrada apenas duas vezes.

Encontramo-nos com a deslumbrante Silvia, a representante dos proprietários, em um bar, na *piazza* central de Montalcino. Trata-se de um lugarzinho maravilhoso, que mantém o estilo *Liberty* original dos antigos cafés de Roma e Paris, em uma *piazza* aconchegante no centro da cidade, a 550 metros de altitude. Ela é cercada de edifícios por todos os lados; até mesmo pelo lado leste, onde três altas arcadas costumavam emoldurar uma vista magnífica dos distantes montes Apeninos. Costumavam, porque algum "visionário" moderno com cérebro de minhoca obstruiu a vista, para criar um espaço para armazenagem.

Sentamo-nos a uma mesinha externa e Silvia tirou da bolsa um catálogo belamente organizado de suas casas.

Fomos surpreendidos por tamanha demonstração de profissionalismo na Itália. Havíamos nos acostumado a lidar com agentes imobiliários que também trabalhavam, em regime de meio expediente, como açougueiros, pizzaiolos ou agentes funerários, que usavam como material de referência velhos pedaços de papel retirados de sacos de pão. Mas isto não era tudo: Silvia ainda sacou outro catálogo, com brilhantes fotos coloridas, organizadas em um álbum com envelopes plásticos. Isto, sim, era uma melhora considerável, com relação à total ausência de fotografias ou a algumas que pareciam haver sido conservadas no painel de um automóvel, desde os tempos da guerra.

Perdemos a fala quando ela anunciou que a casa mostrada na revista era apenas uma dentre as *treze*, igualmente belas, que tinha para vender. Admiramos, boquiabertos, abadias abandonadas, magníficos moinhos em meio a campos de trigo, uma pequena igreja com um mosteiro anexo, e até mesmo uma grande *fornace* — "fornalha" — abaulada, na qual os habitantes locais costumavam assar as telhas e tijolos de suas casas, até não muito tempo atrás. Com a investigação judicial mantendo todo o dinheiro seguramente oculto debaixo de colchões em toda Itália, nós podíamos escolher à vontade. Em minhas buscas, eu sempre havia deixado Montalcino de lado; pois, embora adorássemos seu vinho — o famoso Brunello —, as terras que visitamos em seus domínios localizavam-se em um vale seco e sem graça; ou em outro, escuro e estreito, sem qualquer paisagem interessante. Porém, Silvia assegurou que suas casas estavam em uma região que havíamos deixado de ver: mais de cinco mil acres de colinas suaves, de propriedade da Castello Banfi, a maior produtora de vinhos de Montalcino. Eu hesitei em perguntar, mas Silvia leu minha mente e disse: —Vocês gostariam de vê-las? — Eu adorei a Silvia. Ela parecia simplesmente encantadora ali, no terceiro assento do Matra, com seus cabelos negros.

— Você sabia que os mórmons são polígamos? — perguntei.

Candace sorriu, cravando suas unhas em meu braço, e disse: — Não vamos falar sobre religião, querido.

⁂

A estrada pavimentada terminava poucos quilômetros ao sul da cidade, então tomamos uma estradinha de terra na qual iniciamos uma descida suave. Tudo pareceu mudar, de repente. Até aquele ponto, havíamos passado apenas por carvalhos desfolhados, mas, agora, estes davam lugar a luxuriantes sempre-vivas de folhas largas; ao *corbezzolo*, com folhas encorpadas e frutos vermelhos, do tamanho de cerejas; à *lentaggine*, de folhagem mais delicada e com maços de flores pequeninas; e a altos arbustos de ílex, da família do azevinho. Às margens da estrada havia giestas, sálvia e pequeninas rosas bravias, brancas e rosadas, com miolos amarelos como o sol; e as encostas secas eram recobertas de grama e louros selvagens. O ar era quente e úmido, como só o pode ser na primavera. Nós havíamos saído do frio do interior do país para o calor do Mar Mediterrâneo. A luz do sol diluía-se nas brumas.

Mesmo assim, eu não fiquei verdadeiramente impressionado, até subirmos ao topo de uma elevação. Lá embaixo, um vasto vale se descortinava diante de nós: colinas, ravinas e altíssimos despenhadeiros ondulavam como um oceano. Meus olhos viajaram até um rio, abaixo das montanhas — por detrás das quais cintilava uma faixa do Mar Tirreno. E, bem longe, em meio ao mar, assomava a Ilha de Elba, onde Napoleão fora exilado. Esparsos por todo o vale, lagos rebrilhavam ao sol; e, aninhados sobre as colinas, havia castelos, torres e ruínas. Tudo posto a venda.

— Quem esteve escondendo este lugar? — murmurou Candace.

⁂

Contornamos a montanha, estradinha abaixo, passamos por um diminuto vilarejo e, como se viajássemos em uma montanha-russa, subimos e descemos colinas: algumas verdejantes, com campos de trigo e coroadas por umas poucas árvores; outras, cobertas de vinhas e outras, ainda, com florestas densas e escuras. Por todo o quarto de hora que havia transcorrido e por todo o espaço percorrido desde que deixáramos a cidade, não avistamos sequer uma alma viva.

Para além de uma longa fileira de ciprestes, que terminava no muro de um cemitério, fizemos uma parada, nos arredores da cidadezinha montanhesa de Camigliano. Ao sul, a inclinação do terreno acentuava-se em uma ravina íngreme; e, ao norte, os campos cultivados com oliveiras estendiam-se a perder de vista. Prosseguimos a pé, passando por um antigo castelo em meio a uma *piazza*. Com uma centena de passos, havíamos cruzado toda a cidade. Largas escadarias levavam até uma igreja românica e a uma estreita alameda, atrás dela. Descendo um longo lance de degraus, sob uma arcada impregnada pela fragrância de adegas de vinhos, chegamos a uma *piazzetta* com um poço coberto. Um punhado de casas estreitas enfileirava-se, lado a lado; de alguns cactos gigantescos brotavam flores cor-de-rosa; um grande gato avermelhado cochilava no parapeito de uma janela ensolarada, sobre a qual estava dependurada a gaiola de um pássaro preto igualmente sonolento. *"Buongiorno, come stai?"*, grasnou o pássaro, educadamente; e, sem esperar por uma resposta, encolheu-se e voltou a dormitar. O único outro som audível era o de uma colher de pau batendo contra o fundo de uma panela.

Camigliano terminava abruptamente em uma escarpa. Silvia apontou para uma casa na outra margem do desfiladeiro, que assentava-se em meio a vastos campos abertos, com o vulcão Amiata erguendo-se ao fundo. — Esta é a primeira — disse ela. — Chama-se *Centine*.

Embora parecesse estar à distância de um tiro de estilingue de onde estávamos, foram precisos dez minutos de carro para chegarmos até ela. A casa possuía longas vistas panorâmicas — exceto a que incluía Camigliano, que parecia próxima demais para deixar-me à vontade. Embora nada impedisse as vistas da casa, também nada a protegia do vento e do sol. Mas suas paredes eram lindas: em termos toscanos, elas eram "novas", tendo sido erguidas em 1890, por um construtor habilidoso. Suas pedras haviam sido cortadas, com as arestas cuidadosamente esculpidas, para encaixarem-se de modo tão perfeito que quase dispensavam a argamassa para fixá-las.

— Assine o cheque —, sussurrei para Candace.

— Calma, rapaz! — murmurou ela, em resposta. — Ainda temos mais doze para ver.

A próxima maravilha de fazer cair o queixo chamava-se *Belreguardo*. Obviamente, seu nome derivava de uma vista capaz de fazer parar o coração. A casa possuía um celeiro anexo de alvenaria e uma arcada verdadeiramente pitoresca. Contudo, na estrada de terra que corria ao longo de um dos seus lados, tratores e caminhões da vinícola Banfi enxameavam o dia inteiro, como se seus motoristas fossem pagos pelas nuvens de poeira que levantavam.

Dirigimos até a propriedade chamada *Lavatrice* — com anexos protuberando como cogumelos, por todos os lados da casa — que compreendia apenas dois acres, completamente cercados pelos vinhedos da Banfi; de modo que apenas escaparíamos da frigideira para cairmos no fogo.

Na Toscana, a escassez de terras disponíveis com antigos *poderi* é sempre um problema. Na década de 1960, as casas foram abandonadas pelos *contadini* — que, por séculos, viveram nelas e trabalharam as terras circunvizinhas — que se mudaram para as cidades, em busca de empregos nas indústrias. Os novos proprietários davam pouco valor às casas dilapidadas; mas as terras em torno delas eram valorizadas como ouro puro. A primeira coisa que fizeram foi cortar todas as árvores, para cobrir todo o terreno com suas plantações, que alcançavam até as paredes das casas. Vinte e cinco anos mais tarde, quando criou-se uma demanda por essas velhas casas arruinadas, para que fossem restauradas como casas de campo, os proprietários das terras tiveram de adicionar um ou dois míseros acres a cada casa; pois, de outro modo, seria muito difícil vendê-las. Quem deseja apenas um lugar agradável para passar os fins de semana fica feliz por ter sua propriedade cercada por terras trabalhadas por outras pessoas; pois isto lhes garante que terão sempre uma vista bem cuidada das janelas de suas casas. Mas isto era um problema para um fazendeiro em potencial, como eu.

Após as visitas às primeiras oito casas, estávamos tão encantados quanto confusos. Felizmente, Silvia sugeriu que almoçássemos. Seguimos calados e pensativos atrás dela, tentando avaliar tudo o que havíamos visto: quais casas possuíam quais detalhes, quais terras tinham quais vistas; mas conseguimos apenas evocar imagens confusas.

— De qual vocês gostaram mais, até agora? — perguntou Silvia.

— Do condomínio em Miami —, disse Candace.

O vinho nos tranquilizou. É incrível como algo que, tomado em excesso, pode transformar alguém em um idiota balbuciante, também pode, após apenas um copo, deixar a mente afiada como uma navalha. Tudo fazia sentido — principalmente os pratos fumegantes colocados diante de nós.

Estávamos sob o Castello Banfi, em um lugarzinho chamado *Il Maruchetto*. Deixamos que Silvia fizesse os pedidos para que pudéssemos nos concentrar nas informações de seu catálogo; e foi somente quando os pratos chegaram que nos demos conta de estarmos em uma da melhores *trattorias* especializadas em frutos do mar de toda a Toscana. O mar fica apenas a uns trinta quilômetros de distância; por isso, os proprietários — originários da costa amalfitana — podem facilmente manter-se firmes em seu propósito de servir apenas os pescados mais frescos. O primeiro prato consistia-se de mexilhões, mariscos, polvo, lagostins e lulas cozidos com vinho branco e alho. Então, veio o *spaghetti* com frutos do mar sortidos em um picante molho de tomates — seguido por uma travessa de *fritture*: lulas, lagostins e pequeninos peixes fritos em uma omelete leve, crocante e suave ao paladar. A chicória, cozida no vapor e temperada com azeite de oliva e vinagre balsâmico, provou ser a melhor coisa para acompanhar a *fritture*. Regamos tudo isso com um Banfi Pinot Grigio; um dos raros vinhos brancos da região. Profiteroles sucederam-se, juntamente com aquele "cimento arterial", o *tiramisù*. Tomávamos um café *espresso* quando o proprietário nos ofertou *grappa*, com os cumprimentos da casa, servida em copos do tamanho de uma banheira para passarinhos. À medida que conversávamos, o nevoeiro da *grappa* adensou-se.

— Vocês gostariam de ver outras casas? — indagou Silvia.

— Por que não? — disse Candace.

— Que casas? — balbuciei, polidamente.

— Eu esqueci —, admitiu Candace. — Mas, vamos segui-la e veremos.

⁂

As duas ruínas seguintes permanecem sendo apenas uma imagem borrada, até hoje. Ou havia um moinho sobre uma colina (ou eu teria lido isso em *Dom Quixote*?), ou um castelo em uma ilha (ou isto estaria no *Conde de Monte Cristo*?), ou o contrário. A terceira era uma igreja de bom tamanho, anexa a uma pequena casa: portas entreabertas, janelas sem vidros e mato alto, crescendo descontroladamente. Enquanto Silvia tentava encontrar o melhor caminho para entrar na propriedade, Candace avisou que precisava urinar. Urgentemente. Eu também.

Abrimos uma trilha no meio do mato, na direção dos fundos da casa, para que Silvia não nos pudesse ver; mas, ao contornarmos um canto da casa, um duende de ao menos setenta anos de idade surgiu diante de nós. Ele usava um chapéu de fazendeiro suíço com a aba puxada sobre sua testa; tinha uma enxada erguida acima de sua cabeça e um belo vinhedo, muito bem cuidado, logo atrás de si. Ele sorriu e, com força surpreendente, cravou sua grande enxada no solo.

— *Buongiorno* —, cantarolou ele.

Nós cantarolamos em resposta e seguramos nossas bexigas.

Conversamos sobre o abandono do lugar, sobre a vista e sobre o vinhedo bem cuidado no qual ele havia trabalhado por tantos anos e que, agora, encontrava-se à venda.

Seus olhos assumiram uma expressão astuciosa. Ele apoiou-se no cabo de sua enxada e exibiu um sorriso de contentamento: — Aposto que vocês não adivinham quem eu sou, nem em mil anos!

— Espero que seja um urologista —, disse Candace. — Porque eu vou precisar de um, daqui a mais um minuto.

— O que ela disse? —, perguntou o homenzinho, pois Candace havia falado em inglês.

Disse a ele que ela não saberia adivinhar; e eu também não.

— Ora, tentem! —, coaxou ele, apoiando-se mais confortavelmente em sua enxada.

— Pelo amor de Deus! — implorou Candace. — Diga qualquer coisa! Diga que ele é o Coelhinho da Páscoa!

Arrisquei um palpite dizendo que ele era o maior conhecedor de vinhos da região. Ele sorriu, mas pude notar seu desapontamento. — Por acaso eu me visto como um conhecedor de vinhos? Agora, vamos; honestamente!

— Ó, meu Deus, estou morrendo! Traga-me um padre! — suplicou Candace.

— *Un prete!* Um padre! — disse eu.

— Acertou! — rugiu o homenzinho. — Como diabos você soube?

— Foram os seus olhos —, sentenciei. — Há um lugar em que se possa urinar, aqui?

❧

Afinal, desistimos de comprar a igreja. Sendo uma construção do século X, ela era considerada um tesouro nacional e não poderia ser modificada; somente a pequena casa anexa poderia ser restaurada. O sol já estava baixo e densas nuvens começavam a conferir um tom rosado ao céu. Dirigimos colina abaixo, atravessando um riacho e, então, subimos por uma estradinha sinuosa. Enquanto sacolejávamos ao longo do caminho, Silvia disse: — Agora vocês vão ver a joia da coroa das propriedades Banfi. Chama-se *Il Colombaio*.

Passamos por uma casa de fazenda, para onde uma família retornava, vinda dos vinhedos, com suas enxadas às costas; descemos uma colina íngreme, adentramos a escuridão de uma floresta e cruzamos uma ponte de pedras.

— Ela é dos tempos de Roma —, disse Silvia. — De quando os romanos ainda sabiam alguma coisa.

Quatrocentos metros adiante, a estrada estreitava-se de tal maneira entre duas casas que eu poderia jurar que perderíamos ambos os retrovisores do carro. As casas haviam sido belamente reconstruídas, com luxuriantes jardins e um vinhedo espalhando-se pelo terreno atrás delas.

— Esta é uma região de imóveis valorizados? — perguntei a Silvia.

— Isto tudo é propriedade de Gianfranco Soldera —, disse Silvia. Ele produz o melhor Brunello de toda a região de Montalcino. Chega a ser vendido por até 200 dólares a garrafa, em Nova York. Por isso, ele pode dar-se ao luxo de cultivar uns canteiros de margaridas, aqui ou ali.

Contornamos um pequeno cemitério e uma igrejinha com um estranho campanário em forma de bulbo, com vários sinos. Glicínias subiam pelas paredes e vasos de flores adornavam os degraus. Um homem velho e corpulento carregava um coelho em suas mãos. Sorrindo, ele acenou com o coelho, quando passamos por ele. Além da igreja, a estradinha — tão pouco utilizada que a grama chegava a crescer no meio dela — coleava em direção a uma casa distante.

— É a última casa da estrada —, disse Silvia. — Além dela, há um desfiladeiro.

Embrenhamo-nos por um trecho de mato alto. Roseiras selvagens arranhavam o chassi do carro.

Silvia parou. — A partir daqui, seguiremos a pé.

⁓✦⁓

Subimos uma elevação, de onde não se avistava casa alguma. Estávamos cercados, de ambos os lados, por uma paisagem tenebrosa. Muito tempo antes, ali deveria ter havido um olival, pois novos brotos de oliveiras podiam ser vistos crescendo irremediavelmente entrelaçados com arbustos selvagens. Colina acima, em uma clareira, podíamos ver grossos troncos de antigas oliveiras serrados a não mais de quinze centímetros de altura. De cada toco, porém, dúzias de delgados brotos emergiam. Ao pé da colina, o terreno aplanava-se, coberto de relva. De repente, Candace enveredou para fora da trilha e correu para dentro do trecho de mato mais denso — e saiu dali brandindo um galhinho novo, com duas pequeninas folhas de videira. Ela erguia o galhinho triunfantemente, como uma Salomé exibindo a cabeça de São João Batista.

— Aqui está, querido —, sorriu ela. — O seu próprio vinhedo.

A Grande Carpideira.

6 ~ A Joia da Coroa

Eu me sentia como um garotinho de cinco anos de idade numa manhã de Natal. Comecei a contar as fileiras de videiras caídas, mas elas estavam de tal maneira cobertas pelo mato que desisti e corri para a floresta. A uns sessenta metros acima da casa, passando uma pastagem, havia uma densa floresta. Onde a cobertura das copas das árvores mais altas bloqueava a visão do céu, as árvores menores haviam morrido, formando um emaranhado impenetrável.

— Querido! —, gritou Candace, lá debaixo. — Querido!

As mulheres haviam conseguido abrir outra trilha, de uns trinta metros, mato adentro, e agora se encontravam diante da casa. No lado norte desta havia uma estrutura de formato estranho, com altas escadarias muito desgastadas e um abrigo baixo, feito de pedras. Candace estava sob uma parte aberta desta, com metade de seu corpo dentro de um grande *forno* externo, de tijolos, onde os toscanos assaram seu pão, por séculos.

— Está em perfeito estado! —, gritou ela, animada. Soube, então, que esta seria a nossa casa, porque ela sempre havia desejado um *forno*, tanto quanto eu havia desejado um vinhedo. Pelo lado de fora, o *forno* parecia um bloco de pedra de uns dois metros quadrados, coberto por um telhado de cerâmica, com uma chaminé de tijolos. Sua abertura arqueada ficava à altura da minha cintura; suficientemente grande para dar passagem a um leitão inteiro. Coloquei minha cabeça lá dentro. O interior era um verdadeiro milagre da arquitetura: um domo perfeito. Não tão elevado quanto o de Brunelleschi, em Florença, mas construído de acordo o mesmo método: fileiras circulares de tijolos superpostas, com diâmetro progressivamente menor, até chegar ao topo. Seria possível aquecê-lo com algumas braçadas de galhos secos, em um par de horas; e, então, bastaria afastar as cinzas para os lados e colocar dentro dele a massa fermentada de um pão, uma galinha, costelas e, talvez, algumas linguiças. Ao retirar tudo isso, ainda seria possível assar uma fornada de tortas, sentar-se e comer, até o pôr do sol.

Abrimos caminho em volta da casa com bastões improvisados. Sua face oeste erguia-se sobre nós como uma fortaleza, com telhados inclinados em várias direções, uma torre recortando-se contra o céu e arcadas que escureciam vagarosamente à luz que desvanecia. Ao sul, encontrava-se o pátio; e, em torno dele, a casa erguia-se à altura de dois andares por três de seus lados. No quarto lado, um muro baixo outrora erguera-se do chão. Junto ao que restava do muro, uma enorme figueira quase o fazia desaparecer, com seus longos galhos retorcidos, estendendo-se de uma parede da casa à outra, guardando o recinto. Engatinhando sob uma arcada parcialmente desmoronada, rastejei para dentro da casa.

Senti-me como se tivesse entrado em um conto de fadas que minha avó me contara, muito tempo atrás. As paredes eram maciças, com quase um metro de espessura. Odores úmidos impregnavam o ar em que o silêncio absoluto reinava. Na escuridão cavernosa podia-se entrever tetos abaulados, paredes cobertas de limo e arcadas. Através de uma abertura estreita, uma escadaria serpenteava em meio às trevas. Nichos e recessos haviam sido escavados nas paredes, havia cadeiras quebradas e uma grande mesa de madeira equilibrava-se, com uma de suas pernas destruída, como um animal com uma pata machucada. E, pendendo das vigas do teto, fileiras e mais fileiras de adoráveis morceguinhos.

No piso superior, em uma ampla cozinha, havia um fogão a lenha aberto e uma estrutura baixa de tijolos com duas aberturas no topo, para o encaixe de caldeirões, nos quais molhos haviam apurado por horas a fio. As vigas, os frisos e as telhas do teto que, uma vez, haviam sido caiadas, estavam enegrecidas pela fuligem; e nos lugares por onde a água da chuva havia conseguido penetrar pelas telhas quebradas, as paredes eram pontilhadas de manchas. As portas de madeira encontravam-se entreabertas, pendendo de suas dobradiças tortas. Em uma saleta havia um buraco no piso, onde a salmoura, que pingava dos presuntos que eram dependurados nas vigas do teto, para curar, havia corroído o cimento.

Em um canto, havia uma pilha de velhos livros e papéis: um antigo exemplar de *As Três Irmãs*, de Tchekhov; cartões postais com as bordas reviradas; livros de oração; e, atado com um cordão rústico, um maço de cartas escritas a mão — com uma caligrafia magnífica — entre os anos de 1791 e 1822.

Exceto pelo buraco no piso, a casa parecia bastante sólida: não havia telhados desabados ou paredes esfarelando; por isso, um ambicioso sonhador poderia facilmente deixar-se enganar quanto à casa necessitar apenas de algumas telhas novas, uma demão de tinta e uma boa faxina.

Devo ter sido o primeiro da fila, quando Deus distribuiu a ambição.

༺✤༻

Eu queria percorrer a pé toda a propriedade, que Silvia dissera estender-se por quase um quilômetro e meio para além da colina; mas o sol já estava muito baixo e a floresta escura demais para iniciar uma caminhada. Então, passeamos pela redondeza e encontramos uma laje de pedra que terminava num riacho, logo abaixo da casa.

No crepúsculo, as nuvens haviam-se suavizado, parecendo baixas no céu. Uma sucessão de colinas, entremeadas pela neblina, alcançava o horizonte. Ciprestes erguiam-se, escuros; e um pombo arrulhou em uma árvore, como se dissesse adeus à luz do dia. O sol caiu por trás das nuvens e o céu pareceu inflamar-se. Fachos de luminosidade intensa despontaram e, ao sul, o sereno cobria as colinas como um chuvisco dourado. Então, a névoa sobre o vale e o céu próximo da linha do horizonte tornaram-se vermelhos, e o sol escondeu-se por trás das nuvens mais distantes, até tocar o topo de uma montanha.

— Querido —, sussurrou Candace. — Deus criou estas ruínas só para você.

7 ~ Primeiro Passo: Como Entornar

Uma coisa é encontrar a ruína dos seus sonhos; outra, bem diferente, é pagar por ela. Todo o dinheiro que tínhamos foi investido na nossa casa: se a vendêssemos, poderíamos comprar *Il Colombaio* e, talvez, fazer algumas das reformas necessárias; mas, até que estas fossem concluídas, teríamos de viver acampados em uma barraca. Nós sabíamos que uma remodelação completa poderia levar até dois anos: seis meses para obtermos as permissões, e o resto do tempo para escavar, lixar, rebocar, entalhar, ajustar manualmente e chorar — e, se tivéssemos de arcar com as despesas do aluguel de outra casa, estaríamos falidos. Eu tinha um novo livro em andamento, que fluía bem, mas não saberia dizer quando ele seria terminado; e reformas sempre acabam custando mais do que esperamos.

Deprimido por causa de tudo isso, fui acordado de uma soneca numa tarde quente por Candace, que berrava "Anna, Anna!".

Pensei que Anna — quem quer que fosse — tivesse acabado de chegar; mas Candace veio sentar-se ao meu lado e contar-me uma história. Anna possuía uma bela residência, com jardins luxuriantes, próxima de Monte San Savino, mas localizada no meio da floresta. Com quase sessenta anos de idade e morando sozinha, por mais que adorasse sua morada, ela preferia viver perto de outras pessoas. Por isso, resolveu vendê-la. Mas a casa que ela comprou na cidade precisava ser reformada do piso ao teto. Necessitando de um lugar para viver, ela vendeu sua antiga morada, com um implemento inovador: uma jardineira residente; ou seja, ela mesma. Os alemães que compraram sua casa desejavam-na apenas para passar alguns fins de semana e suas férias anuais; assim, se ela estivesse disponível nessas ocasiões — sendo amorosamente bem cuidada, no restante do tempo —, eles ficariam muito felizes. Tanto quanto Anna.

Então, decidimos vender nossa casa *alla moda di Anna*. Os compradores ideais seriam aqueles que vivessem o mais distante possível — em Plutão, por exemplo — e que a visitassem apenas muito raramente. Porém, uma vez que não conhecíamos nenhum plutoniano, procuramos por alguém que morasse no próximo lugar mais distante da nossa lista: o Canadá. E, mais do que apenas um idoso, tranquilo e nada intrometido canadense, encontramos um a cujo coração nós poderíamos apelar: o rico banqueiro e investidor irmão de Candace, absorto em seu trabalho sete dias por semana, *a nove mil e seiscentos quilômetros de distância*.

Nem bem havíamos decidido nos mudar, contraímos a famosa "doença" toscana: a Indecisão. *La Marinaia* era o nosso lar. Além disso, Candace tinha seu estúdio na cidade, e Buster adorava seus coleguinhas de escola, pelos quais também era adorado — especialmente por Benedetta, uma bela "danadinha" de olhos escuros, com sete anos de idade, que tratava Buster como se fosse o seu pônei, cavalgando-o sempre que tivesse uma chance e cobrindo-o de beijos. E, é claro, havia o laço mais difícil de romper: o que tínhamos com os Paolucci.

Assim, decidimos nada decidir. A única maneira de assegurar que não mergulhássemos de cabeça em nenhuma situação seria nos afastarmos do continente. Nós velejaríamos por todo o verão, pelos confins setentrionais da Colúmbia Britânica, para fazermos pesquisas para o meu romance histórico de aventura, *Mar Fantasma*. Na bagagem, embalamos vários livros sobre a arquitetura toscana, o cultivo de uvas e a produção de vinhos.

Pouco antes da partida, demos nosso primeiro passo quanto à produção real de vinhos: compramos dez garrafões — quantidade suficiente para encher uma grande banheira — de vinho jovem. Sabíamos, por meio de leituras e de muitas visitas a vinícolas, que o vinho recentemente fermentado pode adquirir qualidades mágicas, se adequadamente estocado, por um ou dois anos, em barris novos de carvalho francês. Do carvalho, o vinho extrai o tanino; que não apenas lhe confere maior durabilidade, mas também o torna mais complexo. Também é possível obter um delicado sabor de baunilha ao "tostar" — chamuscar com fogo — o interior dos barris. Existem interações complexas entre a madeira — viva, até pouco antes — e o vinho ainda bastante vivo; tais como a micro-oxigenação e outros processos cujos nomes eu jamais compreendi, mas que conferem à bebida suavidade, maciez e sabor sem precedentes. Em outras palavras, a ácida e adstringente veemência da juventude é transformada em maravilhosa suavidade, com o envelhecimento — tal como acontece com a gente.

Juntamente com o vinho, compramos duas barricas de carvalho, com capacidade para 228 litros, cada uma. Adquirimos nossas *barriques* na filial local do *Consorzio Agrario* — que, para os apreciadores de armazéns do interior, é o mesmo que morrer e ir para o céu. Eles têm colmeias, mudas de videiras, pequeninos carvalhos inoculados com trufas, ferramentas para as finalidades mais inusitadas, armadilhas contra ladrões, armadilhas para insetos, tambores de aço inoxidável para armazenagem de azeite de oliva, estacas e arame para vinhedos, e pintinhos, patinhos e porquinhos.

Nós fomos ao *Consorzio* no Ape — um veículo de três rodas — de Paolucci, que pode ser melhor descrito como um traje mecanizado, pois é mais provável que você tenha de vesti-lo, em vez de entrar nele. O veículo possui uma pequena carroceria como a de um caminhão, na traseira, e um motorzinho de cinquenta cilindradas — o que, em termos de culinária, equivale a "um quarto de xícara". Ele sobe uma colina rugindo como um leão, mas à velocidade de uma lesma. Por isso, entre as operações de carregar, bater papo, parar no Crociani para experimentar um pouco de seu *Vino Nobile* recém-engarrafado, descarregar, dar uma passadinha no Bazzotti para provar uma linguiça e, dez metros adiante, pararmos para ajudar Scaccini a recapturar um bode fujão, a tarefa de trazer os dois barris — indo e voltando "num piscar de olhos" — consumiu todo o nosso tempo, da manhã até a noite. Mas, sentados à luz fraca de nossa adega subterrânea, aqueles dois soberbos barris de carvalho eram uma visão enternecedora o suficiente para nos trazer lágrimas aos olhos.

Então, tínhamos de transferir o vinho dos garrafões para os barris de madeira. Isto é uma brincadeira de criança, quando se tem uma bomba; mas nós não tínhamos uma. Tudo com que podíamos contar era um velho funil, da nossa cozinha. Um garrafão de cinquenta litros de vinho pesa mais de cinquenta quilos. Felizmente, porém, cada um deles possui um revestimento de palha trançada, com duas grandes alças, para que sejam erguidos; de modo que reunimos todas as forças que possuíamos e os erguemos, inclinamos e vertemos seu conteúdo. Um dos mais fascinantes milagres da Física é a maneira como o vinho sai de um garrafão. A princípio, nada sai do gargalo. Ouve-se um sonoro gorgolejar, sem que nada saia ainda do garrafão. Então, após outro gorgolejo, uma cascata de vinho jorra, espirrando pelas paredes e fluindo para dentro do barril. Isto traz duas vantagens: primeiro, tira aquela pedante aparência de coisa nova do barril, dando-lhe um venerável ar de envelhecimento; e segundo, torna o garrafão um pouco mais leve, para a tentativa seguinte.

Tão logo aprendemos a controlar os gorgolejos, assistimos fascinados ao jorro uniforme do vinho, que redemoinhava no funil até que este, de repente, enchia-se completamente, transbordando.

A esta altura, resolvemos apelar ao meu brilhantismo tecnológico, adquirido na juventude, quando eu sugava até a última gota de gasolina do tanque do carro de meu pai com uma mangueira de um metro e meio.

Fazer uma sifonagem é simples: no caso do vinho, tudo o que você tem a fazer é abraçar-se ao garrafão, agarrar suas duas alças de palha trançada e erguê-lo até conseguir colocá-lo sobre um banco alto. Dê um descanso à sua hérnia e, então, posicione o barril no chão, próximo do banco. Insira uma das extremidades de um tubo flexível limpo no garrafão e ponha a outra extremidade em sua boca. Sugue com força suficiente para que suas bochechas, pulmões e outros órgãos pareçam estar a ponto de implodir. Então, sente-se e pergunte-se por que Deus haveria de ter escolhido justamente este dia para anular a lei da gravidade — uma vez que você pode ver o vinho subir através do tubo, mas, por alguma *Madonna puttana* razão, ele não flui para baixo.

Em seguida, sua cara-metade sugere que você levante só um pouquinho a extremidade do tubo inserida no garrafão, porque ela pode haver-se grudado ao fundo. Você responde com um risinho sarcástico; mas, quando ela não estiver olhando, puxa um pouquinho o tubo do garrafão, volta a inserir a outra extremidade em sua boca e suga com força sobre-humana — e vê o vinho esguichar pelo tubo, pelo seu nariz e pelos seus ouvidos.

A partir deste ponto, você pega o jeito de entornar o vinho.

8 ~ Um Novo Amigo

EM RARAS OCASIÕES MUITO AFORTUNADAS, você encontra alguém de quem sabe, à primeira vista, que irá tornar-se amigo para toda a vida. Antes que saíssemos para navegar no *Pacífico*, viemos a conhecer Tomasso Bucci. Ele é conhecido por seus amigos como Tommi: o diretor da vinícola *high-tech* Banfi, que também tem autonomia para dar a palavra final quanto à venda dos treze *poderi*. Quando Candace e eu entramos em seu escritório, ele pôs-se de pé, caminhou em torno de sua mesa com seu corpo esguio e atlético e apertou nossas mãos com o tipo de olhar gentil e profundo que é reservado para os amigos mais queridos.

— Ouvi dizer que você é um escritor —, disse ele.

Respondi que fazia algumas tentativas, de vez em quando, e ele sorriu.

— Ah, mas você tem livros publicados para comprová-las! Eu sou um poeta, mas tudo o que tenho são folhas de papel, fechadas em uma gaveta.

Após meia hora de conversa amigável, ele desenrolou um mapa militar da área, no qual estavam identificadas todas as construções do vale. Então, ele trouxe um "irmão gêmeo" do impressionante catálogo que havíamos visto com Silvia. Sem que pedíssemos por isso, revimos, juntos, fotografia por fotografia, casa por casa, acompanhadas por sua descrição e uma avaliação surpreendentemente sincera. Embora parecesse silenciosamente orgulhoso de cada uma, apontando-lhes os méritos particulares, ele jamais hesitou em apontar-lhes os defeitos. Afinal, chegamos à "joia da coroa": *Il Colombaio*.

Ele sorriu com os olhos e suspirou.

— Se eu fosse um escritor rico, Ferenc... Esta é uma casa tão poética! E a propriedade ainda compreende setenta acres, duas colinas, um desfiladeiro e algumas das melhores terras para a plantação de videiras da Toscana. Os antigos romanos mantinham alguns de seus melhores vinhedos, aqui.

Então, ele olhou pela janela para o panorama verdejante dos campos toscanos e disse, com a sinceridade sentenciosa de uma criança: — Isto não é apenas um pedaço de terra. É um pequeno reino!

Ele nos levou para um passeio pela vinícola Banfi; de seus gigantescos tanques de aço inoxidável e adegas com a inebriante fragrância de carvalho e vinho, até a sala de degustação, com vista para os vinhedos. Enquanto degustávamos o que pareceu ser nosso centésimo copo de vinho, um homem rotundo e jovial, por volta dos sessenta anos de idade, adentrou a sala. Fomos apresentados ao diretor-presidente da Banfi, o *Cavaliere* Rivella. "*Cavaliere*" é um título honorífico italiano, que ele recebeu por suas conquistas, ao longo da vida inteira — entre as quais se inclui a de haver literalmente criado a própria Banfi. Eu já ouvira falar de Rivella: ele era famoso por conquistar jovens estrelas do cinema com seus modos gentis, seu olhar sedutor e um gosto impecável em matéria de vinhos. Ele era, também, um marxista. E, agora, este aclamado marxista, com um lenço em torno do pescoço e seu sorriso cativante, aproximou-se de Candace, olhou-a profundamente nos olhos e, sem o menor sinal de afetação, inclinou-se, tomou-lhe a mão e levou-a até seus lábios.

Ele falou sobre *Il Colombaio*: sobre seus dez acres perfeitos a sudoeste da casa, ideais para o cultivo de uvas Sangiovese — a variedade utilizada para a fabricação do Brunello — e sobre o solo argiloso a oeste, onde ele plantaria uvas Merlot, enquanto a variedade Cabernet floresceria melhor nos campos pedregosos cercados pela floresta, mais adiante. Ele tornou-se ainda mais entusiasmado quando disse:

— Você sabe, ao sul, eu encontrei alguns terraços emparedados, que estou certo de haverem sido construídos pelos etruscos. *O Dio*, os romanos jamais dariam tanta atenção a um terreno tão pequeno. Eles formam um túnel perfeito para a brisa que sopra do mar. Se você pudesse reconstruir aqueles terraços, talvez uns seis deles, e plantar, digamos, um acre — ele engoliu um gole de vinho —, com Syrah… Terraços sobre uma colina, sob o sol. Meu Deus, que vista!

Ele esvaziou seu copo e, como Lawrence Olivier após um monólogo desconcertante, moveu-se de maneira decidida, medindo seus passos até sair de cena, adentrando o crepúsculo.

Caminhamos pelos jardins luxuriantes em companhia de Tommi, de volta ao seu escritório.

— Sem querer intrometer-me em suas decisões —, disse Candace, com uma clareza surpreendente para alguém que havia acabado de ingerir o próprio peso em vinho, — mas se as terras de *Il Colombaio* são tão perfeitas, por que vocês mesmos não cultivam vinhedos nelas?

— Gostaríamos de poder fazê-lo —, replicou Tommi. — Mas, vejam —, disse ele, voltando a apontar o mapa. — Esta é a propriedade.

Contornada com traços de lápis verde havia uma forma bizarra, semelhante a um coelho sentado, com suas patas, orelhas compridas e um traseiro rechonchudo. Dentro dos limites do terreno, havia seis áreas menores, de formas e dimensões diversas, demarcadas com traços vermelhos. — Estas são as áreas onde vocês poderão cultivar vinhedos —, disse Tommi. — Todo o restante é *bosco*; áreas florestais, que não podem ser tocadas. Exceto pelos dez acres abaixo da casa, há apenas esses pequenos campos. É preciso cultivá-los cuidadosamente e mantê-los apenas com maquinário pequeno e especializado. Nós possuímos vastos vinhedos, com muito espaço ao final das fileiras de videiras para que grandes máquinas agrícolas possam manobrar. Como poderíamos esperar que um operador de trator, que dirige sua máquina como um peão boiadeiro, possa, por algumas horas por mês, trabalhar com a delicadeza exigida de um neurocirurgião?

Ele baixou o tom de sua voz e olhou-nos bem dentro dos olhos.

— Um lugar tão magnífico e único como aquele — certamente, o mais aprazível que já vi, no sul da Toscana — não pode ser desperdiçado por uma grande corporação. Ele precisa de alguém que possa amá-lo; como um escritor, ou uma pintora.

Então, ele fez uma pausa, riu para si mesmo e, puxando para fora o forro de seu bolso vazio, disse: — Ou um poeta.

Dirigimos pelas longas e coleantes estradinhas vicinais em silêncio, através do cair da noite. Em casa, sentei-me sob o caramanchão e assisti às luzes acenderem-se, uma após a outra, na nossa cidade mágica. Eu pensava em *Il Colombaio*. A propriedade parecia haver sido criada para alguém que cuidasse de suas excêntricas florestas, seus campos e vinhedos com profundo respeito. Ela precisava de alguém capaz de entusiasmar-se pelas pequenas alegrias cotidianas de arar seus campos há muito abandonados, plantar mudas na terra fria do início da primavera e assistir ao milagre de seu florescimento e sucessivo desenvolvimento em viçosos cachos de uvas. Seria preciso alguém que nutrisse seus diminutos vinhedos; que, por sua vez, poderiam produzir uvas finas, por gerações. Vinhos sedutores poderiam advir de suas adegas e incitar emoções, como somente os vinhos poderosamente sensoriais podem fazê-lo: risos, romances e sonhos.

9 ~ Sr. Grude

Passamos aquele verão morando em nosso veleiro, navegando pelos confins setentrionais da montanhosa costa da Colúmbia Britânica. Velejamos por entre desoladas ilhas enevoadas e florestas onde a nação Kwakiutl outrora floresceu e as montanhas cobertas de neve e baías profundas ainda guardam a costa contra o avanço da civilização. Seus vilarejos abandonados, com marcos funerários caídos e canoas apodrecidas semienterradas, são tão misteriosos e intrigantes quantos poucos outros lugares no planeta. Por mais de oito mil anos, seu povo viveu do mar, compartilhando de sua fartura, beleza e mistério. Eles não conquistaram seus vizinhos, nem erigiram grandes monumentos de pedra. Eles apenas viveram uma vida simples, na qual todos cuidavam uns dos outros.

À noite, ancorados sob as estrelas, sozinhos entre as ilhas silenciosas, comíamos peixes, caranguejos, mariscos e ostras que nós mesmos pescávamos; e tínhamos consciência da plenitude que os Kwakiutl devem haver experimentado. Naquele lugar inóspito e pacífico, ocorreu-me que os etruscos deviam ter vivido em suas colinas de maneira muito semelhante. Eles, também, encontravam satisfação com as recompensas — sensoriais e emocionais — que obtinham com a simplicidade da vida que levavam. E, aparentemente, eles foram capazes de introduzir esse sentimento em suas gerações futuras; pois até os toscanos mais jovens parecem obter a mesma satisfação com as vidas modestas que vivem, hoje em dia.

Retornamos em setembro, esperançosos e prontos para darmos nosso salto, rezando para que *Il Colombaio* não tivesse encontrado outro admirador. Porém, fiquei preocupado com as boas-vindas que recebemos de Tommi. Como de hábito, ele mostrou-se cortês e disse que estava muito feliz por rever-nos; mas ele parecia aflito. Ele dava o melhor de si mesmo, para manter uma conversa amena e casual, mas conseguia fazê-lo apenas sem muito entusiasmo. Afinal, ele não pôde mais conter-se e disse-nos que *Centine* — a segunda casa em nossa preferência — havia sido vendida, assim como outras quatro de suas belas ruínas. Ele olhou para a distância e fechou-se em profundo silêncio. Após uma pausa, ele acrescentou, da maneira toscana mais indireta e delicada possível, que *Il Colombaio* — aquele pequeno reino — estava em *trattative*, negociações, havia semanas; desejada por um rico industrial, que produzia a maioria dos adesivos utilizados em todo o mundo. Um acordo preliminar havia sido assinado, e ele deveria voar para lá, no dia seguinte, para acertar alguns detalhes relativos aos direitos de produção do Brunello — e para assinar o contrato definitivo. Tommi parecia tão abatido que achei que ele fosse cair em prantos.

Sentei-me, ali mesmo, aturdido, como um amante traído. Eu havia perdido para um sujeito que fazia coisas pegajosas. Eu havia perdido para o Sr. Grude.

Eu tinha de vê-la, uma última vez. Dirigimos até onde a trilha principiava, e Buster trotou alegremente, brandindo uma varinha como espada, desafiando um exército de arbustos. Candace segurou meu braço, para consolar-me; e eu olhei em todas as direções, menos na da casa com a torre, adiante. Bem antes de chegarmos à casa, enveredamos por uma trilha suficientemente larga para dar passagem a carroças, que levava até à parte mais elevada da propriedade.

Desta vez, uma certa tristeza parecia emanar da floresta. O caminho estava úmido e o ar exalava os aromas outonais. Adiante, a floresta abria-se em um campo de carvalhos gigantescos, entre os quais a vegetação rasteira típica do Mediterrâneo ganhava terreno. Além do campo, descortinava-se uma vista do vale; abaixo de nós, havia o campanário de formas inusitadas e, à distância, estendia-se o vilarejo de Tavernelle. A bruma do final da tarde caía.

Os brados de batalha de Buster cortaram o ar, lá no alto, adiante.

— Mamãe! Papai! Venham ver!

— Agora não, querido —, disse a Mamãe.

— Mas, Mamãe, você não vai acreditar nisso!

— Meu anjo, por favor, fique quietinho. A Mamãe e o Papai estão tramando como matar o Sr. Grude.

Mas Buster não é uma criança que possa ser ignorada. Na maior parte do tempo, ele não exige muita atenção; mas, quando o faz, é melhor dar-lhe toda, ou ele irá tomá-la de você, à força. Desta vez, contudo, ele ficou em silêncio e esperou até que o alcançássemos. Ele havia assumido uma posição estranha: em pé, no fundo de um fosso raso que corria ao lado da estradinha, ele nos encarava.

— Tudo bem. O que foi? — perguntou Candace.

— Ah, nada. Podem continuar tramando —, respondeu o pestinha.

— Diga logo, ou eu vou esganar você! — ameaçou Candace.

Em vez de falar, ele ergueu sua varinha, como se fosse um mágico, e desenhou um círculo no ar. Deu um passo para o lado e apontou para o lugar onde estivera em pé, sobre uma mancha escura no solo.

— Jesus e Maria! — exclamou Candace. — Acho que vou morrer!

Bem ali, ao lado da estrada, onde qualquer um poderia havê-lo encontrado, dias antes, assentava-se um cogumelo *porcini* do tamanho da cabeça do Pestinha.

— Deus te abençoe! — disse Candace, abraçando-o com tanta força que quase o esmagou contra si. Mas o Pestinha havia apenas começado. Ele disparou à frente, parou diante de um fosso, cruzou os braços e assobiou. Atrás dele havia outro grande *porcini*.

— Traga-me os meus sais! — disse Candace. Buster correu adiante, parou, assobiou e gritou: — *Porcini!* Então, ele seguiu mais além e repetiu o procedimento.

Candace cortou os caules com sua lixa de unhas, deixando o micélio no solo, para que pudessem voltar a brotar, no outono seguinte.

— Eles serão colhidos pelo Sr. Grude —, resmunguei.

— Não, querido —, corrigiu-me Candace. — Mortos não colhem cogumelos.

Ela não poderia haver imaginado quão verdadeiras eram as suas palavras; pois, naquela mesma noite, o Sr. Grude estaria — ao menos figurativamente — bem morto. O Marxista e o Poeta asseguraram-se de que assim fosse.

✦

Na Itália, o *calcio* — o glorioso jogo de futebol — é considerado mais sagrado do que o manto do papa. As crianças vivem em função dele; maridos abandonam suas esposas por causa dele; e os fabricantes do Viagra enriquecem pelo efeito que o medicamento produz sobre os torcedores dos times que perdem as partidas que disputam. Um jogo corriqueiro de fim de semana pode incendiar toda uma vizinhança; um campeonato pode ocasionar a decretação de luto nacional; e um torneio internacional pode derrubar um governo estabelecido (o que já aconteceu 43 vezes, desde o final da Segunda Guerra Mundial). Este foi, precisamente, o número de vezes que os *Azzurri* — a equipe nacional — foram derrotados em casa. Há quem diga que não existe qualquer conexão entre ambos os eventos; mas esses são os mesmos céticos que afirmam que o Coelhinho da Páscoa não existe.

Naquela noite, a equipe nacional encontrava-se em péssimos lençóis. O time estava perdendo por 2x0 em uma partida vital para a participação na Copa do Mundo. Um silêncio mortal caiu sobre toda Itália. Durante o intervalo do jogo, preces foram sussurradas; e foram oferecidos sacrifícios, subornos, súplicas, e até mesmo a promessa de abstenção do consumo de molho de tomate por um dia.

Então, o telefone tocou. Era Tommi Bucci. Ele falava tão rapidamente que custou-me perceber que ele não estava se referindo ao jogo. Ele estava falando sobre *Il Colombaio*. Durante um encontro cordial com Rivella — o cavalheiro entre os cavalheiros —, o Sr. Grude mostrara-se arrogante e incisivo. Rivella havia ficado vermelho como uma beterraba e sinalizou com a mão para que Tommi o levasse embora. Escreveu duas palavras sobre uma folha de papel e passou-a a ele.

No bilhete, lia-se: "Traga-me Máté".

10 ~ O Batismo

Na maioria dos países, as transações imobiliárias são concluídas com o auxílio de um corretor, um contrato escrito e um talão de cheques. Com Bucci e Rivella foram precisos apenas quatro taças e uma garrafa de champanhe. Encontrávamo-nos em uma sala alta do castelo, que destacava-se, sobranceiro, em meio à propriedade Banfi: o lago, abaixo; as colinas, pontilhadas de ruínas; e as montanhas cobertas por florestas. Rimos e levantamos alguns brindes; então, Tommi vasculhou seu bolso, chacoalhou alguma coisa lá dentro e puxou um molho de chaves, entregando-o a mim.

— São da sua casa —, disse Rivella, erguendo sua taça. — Que ela renasça, a partir de amanhã.

Fiquei completamente desconcertado. Queria que eles soubessem que eu não me esquecera de suas necessidades. — Eu devo lhes dar um depósito? — ofereci. — Ou assinar uma apólice de seguro, ou qualquer coisa escrita com sangue?

Rivella sorriu e, em vez de responder-me verbalmente, fez um gesto de desdém com sua mão, como se espantasse um mosquito.

O negócio estava fechado.

Tommi achou que seria uma boa ideia levarmos para casa as plantas de *Il Colombaio*, naquela noite, para que sonhássemos com as remodelações que faríamos no interior da casa. Então, nós o seguimos — em linha mais ou menos reta — de volta até seu escritório. Minhas mãos tremiam, quando ele me deu as plantas.

— Você sabe —, disse Tommi, — eu reconstruí a casa da minha família, em Abruzzi. Isto me consumiu um ano inteiro; mas foi o melhor ano da minha vida!

Naquele momento, o telefone tocou. *"Ah, buongiorno, signore,"*, disse Tommi. Por sua expressão e pelos gestos que fazia, soubemos que ele falava com o Sr. Grude. Do outro lado da sala, podíamos ouvir claramente o Sr. Grude esbravejando. Ele exigia que a Banfi construísse uma nova estrada de acesso na propriedade, queria a transferência dos direitos de produção do Brunello um ano antes do que haviam combinado, pediu um novo acordo sobre as datas de pagamento e a opção preferencial para a aquisição da propriedade vizinha, quando — e *se* — ele decidisse comprá-la. Ocasionalmente, Tommi limitava-se a dizer um "ah-hã" ou "oh, sim"; e logo deixava o Sr. Grude dar vazão à sua veemência. Afinal, ele o interrompeu, com toda a calma.

— Mas tudo isso, agora, é irrelevante, *Signore* —, disse ele. — *Il Colombaio* foi vendida a um escritor, esta manhã.

O Sr. Grude emudeceu, repentinamente. Até onde eu sei, ele deve estar aguardando na linha, até hoje.

❦

Tivemos de sair apressadamente do escritório de Tommi para apanhar Buster à saída do Sagrado Coração de Santa Inês, o convento dentro dos limites das muralhas da cidade, que, lá de cima, contemplava a nossa casa. Ali, sob a supervisão das freiras, ele passava a maior parte de seus dias, desenhando, brincando e fugindo de Benedetta.

Jantar foi um verdadeiro desafio, com as plantas estendidas sobre a mesa. Debruçamo-nos sobre elas, redesenhando quartos, demolindo divisórias nos estábulos, esboçando uma nova escadaria para a torre, cogitando a melhor maneira de instalarmos a cozinha e pensando na direção em que orientaríamos a plantação das nossas vinhas. Planejamos fazer nossa primeira refeição na nova casa no domingo seguinte. Eu não pude dormir, naquela noite. Aliás, sequer consegui fechar os olhos.

Àquela época, comer fora aos domingos havia se tornado uma tradição familiar. Durante minhas excursões em busca de uma casa, eu costumava perguntar aos habitantes locais sobre o melhor restaurante da cidade: não necessariamente o mais "badalado" ou o mais caro; mas em qual deles o *chef* — geralmente, o proprietário do estabelecimento — sabia cozinhar com o coração.

Uma maneira infalível de fazer com que um italiano caia de amores por você é pedir-lhe conselhos sobre comida. Quer seja sobre o tipo de queijo a ser adquirido no mercado, ou onde se encontram as melhores frutas, ou o nome de seu restaurante favorito, seus olhos irão iluminar-se, ele tomará um fôlego profundo e começará a tecer uma descrição tão detalhada quanto apaixonada.

Munidos do conhecimento local — não apenas quanto aos melhores lugares para comer; mas, também, quanto aos melhores pratos servidos em cada um deles —, desfrutamos de algumas das mais inesquecíveis refeições de nossas vidas. Lembro-me especialmente do leitão assado do Latte di Luna, em Pienza; das trufas brancas com *tagliatelle*, do La Torre, em Monte Oliveto Magiore; do molho da lebre do Da Mario, em Buonconvento; dos *porcini* fritos do La Tagliola, perto de Arcidosso; e, é claro, do faisão assado da Trattoria Sciame, em Montalcino.

Mas, naquele domingo, após uma manhã de faxina na nossa própria ruína, nós almoçaríamos no pátio de *Il Colombaio*. Lotamos nosso pequenino Volkswagen Polo — um carro compacto do tamanho de um carrinho de golfe — com ancinhos, vassouras, pás, tesouras de podar, uma foice e uma cesta de vime cheia de comida, e pegamos a estrada. Pareceu levar uma eternidade até que chegássemos lá.

O sol de outono brilhava forte quando paramos diante da pequena vinícola familiar, no início da estradinha de terra que levava à nossa casa, para comprarmos uma garrafa do vinho local para celebrarmos a ocasião. Um homem de meia-idade, maciço e sólido como uma montanha, cumprimentou-nos com um largo sorriso, à entrada de sua adega. Quando dissemos a ele que éramos os novos proprietários de Il Colombaio e pretendíamos celebrar nossa primeira refeição ali com o seu vinho, seus olhos ficaram rasos d'água.

— Eu nasci ali —, disse ele.

E quando quisemos pagar-lhe pela garrafa de Brunello, safra 1987, ele pareceu ofendido.

— É um presente para a minha velha casa —, disse.

⁕

É difícil precisar a emoção que senti ao pisar pela primeira vez em nossos próprios setenta acres da Toscana. Havia um misto de alegria e temor; calma e preocupação; antecipação e apreensão. O mato, agora, parecia duas vezes mais alto e grosso; o vinhedo, mais morto do que antes; e a casa, que, à luz do crepúsculo assemelhara-se a um castelo encantado, à luz do dia parecia-se mais com um amontoado de pedras. A única solução era deixar as emoções de lado e mergulhar de cabeça no trabalho.

Jogamos fora os velhos cochos e ferramentas agrícolas enferrujadas que retiramos do pátio, varremos as pedras de seu pavimento e arrastamos para fora a grande e antiga mesa quebrada, para a qual improvisamos uma nova perna de madeira. Candace e eu empilhamos tijolos e pedras para arranjar um bom lugar para fazer fogo e enviamos Buster em busca de gravetos para acendê-lo, enquanto armávamos uma grelha dupla, na qual assaríamos costelas, linguiças e pombos.

Dez minutos mais tarde, Candace gritava para que Buster trouxesse logo os gravetos, ou ela o incluiria no cardápio do almoço.

— Estou indo! —, respondeu ele, quando já podíamos ouvi-lo correndo, colina abaixo. Ele adentrou o pátio com duas varetas finas em uma das mãos e com a outra oculta atrás de suas costas. No momento em que Candace estava quase o apanhando para torcer seu pescoço, ele estendeu a mão que escondia, dizendo: — Para você!

E entregou a ela um punhado de adoráveis *porcini* escuros.

Aprendemos com a *Nonna* que quando se assa carne em uma grelha dupla, posicionada verticalmente, ao lado do fogo — em vez de estorricá-la e queimá-la diretamente sobre as brasas —, é preciso deixá-la ali ao menos por uma hora e meia, virando-a a cada quinze minutos. A carne estará devidamente assada quando uma deliciosa crosta formar-se sobre as costelas, as linguiças perderem sua gordura e transformarem-se em saborosos bocados mumificados, e a pele dos pombos adquirir a consistência crocante de pergaminho antigo, fazendo com que cada mordida seja um pedaço do paraíso.

Se estivessem na nossa situação, a maior parte das pessoas desfrutaria do restante da manhã correndo os olhos sobre seu sublime mosteiro: as pedras antigas, as graciosas arcadas etc. Mas não eu. Eu tinha um vinhedo para trazer de volta de sua sepultura. Despedi-me de minha família e embrenhei-me no mato. Cortei com a tesoura, cavei com a pá, varri com o ancinho e ceifei com a foice. Após uma hora, pingando suor, constatei que parecia haver mais mato do que antes. Candace trouxe-me um copo de vinho, esperou que eu bebesse um pouco e, então, sugeriu a utilização de uma ferramenta alternativa: um trator de lâmina. Olhei-a com um ar de severa reprovação.

Afinal, após uma batalha de dois dias, consegui limpar e reerguer exatamente quatro videiras meio mortas. Uma vez que ainda houvesse mais meio acre para trabalhar, calculei que levaria o restante dos meus dias de vida para dar toda a tarefa por concluída. Foi então que revelei a Candace minha brilhante ideia para resolver o problema: empregar um trator de lâmina.

❧

Nossa primeira refeição em *Il Colombaio* foi uma maravilha. Com a brisa tépida trazendo os aromas de costelas assadas, *porcini* e pombos — e com meu coração inundado pelo fracasso —, caminhei de volta à nossa ruína, onde o pátio explodia em cores, fumaça e vozes. A mesa defeituosa agora estava coberta por uma toalha amarela; as garrafas de vinho reluziam; a louça brilhava; e, de dentro de uma lata, emergiam flores e ramos de alecrim. A grelha dupla estava cheia de pedaços tostados de carne.

Buster não nascera apenas para comer; mas, também, para auxiliar sua mãe na cozinha. Após picar — com maestria — o manjericão para salpicar sobre tomates e pedaços de *mozzarella*, ele empregou toda a sua habilidade para fatiar um grande bulbo branco que eu ainda não havia visto por ali.

— É erva-doce, papai! —, exclamou o pequeno *chef*, radiante. — A mamãe encontrou no jardim.

É incrível o modo como um bom pedaço de carne assada e um generoso copo de Brunello encorpado podem restaurar suas energias. E o modo como um segundo copo faz você rir com todo o coração. E como o terceiro copo faz você sair à procura de um lugar suficientemente discreto para assediar a sua esposa. Começamos a proferir uma série de "dá para acreditar": dá para acreditar naquela viga vergada, na forma daquela cantoneira, na curva daquele poço, naquela lajota antiga, naquele céu tão azul. Até que Candace pôs fim àquilo.

— Buster —, ela ordenou, — suba pela estrada e encontre alguns *porcini* para levarmos para os Paolucci.

Ela apanhou-me pela mão e zarpamos através da velha cozinha, subindo por uma frágil escada de madeira até a torre.

— Feche a porta —, disse ela, ajoelhando-se sobre uma pilha de cartas antigas e tirando sua blusa por sobre a cabeça.

— Não há uma porta —, disse eu.

— Então, puxe a escada, erga a ponte levadiça ou qualquer outra coisa. Mas venha depressa, pelo amor de Deus.

◈

Fizemos nossa primeira refeição ali; cortamos o mato, fizemos amor e bebemos vinho: *Il Colombaio* havia sido batizada. E era nossa, para sempre.

11 ~ Os Últimos *Contadini*

Enfim, havia chegado o momento que todos temíamos: contar aos Paolucci.

Dei a eles os cogumelos *porcini*, a caminho da casa, naquela noite, e arquitetei uma saída rápida, dizendo que Buster estava dormindo no carro. Isto era apenas uma "meia verdade". Ele estava deitado no banco do carro, é certo; mas o fato de Candace encontrar-se sentada sobre ele, ameaçando-o caso fizesse o menor ruído, não precisaria ser mencionado.

Ao longo dos dias seguintes, fizemos todo o possível para evitá-los. Se os avistássemos trabalhando ao redor da casa, parávamos; mas apenas para uma breve conversa. Na quinta-feira, notei que a tensão crescia entre nós; e ocorreu-me que algum linguarudo pudesse haver espalhado as novidades. Silenciosamente, tramei uma dúzia de histórias sobre os motivos pelos quais — em um ano, aproximadamente — nos mudaríamos da casa que tanto amávamos; e, pior ainda, para longe dos nossos queridos vizinhos: a nossa família.

— Temos de contar a eles hoje à noite —, eu disse a Candace.

— Vou preparar uma *tarte tatin* e conversaremos —, respondeu ela.

— Eu vou fazer um desenho das vacas —, acrescentou Buster.

Nós três caminhamos em silêncio pela trilha enluarada, passando pelo vinhedo que dera início a todo o problema. Do topo da colina, a cidade mostrava-se cheia de sombras, com algumas poucas luzes brilhando entre as casas; e os campanários erguiam-se escuros e sombrios sob o luar. Os sapos pareciam coaxar tristemente, no laguinho. A única coisa reconfortante era o aroma das maçãs assadas.

Os Paolucci estavam todos reunidos na cozinha, nos lugares que ocupavam habitualmente, todas as noites. A *Nonna* sentava-se sobre um banquinho baixo, quase dentro da enorme lareira, tricotando um xale. Rosanna sentava-se à mesa, pregando botões; e Carla ajudava Eleanora com seu dever de casa, revirando os olhos impacientemente e cutucando sua irmã com o cotovelo, sempre que esta perdia a concentração. Paolucci sentava-se em outro banco, esculpindo um novo cabo de madeira para uma faca. Porém, embora todos ocupassem seus lugares costumeiros, a atmosfera era triste.

— Vá buscar um pouco de vinho, Rosa —, comandou Paolucci.

Rosanna dirigiu-se à adega e voltou de lá trazendo uma garrafa *magnum*, de um litro e meio. Nós pusemos a torta de maçã sobre a mesa. Os toscanos jamais agradecem por algo que você lhes dê; e tampouco esperam por agradecimentos, quando dão qualquer coisa a você. Somente Eleanora exclamou *"Che bello!"*, e beliscou um pedacinho da cobertura.

Comemos e bebemos, mas sem a jovialidade de sempre. Havíamos terminado a torta e feito baixar consideravelmente o nível do vinho na garrafa quando Rosanna quebrou a monotonia da conversa:

— Ouvimos novidades sobre a casa —, disse ela.

Ficamos imóveis, imediatamente.

— Nós sabíamos que isto iria acontecer, mais cedo ou mais tarde —, afirmou Paolucci. — Estou surpreso de que não tenha acontecido ainda mais cedo.

— As coisas mudam —, disse a *Nonna*. — Mas, contanto que tenhamos nossa saúde...

— Eu sinto tanto —, soluçou Candace. — Nós devíamos ter dito antes... Ela parecia a ponto de começar a chorar.

— Vocês ouviram também? —, indagou Paolucci, parecendo verdadeiramente surpreso.

— Ouvimos o quê? —, perguntei eu.

— Deve ter sido Piccardi —, suspirou a *Nonna*. — Ele tem a boca maior do que a de uma vaca!

— Ninguém pediu a ele que guardasse segredo —, replicou Paolucci. — Além do mais, transferir a casa é o trabalho dele.

Eu tentava acompanhar o rumo da conversa. — Vocês *ouviram falar*?

— Ouvimos falar sobre o quê? —, perguntou Paolucci.

— Sobre a nossa casa —, disse eu.

— *Sua* casa!? —, exclamou ele. — Eu estou falando sobre a *nossa* casa!

— *Sua* casa? —, engasguei.

—Você está bêbado? —, perguntou Paolucci. — Claro que é sobre a *nossa* casa. *Esta* casa! O proprietário a quer de volta. Nós teremos de nos mudar.

As novidades dos Paolucci foram um choque maior do que achávamos que as nossas seriam. Nós sempre presumíramos que a casa e as terras fossem deles. Sabíamos que eles viviam ali havia mais de quarenta anos. Eles plantaram os vinhedos, as oliveiras, os ciprestes e os pinheiros que cobriam quase todo o terreno, com exceção da própria casa. As meninas haviam nascido ali; o pai de Paolucci morrera ali. Todos os vizinhos eram donos de suas terras e casas; por que haveríamos de pensar que com os Paolucci a situação fosse diferente?

Na verdade, os Paolucci eram alguns dos últimos *contadini* da Toscana — uma versão moderna dos servos medievais. Por centenas de anos, a maior parte das terras pertenceu ou à igreja, ou a grandes latifundiários. Uma famosa propriedade em Vale D'Orcia, perto de Pienza, abrigava 600 pessoas, que ali trabalhavam e viviam. Na prática, essas propriedades eram ducados independentes; com suas próprias igrejas, seus párocos, suas cortes, suas leis e sua justiça — com seus respectivos juízes e suas prisões. Quem escreveu essas leis é uma boa pergunta. A maioria das antigas casas de pedra da Toscana — os *poderi* — abrigava uma família de *contadini* e os animais que eles cuidavam. As casas, os animais, o maquinário e até mesmo as sementes eram de propriedade do dono das terras; os *contadini* possuíam apenas as roupas que levavam sobre seus corpos, mas tinham direito ao uso das casas, desde seu nascimento até a morte. Como retribuição pela manutenção das terras que lhes eram designadas, eles recebiam a metade de tudo o que produzissem: grãos, azeite de oliva, vinho, leitões, galinhas e ovos. Este sistema era chamado de *mezzadria*; um modo de arrendamento de terras.

Após a Segunda Guerra Mundial, o Estado italiano pôs fim a isto. Quase todos os grandes senhores de terras tiveram de pôr à venda as casas e as terras adjacentes a elas, oferecendo-as preferencialmente aos *contadini*, a preços razoáveis, que passaram a ser pequenos proprietários. Os Paolucci, não. As novas leis garantiam-lhes o direito de permanecer nas terras que ocupavam até sua morte; mas isto significaria manter um relacionamento desagradável com o proprietário. Contudo, a lei previa que eles recebessem uma compensação, se lhes fosse pedido que abandonassem as terras; de modo que eles não sairiam dali com as mãos abanando.

— Então, onde vocês irão viver? —, perguntou Candace, em pânico.

— Perto da casa da minha irmã, em San Quirico —, disse Paolucci. — Duas cidades a oeste daqui.

— Nós também vamos nos mudar naquela direção! —, gritou Candace. — Três cidades a oeste, em Montalcino.

— Fomos forçados a isso, como vocês —, menti, falando por entre os dentes. — O irmão dela é dono de metade da casa, e pretende usá-la pelos próximos cinco anos.

Candace quase engasgou com o pedaço de torta que comia.

— Isso é ótimo! — exultou Paolucci, pulando de seu banco. — Assim, continuaremos a ser vizinhos! Rosa, traga mais vinho!

— Eu não disse? — concluiu a *Nonna*. — As coisas mudam. Mas, contanto que tenhamos os nossos amigos...

E, com a mão calejada, afastou uma lágrima de seus olhos.

12 ~ O Novo *Contadino*

Para tornar-se um fazendeiro na Itália é preciso fazer muito mais do que apenas arar a terra. Para qualificar-se ao recebimento de subsídios e abatimentos fiscais é preciso tornar-se oficialmente um *"imprenditore agricolo"* — o que envolve submeter-se a rigorosíssimas provas de resistência física e mental. Você começa passando incontáveis horas em filas, para receber pilhas de documentos, panfletos, livretos e declarações legais. Depois, você tem de ler por incontáveis horas, as pilhas de documentos escritos há milênios, por algum escrivão latino que deve ter sido pago por tonelada de material produzido. Então, você permanece em fila, por mais umas cem vezes, para obter as diversas permissões e requerimentos deferidos, pois você aprendeu que — para sua surpresa — uma fazenda não é simplesmente uma fazenda; mas, sim, um universo infindável de diversos sistemas taxonômicos, tais como florestas, olivais, vinhedos, pastagens, campos agricultáveis, campos não agricultáveis, solo, subsolo, fertilização orgânica, camadas superficiais, camadas basilares, água subterrânea, água à flor da terra, a flora, a fauna, a vida ornitológica, a vida selvagem, a vida noturna, a boa vida, o patrimônio arqueológico e as indenizações pós-traumáticas — tudo isso supervisionado por ministérios e departamentos diferentes, multiplicados por três níveis governamentais: municipal, provincial e federal; cujos escritórios são equidistantes e estrategicamente localizados por toda a Itália (para assegurar a sobrevivência da burocracia, em caso de ataque nuclear), desprovidos de quaisquer sinais identificativos exteriores e destituídos de espaços para estacionamento (senão a quilômetros de distância), cujos horários de funcionamento são arbitrados, todas as manhãs, por meio de um jogo de dardos sobre um alvo. A cada um desses escritórios, você deverá sempre "retornar na próxima semana (ou no mês seguinte)", pois os referidos escritórios estarão de mudança ou terão acabado de mudar-se, sem deixar um novo endereço; ou porque o burocrata responsável por eles estará em horário de almoço, ou em estado de completo estupor, ou morto.

Então, você terá de passar pelo teste escrito.

A boa notícia é que este é um teste simples, com apenas umas vinte questões. A má notícia é que essas vinte questões são retiradas de um volume monstruoso, contendo 2.679 tópicos relacionados à agricultura: cada um com meia página de extensão.

Uma vez que as leis italianas não diferenciam os vinicultores dos, digamos, criadores de patos, este teste simples abrange, portanto, todos os aspectos imagináveis da agricultura e da vida no campo. Assim, você deverá ser capaz de citar, de memória, tópicos tão distintos quanto a duração média da gestação de uma porca, os primeiros sinais visíveis de hérnia testicular em touros, a densidade e o peso específicos do esterco bovino fresco (para evitar sobrecarregar um carrinho de mão), os hábitos de acasalamento das vespas e dos carrapatos, em quais casos a seiva vegetal escorre, não escorre ou apenas acumula-se sobre o mesmo lugar, a reconhecer e diferenciar dezessete tipos diferentes de trigo, seis tipos de milho e a coloração específica de uma castanha madura — além do tópico de conhecimento mais importante de todos: qual extremidade de uma minhoca é a cabeça e qual é o rabo.

Esta seria uma tarefa intimidadora mesmo em seu próprio idioma materno; mas quando ela se apresenta no seu quarto idioma, cuja primeira frase você aprendeu a balbuciar apenas aos 45 anos de idade, é compreensível que seu sorriso perca a vivacidade. É verdade que o meu italiano melhorou drasticamente desde os primeiros fatídicos dias; quando, em um deles, eu adentrei jovialmente o estabelecimento do açougueiro da nossa vizinhança, contemplei os salames e linguiças caseiros que ele exibia dependurados sobre o balcão e, sorrindo, com ar de profundo conhecedor da matéria, perguntei — para impressioná-lo não apenas com meu domínio do idioma, mas, também, com meu conhecimento culinário: *"Mette preservativi sulla sua salsiccia?"*

O rosto do homem ficou vermelho, sem que eu pudesse entender por que, até que Candace sussurrou em meu ouvido: — Você acaba de perguntar-lhe se ele usa um preservativo na sua linguiça. (Na verdade, queria saber se havia conservantes na linguiça.)

Àquela altura, o açougueiro já havia se recuperado da surpresa e, com compostura impecável, respondeu-me: — Isto, meu caro senhor, depende do que você tiver em mente.

Então, mergulhei no estudo do capítulo referente ao método de retirar um ovo entalado de uma galinha.

Estudei por meses a fio. Memorizei tudo. Eu poderia ser acordado no meio da noite, arrancado do sono mais profundo, e, sem pestanejar, dizer o signo zodiacal de qualquer lontra. Eu estava pronto.

O exame é aplicado apenas duas vezes por ano; por isso, é aconselhável estar muito bem preparado para prestá-lo. Caso alguém seja reprovado, terá de suportar a carga tributária de 20% sobre qualquer coisa que vier a adquirir, nos próximos seis meses: desde tratores, até terras. Para reter na memória o que havia aprendido, eu murmurava as respostas corretas para mim mesmo, dia e noite; e, certo dia, quando passei direto por Piccardi, na cidade, ele me segurou pelos ombros e gritou: — Acorde! Já é de manhã!

Pedi-lhe desculpas, explicando minha obsessão com os estudos para o exame. Piccardi revolveu os olhos, incrédulo:

— Você memorizou aquilo tudo? Por quê? Você é louco?

Ao mesmo tempo, ele vasculhou furiosamente sua pasta, arrancando uma folha de papel amarfanhada e exibindo-a diante de mim. Sobre a folha de papel pude ler as palavras *"Esame per Imprenditore Agricolo"*; sob as quais liam-se as tais vinte questões, com as respectivas respostas.

— Aqui! —, esbravejou Piccardi. — Eis tudo o que você precisa saber. Estas têm sido as mesmas vinte questões, há mais de trinta anos!

Quedei-me ali, sem fala, enquanto ele se afastava. Mas, poucos passos adiante, ele voltou-se para mim e bradou:

— Isto é a Itália, Ferenc. Lembra-se? A Itália!

⁂

Depois de tanta luta, eu quase perdi o exame.

Eu sabia que havia um prazo determinado para fazer a inscrição; mas, como sempre, deixei tudo para o último minuto.

Entrei caminhando sossegadamente no Ufficio Agricola Imprenditore Novelle, nos arredores de Siena, num sábado — no último dia em que as inscrições seriam aceitas — às 11h30 da manhã; quarenta e sete minutos antes do encerramento oficial do prazo. Logo à entrada do edifício, quase fui atropelado por uma robusta fazendeira toscana, que saiu vociferando e praguejando, entrou em seu veículo de três rodas e arrancou rugindo na direção da cidade. Vi-me sozinho no escritório, na presença de uma espantosa raridade: um burocrata encantador. Ele examinou meus documentos, cumprimentou-me pela perfeição com que estes haviam sido preenchidos e os devolveu a mim, sorrindo e despedindo-se.

— Mas, e quanto à inscrição? —, supliquei. — Você tem de aceitar a minha inscrição!

— Entregar a solicitação em mãos é contra a lei —, sentenciou ele. — Todos os documentos devem ser entregues pelo correio, com um carimbo postal com a data de hoje, no máximo.

— Mas a agência do correio —, balbuciei, — fica no meio da cidade! E deve fechar em vinte minutos!

— Dezoito —, corrigiu ele.

Quase o atropelei, quando saí pela porta, vociferando e praguejando, em alta velocidade. A agência do correio distava apenas uns cinco quilômetros, mas o problema era Siena: uma cidade murada, fechada ao tráfego de veículos motorizados. Acelerei o Matra até pisar "na tábua". O carrinho rugiu colina acima, na direção do portal da cidade e do único pátio de estacionamento que eu conhecia. Até aí, tudo bem — exceto pelo fato de a agência do correio localizar-se quase do outro lado da cidade.

Estacionei o carro e corri ao longo dos bastiões, contemplando a *Piazza del Campo*, através do vale — um panorama que mereceria uma estrela no *Guia Michelin*. Dobrei à esquerda em ângulo reto, entrando pela *Piazza del Duomo*, com a catedral e sua ricamente decorada fachada do século XIII — três estrelas. Contornei suas paredes de mármore estriado com filetes verdes e brancos — duas estrelas. Desci os degraus de mármore da escadaria curva e passei sob uma arcada escura, úmida e malcheirosa — nenhuma estrela. Subi uma estreita rampa que dava vista para a Basílica de San Dominico — sem maiores atrativos — e disparei *corso* acima, passando por alguns belos *palazzi*, até chegar à praça onde encontrava-se a agência do correio — à qual a enfurecida fazendeira, correndo em seu veículo de três rodas, chegara pouco antes de mim.

Faltavam dois minutos para o encerramento do expediente. De maneira maravilhosamente controlada e servil, ela explicou ao indelicado funcionário que encontrava-se detrás da grade que o futuro de sua família dependia de um selo sobre o envelope que trazia, devidamente carimbado com a data daquele dia. O homem indelicado apanhou um selo, passou sobre uma esponja umedecida e até mesmo colou-o sobre o envelope para ela; mas explicou-lhe que obter o carimbo seria impossível. Este deveria ser aplicado pelos funcionários que trabalhavam no fundo da sala — mas não antes da segunda-feira, uma vez que a agência seria fechada em um minuto e todos já haviam saído.

A fazendeira abriu um sorriso tão largo que fez meu sangue gelar nas veias. Então, por debaixo da grade, ela agarrou o braço do homem indelicado e disse-lhe, muito discretamente:

— Se eu sair daqui sem este carimbo, levarei o seu braço comigo.

O homem indelicado congelou. Então, ele estendeu seu braço livre e apanhou um carimbo sob o balcão. Posso garantir que ninguém, em toda a vida, jamais viu um carimbo postal tão bem aplicado.

Eu era o próximo da fila. Empurrei meu envelope sob a grade, respirei fundo e, com o coração na garganta e um olhar mal-intencionado dirigido ao braço do homem, sussurrei:

— Mesmo problema. Mesmo selo, mesmo carimbo.

※

O exame foi aplicado em uma sala decorada com afrescos, em Montepulciano. Havia cerca de trinta candidatos, dentre os quais pude reconhecer alguns: o farmacêutico, um médico, uma cabeleireira, o agente funerário, o sujeito que liberava empréstimos no banco e o chefe de polícia. Por causa do abatimento nos impostos, todos eles haviam, repentinamente, decidido tornar-se fazendeiros.

As folhas da prova foram distribuídas, rigorosamente no horário previsto. Um cavalheiro idoso e empertigado, com um bigodinho e óculos com armação de arame, comandou:

— Podem começar!

Ameaçadoramente, ele acrescentou: — E não quero ouvir conversas, hein! — Então, sentou-se à sua escrivaninha e pôs-se a observar-nos, como um falcão.

Os italianos entendem as coisas literalmente. De fato, ninguém conversou; mas o homem empertigado não disse nada a respeito de fazer uma verdadeira algazarra. Em poucos minutos, a sala encheu-se de altos brados:

— Ei, Luigi, qual é a palavra que se usa em vez de "apodrecer"?

— Ô, Albertino, quantos mamilos tem na teta de uma vaca?
E por aí afora.

⌘

Fui o primeiro a entregar minha prova. O cavalheiro empertigado examinou-a, colocou-a sobre a mesa e disse: — Muito bem, Sr. Máté. Mas tenho mais uma pergunta a fazer-lhe sobre um assunto de seu interesse: *"Mette preservativi sulla sua salsiccia?"*

13 ~ Sem Volta

REMODELAR UMA ANTIGA RUÍNA NA TOSCANA, onde cada tijolo e cada pedra são partes de algum monumento histórico protegido, requer paciência, paixão, perseverança e quatro vezes o peso de seu corpo em documentos oficiais: permissões, declarações, projetos, autorizações, inscrições e súplicas.

A única maneira de sobreviver a isso tudo é contratando Piccardi, o "rolo compressor humano". Piccardi é um senhor alto, de meia-idade, sofisticado e com uma voz que faz um furacão soar como um suspiro. Localmente, ele é conhecido como um *geometra*: alguma coisa entre um engenheiro estrutural e um arquiteto. Acredito que sua posição seja única na Itália, onde — após a Segunda Guerra Mundial, com um subornozinho escapando aqui e ali — o baixíssimo padrão da construção civil fez com que várias edificações novas repentinamente viessem abaixo. Porém, enquanto a principal tarefa de um *geometra* seja evitar que as pilhas de documentos desabem, o melhor atributo de Piccardi está muito além do nível básico: sua habilidade para acelerar o normalmente interminável processo burocrático. Com algumas poucas palavras cuidadosamente escolhidas, ele é capaz de levar às lágrimas o burocrata mais empedernido, renitente e, frequentemente, vingativo. Eu testemunhei algumas de suas sessões de flagelação verbal; e embora não tenha podido compreender a totalidade das narrativas, consegui apanhar o espírito de algumas frases e expressões-chave, tais como: "sua irmã", "uma cama elástica", "um porco amestrado", "cimento" e "uma velhice dolorosamente longa, passada na mais abjeta pobreza".

Assim, Piccardi fez o trabalho social, Candace desenhou os projetos, e eu assumi a função de "Preocupador-em-Chefe". Se esta última lhe parece uma ocupação de menor responsabilidade, tente imaginar um quebra-cabeça colossal, composto por peças que você não conhece — algo como uma ruína de pedra esfacelando-se, por exemplo —, cuja solução demande a presença de cinco pedreiros especializados em cantaria e um guindaste de 24 metros, ao custo de *una barca di soldi*, uma "barcaça" de dinheiro, por dia. Mais os materiais, mais os impostos. O fato de você poder embriagar-se livremente à hora do almoço e rir disso tudo, ao longo da tarde toda, não faz diminuir a torrente de suor nervoso que desce por suas têmporas.

A única coisa que pôde restituir minha fé, e evitar minha internação em um asilo de desvalidos, foi a chegada de Pignattai. Com cinquenta e poucos anos de idade, baixo e robusto (pois, no passado, fora um pedreiro), ele era um homem tão tenso quanto as cordas de um violino afinado. Mas, mais do que isso, ele possuía o senso estético de um artista: Pignattai era *il capo*, o chefe, dos pedreiros. Ele comandava uma pequena empreiteira, com apenas oito funcionários — incluindo seu irmão e ele mesmo. Ele encarregava-se do trabalho administrativo: o planejamento, a compra dos materiais necessários e toda a irritação decorrente dessas coisas. Em um ríspido discurso de três minutos, ele era capaz de propor soluções para uma dúzia de problemas que me haviam custado várias noites de sono. Dilemas estruturais eram resolvidos com fórmulas rápidas e perfeitamente adequadas, esboçadas com a ponta de seu dedo sobre a areia; e ele era capaz de colocar a melhor viga no lugar certo, antes que eu pudesse apontá-lo e dizer: "Ali!" Além disso, ele fazia com que seus funcionários comparecessem ao trabalho todos os dias, religiosamente: um verdadeiro milagre, na Toscana.

Piccardi, Pignattai e eu nos sentamos, certa tarde, para discutir todo o projeto. Cheio de rodeios, Piccardi afirmou preferir trabalhar sob um orçamento preestabelecido, obtido a partir do consenso sobre uma estimativa geral. Pignattai argumentou quanto à ampliação das margens de erro no cálculo dos materiais a serem adquiridos. Sentindo-me oprimido pela discussão que transcorria, pedi licença para ausentar-me temporariamente, a meio caminho de servir-me de uma nova dose de *grappa*. Quando retornei, os dois estavam em silêncio. Uma folha de papel coberta de números foi empurrada em minha direção. Em um dos lados, encontrava-se expressa uma soma equivalente ao PIB de uma pequena nação africana; e, no outro lado da folha, lia-se "35.000 liras (aproximadamente 25 dólares) por hora."

Piccardi pretendia ater-se ao orçamento "africano", mas pude notar que Pignattai não estava feliz com este arranjo.

— Posso aceitar trabalhar sob um contrato como esse —, disse ele. — Vou me manter dentro do orçamento e a casa ficará bonita. Ou — ele fez uma pausa e olhou-me nos olhos — você pode trabalhar junto conosco, pagando-nos por hora. Você já construiu um barco e uma casa, antes; portanto, pode ficar encarregado do trabalho de carpintaria, enquanto nós fazemos o restante. Isto irá requerer muita confiança da sua parte; pois você terá de acreditar que nós faremos o melhor que pudermos. Mas, dessa maneira, poderemos fazer mudanças e adaptações à medida que o trabalho avança — e que nós aprendamos a melhor maneira de fazê-lo. E, com as formas *bellissime* que a casa já tem, criaremos uma verdadeira obra de arte.

Como eu poderia resistir?

Piccardi sequer pestanejou: ele sabia muito bem onde isto poderia parar. Ele rabiscou alguma coisa em um pedaço de papel, dobrou-o e enfiou-o no bolso da minha camisa.

— O que é isto? —, perguntei.

— O endereço do asilo de desvalidos —, respondeu ele.

Pignattai respirou fundo e, pela primeira vez, sorriu: — Eu jamais irei ficar rico desse jeito —, disse. — Mas, ao menos, nos divertiremos bastante!

Ele perguntou a Piccardi quando as permissões para a restauração seriam expedidas. Piccardi, com otimismo, estimou um prazo de aproximadamente seis meses.

— Então, quando começaremos a trabalhar? — perguntou Pignattai.

— Segunda-feira —, respondeu Piccardi.

— Muito bem —, disse Pignattai. — Diremos que estamos fazendo apenas um trabalho de limpeza e manutenção.

⁂

Na manhã da segunda-feira, um guindaste de 24 metros de altura adentrou a propriedade.

— Caso alguém faça perguntas, estamos apenas checando as tubulações de esgoto —, disse Pignattai.

Caminhamos atentamente através de toda a casa. Apontei-lhe quão solidamente construída ela parecia ser, necessitando apenas de uma demão de tinta aqui, um retoque de gesso acolá, alguns metros de fiação elétrica nova e, naturalmente, novas tubulações para as instalações sanitárias. O único vestígio remanescente destas era um espaço fechado no segundo piso, do tamanho de um pequeno armário, que abria-se sobre o pátio lá embaixo, apoiado sobre duas vigas, semelhante à abertura de um silo projetado para um foguete doméstico, pronto para ser lançado com destino a Marte. No centro do recinto havia um buraco revestido de cerâmica, com duas depressões laterais para o apoio dos pés. Um pedaço de encanamento pendia dali, sem cerimônia.

Mostrei a Pignattai as vigas que achei necessitarem de alguns reforços, as lajotas que precisavam ser substituídas e os caixilhos das janelas que poderiam ser consertados com um pouco de cola. Como escritor, esperei que ele lançasse tudo isso em seu bloquinho de anotações; mas as folhas deste permaneceram em branco.

— Como você vai lembrar-se de tudo?

— Oh, está tudo bem aqui —, disse Pignattai, dando um tapinha em sua cabeça.

～⁕～

Nós tivemos de ir a Mantova (Mântua), por alguns dias. Candace fora convidada a expor suas pinturas na *Casa di Rigoletto*, talvez o pequeno *palazzo* mais bonito de toda a cidade.

Mantova é mágica. Cercada por três lagos, grande parte da cidade já foi inundada, tornando a circulação nela tão dependente de canais quanto em Veneza. Os canais, há muito, desapareceram; mas as *piazze*, os *palazzi* e as igrejas ainda existem. Embora a maioria das pessoas considere as obras de Mantegna, Pisanello e Giulio Romano como os principais tesouros de Mantova, para mim a contribuição mais notável da cidade para a cultura mundial são os *raviolini con zucca* — raviólis recheados com abóbora. Se isto lhe soa como um sacrilégio, experimente um prato com um pouco de manteiga derretida sobre a massa e logo você irá mudar de ideia. Os pequeninos raviólis são feitos manualmente, com uma massa tão fina que derrete na boca, liberando uma explosão dourada de abóbora. O prato faz-se acompanhar perfeitamente por um bom Soave ou Valpolicella, preparando-lhe para o prato principal subsequente — o qual, descrito sem meias palavras, trata-se de um guisado de mula. Acredite ou não, este é um prato muito sofisticado, servido nos melhores restaurantes entre Mantova e Verona, a oeste. Ele é inesquecível, tanto em sua apresentação, quanto ao seu aroma; ainda que tenda a cair no estômago com a mesma densidade específica do chumbo. Mas — ah! —, que sabor! E como cai bem, acompanhado por uma garrafa de Amarone.

～⁕～

Alguns dias depois, após um almoço de despedida, percorremos apressadamente as trezentas e tantas curvas, pontes e túneis do trajeto entre Bolonha e Florença, para chegarmos a tempo de dar uma olhada em *Il Colombaio* antes do pôr do sol, para vermos se alguma mudança perceptível já havia sido feita.

Foi verdadeiramente emocionante conhecer os pedreiros. Fosco, o mais velho de todos, era o chefe. Ele era tão compacto quanto um boxeador, com um nariz que já fora quebrado algumas vezes. Piero, o segundo em comando, era alto, com olhos brilhantes e ansiosos, e gesticulava em todas as direções, ao mesmo tempo. Georgi era gordo e cantava, constantemente. Juntos, os três somavam 186 anos de idade. Alessandro era jovem e silencioso; e, então, havia Asea, um trabalhador originário da Nigéria. Ele começou a estudar Arquitetura, mas decidiu que gostava mais do trabalho ao ar livre; então, candidatou-se como um *manovale*, um auxiliar de pedreiro — ou, neste caso, um auxiliar de quatro pedreiros. Esguio, mas robusto, ele tinha um sorriso notavelmente caloroso, que abria-se ao menor estímulo. Os pedreiros recorriam a ele como a uma mãe.

Quando terminávamos as apresentações e os apertos de mãos, ouvimos um fragoroso desmoronamento vindo de dentro da casa, seguido por uma retumbante imprecação. Tratava-se de Pignattai. Pensando que ele pudesse haver deixado cair seu bloquinho de anotações, demos a volta no pátio e entramos no primeiro dos três estábulos do pavimento mais baixo. A luz penetrava pelas frestas da porta na extremidade mais distante do aposento.

— Há muita luminosidade vinda dali —, disse Candace.

— É o sol que está baixo, a esta hora —, respondi.

— Não há janelas, lá. Além disso, a claridade vem de cima.

As mulheres têm ideias estranhas.

Contornamos os estábulos, escalando pilhas de entulho que eu não me lembrava de haver visto antes. Tive uma sensação desconfortável. Tentei empurrar a pequena porta de madeira que abria-se para o último estábulo — sobre o qual havia uma sala, acima da qual erguia-se a torre. A porta moveu-se apenas alguns centímetros e, então, emperrou.

— Está muito claro, lá dentro —, repetiu Candace.

— Provavelmente seja uma luminária de trabalho —, disse eu, forçando meu ombro contra a porta; até que, finalmente, ela cedeu. Fui banhado pela luz do dia que vinha do alto; pois, acima de nós, não mais havia um teto: nem sobre o estábulo, nem sobre a sala do piso superior e sequer sobre a torre, que encimava todo o conjunto. Os pisos, vigas e telhados haviam desaparecido: estávamos sob o céu, confinados entre quatro altas paredes. Candace deixou escapar um ligeiro gemido.

— Muito legal! —, disse Buster.

— *"Buonasera"* —, disse Pignattai. — Já começamos o serviço!

14 ~ Um Vizinho Mestre em Vinhos

Angelo Gaja tem olhos de raio laser. Tenho certeza de que, em uma emergência, ele pode usá-los para soldar aço. Ele também faz alguns dos melhores vinhos do mundo. Foi ele quem deflagrou a revolução do vinho na Itália, no início da década de 1970, ao insistir na qualidade mesmo em detrimento da quantidade. Em poucos anos, a *Wine Spectator* já chamava o seu Sori Tildin de "o melhor vinho tinto italiano jamais produzido"; e os críticos de vinhos deram fantásticos 100 pontos ao seu Sori San Lorenzo. Seus vinhos mais finos são comercializados, atualmente, por até 400 dólares a garrafa. Ele é um homem encantador; fluente em um punhado de idiomas, obcecado por qualidade, muito divertido e completamente maluco.

Certa tarde, eu usava meu enxó para remover a superfície apodrecida de uma enorme viga de carvalho, enquanto os pedreiros desferiam furiosos golpes com suas marretas — tal como somente eles sabem fazer, após todas as garrafas de vinho que consomem na hora do almoço —, quando um Audi vermelho subiu pela estradinha, raspando seu assoalho na elevação central do caminho. Um homem de meia-idade saltou do carro e, com passos surpreendentemente ágeis, caminhou em direção à casa. Ele parou para conversar com Asea, que apontou em minha direção e gritou: *"Dottore!"*.

Eu havia me tornado um *Dottore* no momento em que os operários souberam que eu possuía uma graduação universitária; e o apelido "colou", fazendo com que eu fosse assim chamado por eles, exceto em casos de emergência — que, na casa, ocorriam mais ou menos a cada vinte minutos. Estes eram pontuados por Fosco, que, bradando sua insatisfação, chamava-me "Máté!" — com o som da letra É infinitamente encomprido, no final. Sob o grito, toda a atividade cessava; e todos aguardavam até que eu anunciasse a tomada de alguma decisão técnica ou arquitetônica.

Num instante, o homem encontrava-se diante de mim. Ele estendeu-me sua mão direita, enquanto segurava com a esquerda uma caixa de madeira, do tipo utilizado em vinhos caros.

— Perdoe-me por incomodá-lo —, disse ele. — Vim apenas para apresentar-me. Nós somos vizinhos. Eu adquiri a propriedade vinícola adjacente à sua, hoje. Meu nome é Angelo Gaja.

A princípio, não liguei o nome à pessoa; mas fiquei contente por ter um novo *vicino* tão amigável — para não dizer tão desassombrado. Então, ele deu-me a caixa que trazia, sobre a qual estava impresso o seu famoso nome.

— *Madonna!* —, exclamei. — Gaja, dos vinhos maravilhosos? Eu li a sua biografia!

Ele sorriu, fazendo um gesto de desdenhosa modéstia, e principiou um dilúvio de elogios sobre as formas da casa, sobre o panorama e os bosques românticos. Por minha vez, elogiei as vinhas que ele acabara de adquirir, a adega medieval e a igreja do século VII (não mais consagrada), chamada Santa Restituta, com sua original cúpula em forma de cebola. Comentei sobre quão bela sua propriedade parecia, quando vista da nossa casa. Ao nos despedirmos, parecíamos ser amigos há anos.

Até a visita de Gaja, eu havia praticamente esquecido do plantio do vinhedo — não por capricho, mas simplesmente por encontrar-me sobrecarregado pelo trabalho em *Il Colombaio*. Eu tinha de dirigir da nossa velha casa até lá todas as manhãs, seis dias por semana, percorrendo todas aquelas 240 curvas desafiadoras em cada trajeto; e, a cada vez que eu chegava ali, os pedreiros não apenas já vinham distribuindo marretadas e demolindo tudo por mais de uma hora, como pareciam querer quebrar seus próprios recordes quanto a surgirem com novos problemas, a cada dia. Piccardi encarregava-se da burocracia, mas as decisões quanto às remodelações — a localização exata das aberturas, a escavação do solo encharcado de urina dos estábulos, a construção de novas escadarias internas, de três banheiros, da fornalha, dos dutos de escoamento etc. — deviam ser todas tomadas por mim. A família vinha aos sábados, para almoçar sobre a mesa defeituosa no pátio e Candace, com seu olho de pintora, colaborava com a tomada das grandes decisões; porém, as decisões quanto às "coisas pequenas" — tais como emoldurar a abertura de uma passagem com tijolos antigos ou pedras, os tamanhos, formatos e ângulos das janelas, portas, chaminés e cornijas dos telhados — recaíam sobre os meus ombros.

Eu também era o carpinteiro da obra. Desbastei, entalhei e raspei com uma faca todas as camadas apodrecidas das velhas vigas ainda utilizáveis; reformei os rodapés existentes e aplainei manualmente os novos, de modo que — uma vez adequadamente tratados e tingidos — combinassem com os antigos. Nos raros momentos em que os brados de "Mátééé!" não cortavam os ares, eu me tornei o assistente pessoal de Asea. Alegremente, eu lixei e limpei velhas telhas, livrei antigos tijolos dos pedaços de argamassa incrustados e, com uma escova de aço, poli peças de travertino — e, depois, carreguei e empilhei todo o material em lugar seguro, para que fosse utilizado quando a demolição terminasse e a construção fosse iniciada. Por isso, as vinhas ficaram à espera — até o fim de semana em que fomos convidados para jantar em uma *villa* do século XII, em Arezzo.

Sandro Cecchi é um verdadeiro cavalheiro toscano: bem apessoado, charmoso e tão caloroso que é capaz de fazer derreter a maquiagem das mulheres a dez passos de distância. Ele é versado em artes e literatura, mas também é um excelente caçador de javalis; um homem muito viajado, mas nada jactancioso. Ele vive com Joyce, sua companheira há muitos anos, na *villa* de quatro pavimentos que tem pertencido à sua família por mais de seiscentos anos. A casa é cheia de pinturas antigas, diários das viagens e explorações realizadas por seus antepassados, armas e armaduras, mobília fina e discreta elegância. Ele adora Candace, enfeitiçado que é pelas habilidades dela, como pintora, piloto, navegadora, aventureira e sereia em tempo integral.

Sandro convidou-nos para jantar em companhia de alguns de seus amigos. A sala de jantar enchia-se com a luz das velas e a conversação animada. Aromas exalavam da cozinha, onde a conceituada cozinheira de Joyce, Anna, reinava. Após uma sopa de *porcini*, fomos servidos com o segundo prato: uma enorme *Bistecca alla Fiorentina* — uma peça de filé recoberta de sal grosso, assada até adquirir uma crosta crocante, mas permanecendo com seu interior mal-passado, cortada em fatias de dar água na boca. Então, Sandro abriu a garrafa de vinho que ganhei de Gaja, e serviu-nos. Agitamos o vinho em nossas taças e sentimos seu perfume. A conversa na sala silenciou. Deixamos o vinho ondear um pouco em nossas bocas. Ninguém disse uma só palavra. Mesmo depois de haver sido engolido, o vinho milagrosamente provocava novas sensações gustativas.

Durante o ano que passamos em Paris, costumávamos economizar algum dinheiro para comprar meia garrafa de um caro e antigo Beaune ou Meursault; mas nunca antes em minha vida eu havia provado um vinho tão bom. A sala permaneceu silenciosa, enquanto todos bebiam mais um gole.

— O que é este líquido? — Candace, afinal, perguntou. — Jamais soube que sabores tão complexos sequer existissem.

Uma jovem companheira de mesa deu-lhe um sorrisinho condescendente.

— É um Sori San Lorenzo 1989, *Signora*. Um tesouro nacional, produzido por Angelo Gaja.

— Oh, ele —, disse Candace. — Nosso vizinho do lado.

Explicamos a todos que Angelo Gaja havia adquirido a propriedade adjacente à nossa, e que graciosamente havia nos presenteado com aquele vinho.

— Ótimo —, disse Joyce. — Ele lhes deu um cartão de visitas de 400 dólares.

A garrafa circulou de mão em mão, em torno da mesa, como se fosse o próprio Santo Graal.

A sala, agora, zumbia com especulações sobre a notícia de Gaja, um nativo do Piemonte, haver adquirido terras na Toscana. Todos especulavam sobre o motivo — enfatizando quão afortunados éramos nós — de termos um vizinho tão brilhante, que poderia nos ensinar tudo sobre a confecção de um vinho excepcional. Humildemente, informei a todos que — especialmente encontrando-me exausto após dois meses de demolição da nossa ruína particular — ainda não havia conseguido reunir as forças necessárias para manejar uma pá; muito menos para plantar um vinhedo. Como se obedecessem a um sinal previamente combinado, os elegantes convidados para o jantar iniciaram seus ataques.

— Talvez por ser originário da América do Norte, você não possa compreender a magnitude deste evento —, disse um.

Então, um após outro:

— Você é louco! Você tem de plantar esse vinhedo!

— Você está em abençoada companhia, meu amigo.

— Gaja tem sido chamado de "Rei da Itália".

— Como foi que a Itália deixou você entrar em seu território, para início de conversa?

— Você deveria ser extraditado!

— Ou exilado!

— Ou executado —, sugeriu Candace.

Sandro, um anfitrião gracioso, tentou acalmar os ânimos.

— Ferenc, digamos que você fosse um católico fervoroso —, cogitou ele, pensativamente —, que tivesse adorado a Igreja e seu sistema de crenças, por toda a sua vida. Então, um dia, inesperadamente, o Papa muda-se para a casa vizinha à que você habita. Você daria as costas a ele e, de repente, se tornaria pagão?

O grupo de convivas começou a murmurar ameaças mais ou menos veladas.

— Basta! —, disse Candace, levantando-se de sua cadeira, com seu rosto tornando-se mais vermelho do que as flores de seu vestido Norma Kamali comprado há alguns anos, em Manhattan, com suas últimas economias.

— Aonde você vai? —, perguntou Joyce, engasgando-se.

— Onde mais? —, respondeu Candace. — Arranjar uma pá para o meu marido!

15 ~ O Tesouro Enterrado

Após dois meses de reformas, nossa casa parecia ter sido alvo de um bombardeio recente. Vigas quebradas apoiavam-se contra as paredes, caixilhos despedaçados de janelas empilhavam-se aqui e ali, e pedaços retorcidos de metal espalhavam-se por toda parte. As únicas coisas que permaneciam intactas eram as altas paredes; sem pavimentos, coberturas ou telhados sobre elas, que erguiam-se, desoladoramente cinzentas, em direção ao céu. Mas mesmo essas paredes maciças — que, em alguns lugares, chegavam a ter um metro de espessura — estavam, segundo informou-me Fosco, cheias de buracos, escavados pelos séculos e pelos animais que esgueiravam-se pelo seu interior para fazerem seus ninhos, retirando um pedacinho de argamassa a cada vez.

Talvez seja melhor explicar como essas casas foram construídas. O método de construção delas não mudou, desde o tempo dos etruscos. A primeira camada de pedras é depositada diretamente sobre o solo, quer este seja arenítico ou rochoso. Sobre estas, duas paredes de pedra, estreitas e paralelas, são construídas, distando cerca de um metro entre si, usando-se apenas cordões e um fio de prumo para erguê-las em linhas e ângulos retos. A argamassa utilizada entre as pedras é feita com uma mistura de areia e cal. Entre as duas paredes, todo o espaço é preenchido com argamassa e entulho: pedaços de pedras, tijolos quebrados e o que mais estiver à mão. Quando estas robustas paredes alcançam a altura do primeiro pavimento, grossas vigas de madeira — de carvalho, se os proprietários da casa forem suficientemente ricos; de nogueira, nas montanhas; ou de choupo, nas planícies — são dispostas sobre elas, em intervalos de um metro. Todo o conjunto irá suportar os pavimentos superiores. Perpendicularmente às vigas grossas, em intervalos de trinta centímetros, são dispostas as *correnti* — vigas mais finas, da espessura de um braço. Sobre estas, são dispostas as *mezzane* — literalmente, "metades" —, ou lajotas cuja espessura equivale à metade do comprimento de um tijolo. Sobre as lajotas é aplicada uma grossa camada de argamassa e, sobre esta última, uma nova camada de *mezzane*. Isto irá constituir o piso do pavimento superior.

Você está me acompanhando, até aqui? Vou contar-lhe o resto.

O telhado — com uma inclinação de trinta graus, para a drenagem — é feito da mesma maneira que o piso, até a primeira camada de *mezzane*. Então, sobre esta, é colocada uma camada de *tegole* — grandes peças abauladas de cerâmica, com trinta centímetros de largura e quase sessenta centímetros de comprimento, dispostas lado a lado com suas concavidades voltadas para cima, para formar uma série de canais. Porém, como a água da chuva poderia infiltrar-se pelas lacunas formadas entre cada fileira de *tegole*, sobre cada uma das lacunas é colocada uma fileira de *coppe* — peças igualmente feitas de cerâmica, com a forma de tubos cortados no sentido longitudinal, do mesmo comprimento das *tegole* e dispostas sobre as extremidades umas das outras, cobrindo as lacunas e formando a camada mais externa do telhado.

As casas toscanas construídas desta maneira praticamente dispensam qualquer tipo de manutenção, e duram para sempre — desde que sejam habitadas. Ou seja, se alguém notar que o primeiro vazamento no telhado é causado por passarinhos que fazem seus ninhos sob as *coppe* e pelos gatos que as afastam de suas posições originais para alcançar os ninhos dos passarinhos, tudo o que tem a fazer é subir no telhado, reassentar as *coppe* e espantar o gato, deixando o telhado preparado para enfrentar os próximos cem anos de intempéries. Os problemas começaram a surgir na década de 1960, quando programas governamentais e as luzes brilhantes das cidades grandes persuadiram muita gente a trocar o arado pelo relógio de ponto, abandonando as casas à mercê dos passarinhos e dos gatos.

Com as paredes debilitadas pelo tempo e pelos animais, o primeiro passo foi apanhar um martelo e uma talhadeira e arrancar de cada pedra os pedaços de argamassa incrustados havia setecentos anos. Esta não era uma tarefa fácil, considerando-se que a nossa casa era feita com cerca de trinta mil pedras. Porém, com paciência, tempo e um inesgotável suprimento de vinho, *seria possível* livrar-se de toda aquela argamassa. A esta altura, eu já me havia incluído como o sexto pedreiro na obra, pois nada mais poderia ser feito até que toda a argamassa antiga fosse substituída pelo muito mais resistente cimento moderno.

Estávamos desincrustando as pedras em uma tarde ensolarada, após o meu almoço de cinco pratos na Trattoria Sciame, do meu *quarto* copo de vinho, uma dose de *grappa* e um *espresso* — coisas que me transformavam em um míssil humano. Apanhando as pedras, eu as entalhava e empilhava, entalhava e empilhava, assobiando enquanto trabalhava. Fosco estava ao meu lado, e Asea ao meu outro lado. Mal sabíamos que a casa estava prestes a lançar um sorrateiro contra-ataque. Estávamos completamente absortos pelo trabalho, falando raramente — e somente sobre dois assuntos inexauríveis: sexo e automóveis — e escavando mais e mais profundamente na parede, quando, de maneira incomum, minha talhadeira golpeou alguma coisa macia e guinchante.

Tal como uma nuvem de gafanhotos ou como abelhas enxameando de uma colmeia, saindo de todos os buracos, frestas e junções entre as pedras, correndo por sobre nossas mãos e braços e descendo pelas nossas costas, irrompeu uma turba de estranhamente adoráveis camundonguinhos em pânico.

Aquele foi o único dia em que todos voltamos mais cedo para casa.

Daquele momento em diante, tomamos a precaução de inundar as paredes com uma mangueira de jardim, para "despejar" os antigos moradores. Um mês depois, todas as pedras da camada exterior das paredes haviam sido desincrustadas e limpas; e eu não sei o que, exatamente, foi capaz de manter as paredes em pé, até hoje. Desde o alvorecer até o crepúsculo, nós despejamos baldes de cimento para dentro da parte interna das paredes, a partir do topo, em quantidade equivalente à da água das cataratas do Niágara; e ainda preenchemos manualmente cada fresta existente entre as pedras, nas faces externas.

Mas cimento de cor cinza é algo que não se deseja ver entre as pedras de uma casa do século XIII. Assim, nós lixamos a última camada de cimento, e polimos e escovamos cada pedra, de modo que nenhum vestígio de cimento pudesse ser notado. Então, fizemos uma argamassa colorida — com cimento branco, areia amarela e um pouco de corante — para recriar a tonalidade terroso-amarelada do material com que as pedras costumavam ser fixadas, antigamente. Por fim, utilizamos a argamassa colorida para reconstituir os cantos quebrados de todas as pedras, lixando os excessos do material aplicado — até que paredes com aspecto antigo, mas à prova de bombardeios, surgissem diante dos nossos olhos.

Desde as primeiras desincrustações até as últimas lixadas, foram consumidos cerca de três meses de trabalho. Nessa época, eu me encontrava à beira de um abismo — emocional, física e financeiramente falando. Eu falava sobre pedras, sonhava com pedras e me surpreendia ao olhar para um espelho e não ver uma pedra me encarando de volta. O que me salvou de mergulhar naquele abismo foi o dia em que encontrei uma relíquia enterrada.

Lembre-se de que animais viveram sobre este solo. Aqui, o piso era recoberto por grandes pedras de pavimentação. Após removê-las, tivemos de escavar uns bons trinta centímetros de terra encharcada de urina, antes que pudéssemos construir um *vespaio*, ou "ninho de vespas": uma elevação vazada de concreto, que permitiria a circulação do ar sob os novos pisos, para evitar que a umidade do solo os danificasse. Já havíamos escavado a terra no cercado das cabras e no chiqueiro dos porcos; então, começamos a trabalhar no curral das vacas. Fosco e Piero mal haviam começado a remover as pedras do pavimento antigo, quando este último soltou um grito capaz de fazer estremecer as vidraças, caso tivéssemos alguma.

Sob uma grande pedra em um canto via-se perfeitamente a borda superior de uma grande urna de cerâmica enterrada. Ajoelhei-me e comecei a escavar em torno do achado, com um pedaço de madeira. A princípio, pensei tratar-se apenas de um pedaço de entulho, utilizado para escorar a pedra; mas, quanto mais eu escavava, mais definidas tornavam-se as formas da urna. O trabalho progredia penosamente devagar, mas eu estava certo de haver descoberto um tesouro. Quando cheguei a escavar o interior da urna o suficiente para fazer caber ali o meu punho, já estava escurecendo e os pedreiros entediados resolveram ir para suas casas. Fiquei feliz por eles haverem feito isso, pois não queria que eles pusessem seus olhos no meu ouro.

Eu conhecia aquele tipo de urna. Elas eram utilizadas desde o tempo dos etruscos, como o tipo mais comum de vasilhame para armazenar qualquer coisa; desde azeite de oliva, até grãos. A julgar pelo tamanho da abertura e pela forma das alças da urna, eu ainda teria de escavar até que todo o meu braço pudesse caber dentro dela, antes de chegar ao fundo. E eu escavei. Havia uma pequena ruína etrusca nas proximidades da nossa casa, por isso eu fantasiei a descoberta de um tesouro antigo, de uma cidade como Troia; ou, se não Troia, ao menos Micenas, de onde escavaria uma urna cheia de braceletes e colares de ouro, ou mesmo uma máscara de um outro Agamenon. Então, convenci-me de que esta seria apenas a primeira de muitas urnas ainda a serem encontradas; talvez um lago cheio de urnas, que havia contribuído para escorar toda casa. Eu precisava de mais luz. Eu precisava da fogueira de Asea.

Na Toscana, à hora do almoço, um pedreiro come tão bem quanto o diretor de qualquer banco. Todos os dias, dez minutos antes do meio-dia,

Asea enchia seu velho carrinho de mão com lascas e pedaços das velhas vigas da casa e fazia uma fogueira. Todos os pedreiros traziam suas próprias "torres" de potes de aço inoxidável — quatro pequenas panelas, empilhadas umas sobre as outras e presas por uma alça —, cada uma contendo um dos quatro pratos diferentes de seus almoços. Este principiava — como seria de esperar — com um prato de *pasta*, seguido por um guisado ou um pedaço de carne assada, aquecidos sobre as brasas da fogueira. Às vezes, um pedaço de vitela ou algumas linguiças eram grelhados sobre o fogo. Então, havia uma salada ou espinafre refogado e, finalmente, a sobremesa. Tudo isso se fazia acompanhar por uma garrafa de vinho e um *espresso* fresco e fumegante, preparado em uma cafeteira que fervia sobre o carvão em brasa.

Tropeçando na escuridão, encontrei o carrinho de mão de Asea. Enchi-o com pedaços de madeira que consegui apanhar, levei tudo para perto da urna e acendi um fogo. A urna reluzia à luz bruxuleante, e sobre a parede da casa dançava a sombra encurvada de um profanador de tumbas.

Escavei mais alguns centímetros antes de lembrar-me da hora. Eu não havia telefonado a Candace e Buster, para avisá-los de que atrasaria minha chegada. Dirigi até Tavernelle e desci os dois degraus que dão acesso à pequena masmorra que faz as vezes de um bar, onde pedi para usar o telefone. Vera resmungou e acionou a alavanca que mede o tempo de utilização do aparelho. Às vezes ela não resmunga; mas jamais sorri. Ou, melhor: a única vez em que a vi sorrir foi quando, tendo ouvido dizer que Candace era uma pintora, pediu-lhe uma opinião sobre um pequeno quadro que ela havia herdado de sua avó, que um vizinho garantira-lhe tratar-se de uma autêntica pintura de Leonardo da Vinci. De fato, a afirmação correspondia à verdade: tratava-se mesmo de uma genuína pintura de Leonardo da Vinci — impressa sobre papel genuíno, por uma impressora genuína, por volta do ano de 1985.

Quando voltei à escavação, a lua já estava alta no céu, o fogo estava baixo, e eu ainda tinha metade da urna para ser trazida à luz. Comecei a perder minha fé. Por que ela não estava cheia? Por que alguém haveria de enterrar uma grande urna vazia, em vez de ocultar uma menor e mais difícil de ser encontrada? A menos que quem fez isso estivesse com muita pressa… Imediatamente antes de um ataque à cidade, ou de uma invasão; evento que teria causado a morte de todos os habitantes… Eu aprofundava a escavação, chegando mais perto da descoberta do tesouro perdido de toda uma nação, quando tateei a aresta de alguma coisa. Removi a terra em torno do objeto com as unhas, tomando o máximo cuidado para não danificá-lo. Apanhei um pedaço de madeira que queimava no carrinho de mão e apontei a chama para baixo. À altura do fundo da urna havia um pequeno estojo de cerâmica, do tipo utilizado para guardar joias, decorado em tons de bege e verde — cores tipicamente utilizadas no artesanato da região, desde o início dos tempos. Contudo, dentro do estojo não havia sequer uma moeda. Tudo o que havia ali era uma carta, envolta em um pedaço de oleado — que preservou o papel da umidade, mas fez com que a tinta borrasse, tornando a escrita muito dificilmente legível.

Em casa, naquela noite, segurando o papel da carta contra a luz, pude decifrar a data de 1782. A escrita era elegante, com uma caligrafia floreada, e era de autoria de uma mulher — fato intrigante, uma vez que toda a propriedade fora um mosteiro, no passado. Do pouco que consegui ler, pude concluir tratar-se de uma carta de amor comum — se é que tal coisa possa existir —, sobre a saudade e o sonho de poder ver assomando no vale a nuvem de poeira levantada pelas patas do cavalo do amado pelo qual ela ansiava. Porém, a frase que mais me tocou — não tanto por sua originalidade quanto por sua intrepidez — foi: "Você realmente me ama ou apenas ama sonhar comigo?"

A urna permanece enterrada no canto em que foi encontrada, até hoje.

16 ~ A Fonte Perdida

FABRIZIO MOLTARD CAMINHAVA, contornando os montes de entulho da demolição, no terreno abaixo da casa. Com trinta e poucos anos de idade, ele tinha um enorme apetite pela vida; mas ainda maior era o seu amor pelas videiras. Ele parecia haver memorizado e assimilado tudo o que já fora escrito — em inglês, italiano ou francês — sobre a plantação e a manutenção de um vinhedo de alta qualidade, no qual são cultivadas uvas perfeitas, capazes de produzir os melhores vinhos possíveis em todo o mundo. Ele poderia dar uma palestra sobre os estratos do subsolo de Margaux, sobre as mudas de videiras da Borgonha ou sobre os clones das milenares videiras ainda produtivas que podem ser encontradas nos arredores de Nápoles. Ele trabalhara como engenheiro agrônomo para o grupo Frescobaldi, um dos mais destacados produtores de vinhos da Itália; e, agora, trabalhava para o melhor de todos: Angelo Gaja. Havíamos acabado de remodelar as paredes da casa, e encontrávamo-nos bem adiantados no caminho para o asilo de desvalidos, quando Fabrizio chegou para conceder-nos o "golpe de misericórdia".

Eu estava trabalhando em minha oficina de carpinteiro improvisada — uma rede amarrada a quatro postes, para obter alguma sombra, e uma bancada de trabalho feita com uma porta velha — quando ele chegou, apresentou-se e explicou que estivera observando nossos progressos e quisera vir apreciá-los mais de perto. Ele falava como um cantor de ópera, sem jamais parar para retomar o fôlego — o que produziu o bizarro resultado de fazer-me conter meu próprio fôlego, enquanto o ouvia. Pouco antes que eu perdesse os sentidos devido à falta de ar, ele estacou, olhando para os meus pés, tão estupefato que tive certeza de que ele avistara uma cobra. Existem víboras mortíferas na Itália, embora todas pareçam tão profundamente letárgicas que é preciso apanhar uma e esbofeteá-la, antes de ser mordido por ela. No entanto, naquele momento eu apenas fechei os olhos e esperei, pacientemente, pela morte certa.

Fabrizio é meio francês; e, quando ele murmurou *"charogne"* — palavra que significa "carniça" —, pensei que estivesse referindo-se a mim. Então, ele apanhou um torrão de argila, dirigiu-se até um barril cheio de água e começou a banhar a superfície do fragmento. Ele esfregou e esfregou, e eu pensei que seu cérebro tivesse morrido por falta de oxigênio; até que ele tornou a aproximar-se de mim, com um fóssil em suas mãos. Tratava-se de uma concha espiralada, coberta de protuberâncias — a despeito do fato de nos encontrarmos a 300 metros acima do nível do mar.

— Alguma onda deve ter trazido isto —, disse eu.

Ele não sorriu. Em vez disso, entregou-me o fragmento de argila e disse, com a mesma gravidade de Hamlet contemplando o crânio de Yorick:

— *Mon Dieu. Ici on peut faire le meilleur vin du monde.* (Meu Deus! Aqui pode-se fazer o melhor vinho do mundo.)

Então, ele olhou para mim como se eu não fosse digno de ser dono deste pedaço de terra; talvez nem mesmo de estar vivo.

O motivo de sua admiração devia-se ao fato de alguns dos melhores vinhos do mundo serem obtidos a partir de uvas cultivadas em solo rico em calcário. Ele apanhou uma pá que estava à mão e começou a cavar. Recentemente, uma escavadeira havia limpado a área onde eu instalara minha oficina, e o solo havia sido revolvido e afofado pelos dentes da máquina. Fabrizio não teve de cavar mais do que trinta centímetros de profundidade no solo rico para extrair dali uma concha intacta.

— Você tem um solo bom, na superfície. Rico em minerais e cheio de colônias microbiológicas, o que garantirá que as uvas tenham um sabor excelente. A maioria das pessoas agradeceria a Deus por isto. Mas você ainda possui um terreno inclinado, ótimo para a drenagem, perfeitamente exposto a sudoeste e que conta com a brisa que sopra do mar, à tarde, para suavizar o calor, de modo que suas uvas não irão cozinhar, tal como nos terrenos a leste e ao sul da cidade. E, além disso tudo, você ainda tem um subsolo com fósseis e cal, que dará aos seus vinhos uma dimensão inteiramente diferente. Você é um homem de sorte, meu amigo! Você irá fazer grandes vinhos!

Ele estava tão emocionado que até chegou a fazer pausas para respirar. Porém, logo ele tornou-se inflexível.

— Mas você não pode plantar suas vinhas como todo mundo faz na Toscana. Este é um sistema antigo e bárbaro, e não produz resultados!

Assegurei-lhe de que não plantaria como ninguém mais — simplesmente porque eu não plantaria uma videira sequer. A única ambição que eu possuía era colocar um telhado sobre a minha casa, antes de morrer. Ele acenou desdenhosamente para mim, como se espantasse um mosquito.

— É claro que você irá plantar. Eu posso ver isso em seus olhos!

Tentei convencê-lo de que tudo o que havia em meus olhos era a poeira que eu lixara das vigas; e que o único vinho que ocupava meus pensamentos era aquele que desceria pela minha garganta, mais tarde, naquele dia. Mas Fabrizio já não estava ouvindo. Ele afastou-se, levando os fósseis em suas mãos; e, voltando-se para mim, gritou:

— Ele virá aqui, amanhã!

— Quem?

— O engenheiro geológico. Para analisar o solo.

Então, ele se foi. Nosso vinhedo havia sido iniciado; o sonho começava a tornar-se realidade. Embora, em certas ocasiões — e, com isto, não quero parecer ingrato —, eu chegue a desejar que aquele fóssil, que ele encontrou aos meus pés, *tivesse mesmo sido* uma cobra.

Fabrizio arrebatou minha vida do mesmo modo como um furacão levanta a poeira do chão. Todos os dias, ele passava pela obra e discorria sobre planos para o futuro — tão rápida e assertivamente que fazia com que toda a concretização dos mesmos parecesse mera formalidade.

Caminhamos por toda a propriedade. Os dez acres diretamente diante da casa eram uma escolha óbvia: neles deveria ser cultivada a Sangiovese, a uva utilizada na fabricação do Brunello. Mas Fabrizio achava não apenas algo óbvio como, também, uma insensatez forçar a Sangiovese a crescer em solo menos que ideal para ela. Então, seguimos escavando buracos, como toupeiras; com Fabrizio apoiando-se em suas mãos e joelhos e olhando dentro de cada buraco, para avaliar a estrutura das camadas do solo e sua capacidade de drenagem. Ele caminhou de volta, em direção à casa, olhando inquisitivamente para o solo; até que estacou, fincou a cavadeira no chão e afirmou:

— Deste ponto para o sul, o solo é argiloso demais para a Sangiovese. Com ela, só se poderia obter um vinho grosseiro e vulgar. Aqui, nós plantaremos Merlot — que renderá um vinho excepcional. Petrus daria seu *coglione* esquerdo por um pedaço de terra como este!

Subimos a colina, atravessando a floresta. Havia um pequeno campo situado a uns oitocentos metros da casa, parcialmente sombreado por alguns carvalhos. Fabrizio supervisionou-o e, com um sorriso malicioso, anunciou:

— Cabernet. Mas não Franc! Você não iria gostar disso! Teria gosto de capim; e nós não somos bois. Sauvignon!

Assim foi decidido. Havia dois campos próximos do topo da colina, a quase 150 metros acima do nível em que a casa se encontrava. O menor deles era voltado para sudoeste; e o outro — que formava um anfiteatro quase perfeito — voltava-se para o sul.

Fabrizio estava sem fôlego:

— Sinta esta brisa que vem do mar! Ela soprará todas as tardes, quando o calor ficar mais forte nos campos. Que refrigeração! Que maturação suave e perfeita! E olhe só para este solo! Um bom solo, misturado com *galestro* — um tipo quebradiço de argila. Ele é riquíssimo em minerais; e minerais significam sabor! Sangiovese, aqui. Você fará um Brunello capaz de fazer um homem chorar!

Ao caminharmos pela borda oeste da elevação, ele pareceu preocupar-se:

— Isto é puro *galestro*. Um solo muito difícil para a Sangiovese. Plante mais Cabernet; ela cresce em qualquer lugar.

Minha cabeça dava voltas. Jamais pensei que plantaríamos diversos tipos de uvas. Uma vez que Montalcino é conhecida pelo Brunello, para que meter o nariz no cultivo de Cabernet ou Merlot?

— Você plantaria lírios no deserto? — perguntou Fabrizio. Caso encerrado.

Nós dois nos sentamos nos degraus da porta principal da casa, olhando para os relatórios sobre o solo.

— Estamos lidando com uma grande variedade de solos —, disse ele. — Mas eles se encontram em diferentes profundidades; por isso deveremos forçar as raízes a desenvolver-se mais profundamente, para extrair todos aqueles sabores. A maioria das pessoas planta mil e quinhentas videiras por acre; nós vamos plantar três mil. A concorrência forçará as raízes mais fortes a aprofundarem-se mais.

Eu protestei quanto à duplicação dos custos de plantação, da quantidade de trabalho para podar e escorar as videiras etc. Então, Fabrizio deu-me um daqueles seus suspiros que pareciam significar "por que você está vivo, afinal?", e continuou:

— Certo, você terá o dobro de trabalho; mas a qualidade resultante será mais do que duas vezes melhor. Há apenas um problema: vamos precisar de muita água.

⁂

Na parte da Toscana em que vivemos, os cactos vicejam naturalmente. Esta é uma péssima notícia para as jovens vinhas, que — tal como os malfadados tomates de Siena — mal conseguem brotar, antes de morrer. No sul da Toscana, durante o verão, os rios secam; os riachos transformam-se em caminhos poeirentos e as quedas d'água não passam de um amontoado de rochas superaquecidas pelo sol. O único lugar confiável para encontrar água, nessas ocasiões, é no mercado — em garrafas. Na época dos etruscos, havia nascentes por todo lugar, segundo atesta o grande número de fontes esculpidas em pedra, encontráveis em todas as colinas; mas isto foi há muito tempo. Os cactos crescem sobre essas fontes, hoje em dia. Cavar poços ali tampouco era uma opção a ser considerada, pois ouvíramos dos vizinhos que os possuíam que a maioria deles havia secado. Contudo, segundo as palavras do meu caro amigo Rusin, "Máté, você pisou no cocô e, de algum modo, ele transformou-se em ouro." Ou, mais precisamente, nós encontramos os Fattoi.

Eles eram nossos vizinhos, vivendo no fim da estrada, aos quais raramente víamos pelo simples fato de não passarmos habitualmente pela casa deles. Até que, um dia, um jovem, acompanhado por um enorme cão pastor alemão, veio caminhando a passos largos da direção do celeiro da família.

— *Buongiorno* —, gritou ele, à distância. —*Sono* Lamberto Fattoi. *Che bel lavoro state facendo qui!* — Ele contemplou as paredes, sem um telhado que as cobrisse, com uma expressão de dúvida.

Lamberto devia ter quase trinta anos de idade, e era incomumente calmo e afável, com um sorriso tão profundo que envolvia a quem o recebesse. Aquela seria a primeira das visitas diárias que ele passaria a nos fazer. Por uma hora, ele afastava-se de seu próprio vinhedo e de seu olival para admirar os resultados do nosso dia de trabalho; mas, principalmente, apenas para conversar. Não importava quanto minhas preocupações pudessem acumular, ou minhas frustrações estarem a ponto de transbordar, a visita de Lamberto tinha o poder de colocar as coisas em ordem, novamente.

Contei-lhe sobre o problema com a água e ele aquiesceu. Sua própria família tivera de escavar um lago artificial, calafetá-lo com argila e abrir fossos de irrigação através dos campos, para armazenar e aproveitar a água das chuvas. Mas, repentinamente, seu rosto iluminou-se:

— Francesco! —, exclamou ele. Eu já desistira de forçar os habitantes locais a pronunciar "Ferenc", e adotara a versão italiana do meu próprio nome. — Meu pai é um caçador. Ele conhece cada palmo das terras de todo mundo, por aqui. Eu me lembro de ouvi-lo dizer, uma vez, que havia uma fonte em *Il Colombaio*. Vou perguntar a ele.

No dia seguinte, Ofelio — o mais velho dos Fattoi — veio à nossa casa, com uma voz mais retumbante e passadas ainda mais ágeis que as de seu filho. Ele disse que, de fato, ali havia uma fonte; mas que esta fora de tal maneira encoberta pelo mato que ele não conseguiu mais encontrá-la. Mas, se eu quisesse, poderíamos tentar juntos.

Armados com facões afiados, embrenhamo-nos na floresta. Seguindo as trilhas formadas pelos javalis selvagens — túneis baixos, em meio à vegetação cerrada —, tendo de avançar de gatinhas, às vezes, irrompemos pelo mato, cortando-o com nossos facões e quebrando-o com nossos pés. Uma hora depois, paramos no topo de uma elevação. A luz do sol filtrava-se em meio à folhagem das árvores, acima das nossas cabeças.

— Fica por aqui, em algum lugar —, disse Ofelio, suando e sangrando devido aos arranhões sofridos. — Espere aqui —, disse ele, mergulhando na mata densa.

Ouvi sons de alguns galhos sendo quebrados e, logo, uma imprecação em voz alta.

— Venha, Francesco! Venha aqui!

Rastejei até o final do túnel formado pelo mato e parei bem no limite de uma pequena depressão. Lá embaixo, Ofelio encontrava-se sentado, em meio a fachos de luz solar. Aos seus pés havia uma grande cisterna natural de pedra; e jorrando para dentro desta, uma corrente de água cristalina.

Ofelio bebeu um pouco e disse: — *Buono!*

Não existe nada no mundo com um sabor mais refrescante do que a água de sua própria fonte.

Ofelio juntou suas mãos em concha e contou o tempo necessário para que elas se enchessem de água.

— Três litros por minuto —, anunciou ele. — Nada mau, após um verão tão longo e seco, hein, Franci? —, sorriu ele, como se a fonte fosse sua.

— Isto é uma bênção, você sabe? Esta é a melhor fonte de todo o vale! — ele exclamou.

Então, apontou seu dedo indicador para o céu e disse:

— Ele deve gostar de você!

17 ~ As Vigas de Dante

— "Mátééé!"

O grito de Fosco ecoou em meio à bruma da manhã que principiava. Encontrei-o em pé, diante de uma pilha de vigas que uma vez sustentaram o telhado e os pisos de *Il Colombaio*. Empunhando um canivete, ele esperou até que eu me aproximasse mais; e, então, como se fosse Jack, o Estripador, começou a desferir golpes de lâmina nas vigas, com toda a força. De vez em quando, a ponta da lâmina detinha-se, com um ruído surdo; mas, na maioria das vezes, o canivete penetrava facilmente até o cabo, no corpo das vigas.

— Estão podres, Máté —, concluiu ele. — Podres demais, até mesmo para queimar. Nós teremos de enterrá-las.

Dizendo isso, por hábito ou para enfatizar seu ponto de vista, ele benzeu-se.

As paredes estavam terminadas, mas ainda não tínhamos um telhado; e, como atestava a bruma da manhã, a chegada do inverno era iminente. Nós precisávamos de vigas.

Este é um problema maior do que pode parecer. Naturalmente, pode-se adquirir novas vigas de nogueira nas serrarias próximas do vulcão; mas, embora estas tenham sido cortadas no inverno anterior, ainda não encontram-se *stagionati*, "amadurecidas", enquanto não estejam completamente secas, nem encolham mais. Vigas de qualquer espessura precisam de vários anos até que estejam *stagionati*. E, uma vez colocadas sob um telhado, seu processo de secagem acelera-se, fazendo com que as vigas rachem, encolham-se e façam surgir frestas horríveis nas paredes, onde suas bases são apoiadas.

Esta era a história que eu contava para convencer a todos. A pura verdade, no entanto, era que eu não pretendia instalar vigas novas; pela simples razão de elas parecerem *novas demais*. Por séculos, as vigas foram confeccionadas pela remoção da casca dos troncos de árvores, utilizando-se apenas uma pequena plaina de perfil e desbaste: uma lâmina com dois cabos, em cada uma das suas extremidades — um método que deixava a madeira com todos os seus nós e imperfeições visíveis. Em vez disso, as vigas novas são cortadas em ângulos e faces perfeitamente retos, por enormes serras mecânicas. Se eu quisesse ângulos e faces perfeitos, usaria vigas de concreto. Eu vira antigas vigas de carvalho em capelas e *palazzi* e — não posso negar — fiquei perdidamente apaixonado por elas.

Isto pode parecer mera veleidade a quem está acostumado com o padrão quadriculado do moderno planejamento urbano, ou às propriedades rurais cujos limites são traçados com linhas retas. Mas, na Toscana — onde todas as linhas são curvas; onde as estradas e linhas divisórias seguem as ondulações do terreno, as suaves ravinas e os riachos; onde as estradas desviam seu rumo para manter uma árvore no lugar em que nasceu; onde as ruas das cidades serpenteiam, e as paredes das casas são curvas —, linhas retas podem parecer ofensivas.

Fosco, naturalmente, esperava receber novas vigas. Isto não era devido a uma suposta falta de sensibilidade estética — que, com o tempo, eu compreenderia que ele possuía mais do que eu —, mas, simplesmente, porque ele queria o que fosse melhor para mim: economizar tanto dinheiro quanto possível, até o término das obras. A maior despesa viria depois que as vigas tivessem sido assentadas. Seriam necessárias dúzias de *correnti* — travessas — para ser colocadas sobre cada viga. Para que tivéssemos pisos bem nivelados e telhados com a inclinação correta para o escoamento da água, todas as travessas deveriam estar alinhadas com precisão. Conseguir isto é uma brincadeira de criança, quando se trabalha com vigas perfeitamente retas; mas é um horror, quando se tem de aplainar ou desbastar as extremidades de cada peça. Porém, eu tinha um argumento favorável a isso, também. Assentar as *correnti* sobre antigas vigas irregulares poderia ser um trabalho muito demorado; mas, dessa maneira, a casa toda seria construída lentamente: pedra por pedra, à mão. Embora a casa tivesse sido modificada, recebendo ampliações ao longo de setecentos anos, todos os anexos integravam-se harmoniosamente a ela, do mesmo modo que as colinas harmonizavam com a paisagem do campo. Intimamente, eu me sentia na obrigação de fazer com que o nosso trabalho fosse integrado ao das vinte gerações precedentes. No fim das contas, a escolha foi simples: eu gostaria que alguém, daqui a setecentos anos, olhasse para uma viga imperfeita, tortuosa, e dissesse "que adorável toque de sensibilidade artística", ou visse uma viga reta e quadrada e, resignadamente, suspirasse "que coisa sem graça"?

Portanto, o desafio seria encontrar vigas antigas. Mas, como? Trabalhadores em outras reformas descartavam apenas as totalmente apodrecidas; vigas antigas, em bom estado de conservação, ainda escoravam casas novas. Percorri todas as casas que estavam sendo reformadas na nossa região da Toscana, pedindo ou implorando para que os trabalhadores vendessem vigas antigas para mim. A maioria desculpou-se, dizendo que não poderia me ajudar; mas um deles disse-me que o proprietário da casa em que trabalhava não se importava se suas vigas fossem velhas ou novas, e vendeu-me um par de belas peças nodosas.

Assim, eu já havia conseguido duas. Faltavam apenas trinta.

Um dia, Candace e eu cruzamos o vale central da Itália e rumamos para leste, para as montanhas da Umbria. Lá, encontramos uma verdadeira "mina" de madeira. Próximo da cidade de Monterchi — lar da *Madonna del Parto*, a Virgem Maria gestante, de Piero della Francesca, com sua beleza mundana e sua serenidade divina —, encontrei um pedreiro que havia acabado de vender um depósito cheio de vigas de carvalho para um homem chamado Dante, que pretendia serrá-las em tábuas, para confeccionar móveis em estilo antigo. Dante vivia ainda mais a leste; por isso continuamos no rumo, quase até alcançarmos o Mar Adriático.

Dante era um sujeito esguio, tenso e de "pavio curto"; mas eu apreciei sua franqueza.

— Ah, um escritor! —, disse ele. — Eu tenho as vigas que você quer. De que comprimento você precisa?

Eu havia feito uma lista das medidas de cada aposento da casa; e Dante, articulado como um arquiteto, explicou-me quanto à exata quantidade de veios aparentes que uma viga de determinadas dimensões deveria ter, para a obtenção do melhor efeito estético. Menos, ela pareceria inconsistente; mais, pareceria obscenamente exagerada. Dirigimo-nos a um terreno enlameado, nos fundos da casa.

— Posso vender-lhe estas aqui —, disse ele. — Mas estas são de pinho; tão retas e previsíveis quanto a própria vida. E você deseja algo mais romântico, não é? Posso ver isso em seus olhos!

Jurei que, dali em diante, eu usaria óculos escuros, dia e noite. Meus olhos já haviam me denunciado em muitas ocasiões.

Paramos diante de uma pilha de vigas usadas, atiradas no terreno como se fossem palitos; irregulares e nodosas demais, até mesmo para serem cortadas. Aquela era a madeira de carvalho mais estranhamente retorcida que eu jamais vira. Apaixonei-me imediatamente, e comecei a desfazer a pilha; mas era hora do almoço.

— Onde há um bom lugar para comer, por aqui? — perguntou Candace.

— Em minha casa —, replicou Dante. — Vou ligar para minha esposa e dizer a ela para preparar mais *pasta*.

Esta era a sua maneira de fazer um convite formal.

A esposa de Dante era a maior "santa-mártir-sofredora" da História. Porém, sua aparência apenas poderia sugerir isto; para confirmar, mesmo, havia a sua interminável lamentação. Seu molho de pato, servido sobre o *tagliatelle*, seguido por pedaços crocantes de coelho frito, eram excelentes; mas, a que preço! Ela reclamava do açougueiro, de seus filhos, das galinhas, de sua juventude perdida, do avanço de sua idade e de Dante — que mastigava, em silêncio e nervosamente, revirando os olhos, com frequência. Foi só quando ela começou a lamentar-se pela Itália que ele, afinal, interrompeu-a.

— Há apenas uma coisa errada com a Itália —, vociferou Dante. — Os italianos! Todos deveriam ser alinhados contra um paredão!

E, para o caso de não havermos compreendido exatamente o que pretendia dizer, ele "metralhou" todas as infelizes criaturas. Foi um choque uma atitude como esta vinda de um homem que tinha o mesmo nome do "pai da língua"!

※

Dante dirigiu um caminhão cheio de vigas de madeira até *Il Colombaio*, dois dias mais tarde. Os pedreiros mal podiam acreditar no que viam. Eles as descarregaram, uma por uma, com o guindaste, em absoluto silêncio. Quando uma das minhas vigas favoritas chegou ao chão, corri até Fosco e pedi-lhe que viesse dar uma olhada. Tratava-se de uma viga de carvalho com dimensões medianas, grosseiramente desbastada a mão, com as marcas deixadas pelo enxó ainda visíveis.

— O que você acha? — perguntei-lhe, cheio de entusiasmo.

— Perfeita —, disse ele. — Para a lareira.

— Para ser colocada sobre a lareira? — sugeri.

— Não. Dentro dela! — disparou ele; e saiu, bufando como um touro, para ir almoçar.

※

Fosco não fazia suas refeições na companhia dos outros pedreiros. Ele parava de trabalhar alguns minutos antes do meio-dia, trocava os sapatos, tirava a camisa e lavava-se com água fria; vestia uma camisa limpa e dirigia até um restaurante. Ele ia sempre ao mesmo lugar: a Trattoria Sciame, em Montalcino, perto da Fortaleza. Recentemente remodelado — com impecável bom gosto — o pequeno estabelecimento, com apenas oito mesas, cobertas por toalhas de linho, era mantido por uma família. A mãe cozinhava, a filha servia às mesas e o pai ficava por ali, quando terminava de cuidar das galinhas, dos coelhos e da horta que abasteciam a cozinha do restaurante. Fosco ocupava, diariamente, a mesma mesa — que dividia com outros dois solteirões convictos da cidade: um bancário e o sapateiro.

Ali, ele tomava sua refeição de cinco pratos, acompanhada de vinho, um *espresso* e *grappa*; e, então, retornava ao trabalho em *Il Colombaio*, com disposição muito mais jovial, após haver gasto a "exorbitante" soma de oito dólares. Tal como a maioria dos restaurantes italianos, a Trattoria Sciame pratica dois preços diferentes pelo mesmo serviço: na primeira vez em que fui atendido ali, paguei 19,50 dólares; na segunda vez, apresentado por Fosco como um cliente habitual, paguei apenas oito.

Os turistas não devem entender este procedimento como um insulto, pois é deste modo que os restaurantes italianos sobrevivem. São os clientes habituais que os mantêm, na baixa estação; e estes não os frequentariam, se tivessem de pagar o preço integral. Por um ano, eu fui um cliente habitual; o que tem suas vantagens, além do preço especial: eu não apenas recebia a melhor mesa — sobre a qual esboçava os planos para o trabalho de cada tarde — e o *dolce* especial, que a *Mamma* fazia "apenas para a família", mas também recebia o que havia de melhor e de mais fresco, todos os dias. Por exemplo, caso eu perguntasse, um dia, se havia aquela deliciosa galinha d'angola cozida no vinho, ela responderia, em código: "Nós temos, e não temos" — de modo que se preferisse, poderia escolher outro prato, pois aquele teria sido preparado no dia anterior.

Quase invariavelmente, o preço especial exclui a emissão de uma nota fiscal; em outras palavras, o dinheiro recebido não é declarado e o proprietário do restaurante não recolhe os impostos correspondentes. Isto é menos arriscado do que se poderia imaginar. Certo dia, fui a um dos meus restaurantes preferidos, onde eu também era um cliente habitual. Logo ao entrar notei que duas mesas, colocadas lado a lado, eram ocupadas por uma meia dúzia de *Guardia di Finanza* uniformizados, que desfrutavam de um caro banquete. Estes são os homens que podem pará-lo no meio da rua e multá-lo em mil dólares, se você não tiver consigo o recibo dos cinquenta centavos que pagou pelo pedaço de pizza que está comendo. Por isso, enquanto tomava meu vinho e minha *grappa*, lembrei a mim mesmo de pedir um recibo, quando estivesse de saída. Por um "golpe de sorte", meu *timing* ao fazer isso foi excepcional. Pedi a conta (para a qual, lembre-se, não costumava haver nenhum recibo) e recebi-a no momento exato em que o chefe dos policiais passava pela minha mesa, a caminho do banheiro. Paguei a importância anotada no papel e exigi, com voz firme, *"lo scontrino"* — o recibo. O chefe dos policiais revirou os olhos para cima e, tendo me reconhecido da cidade, colocou seu braço sobre meus ombros e sorriu:

— Que recibo? —, disse ele. E, acenando com a cabeça para o proprietário do restaurante, emendou: — Nós somos amigos!

Só mesmo na Itália.

Após o almoço, voltei às minhas vigas. Nós as separamos por ordem de tamanho, usando o guindaste; e eu tentei fazer combinar os padrões das que seriam utilizadas em um mesmo aposento, procurando lembrar-me de quais vigas eu escolhera para cada recanto da casa. No fim da pilha havia uma verdadeira joia. Era uma viga extraordinária, de uns cinquenta centímetros de espessura, antiga, rusticamente desbastada, com uma característica que eu jamais vira antes: uma forquilha, onde o tronco do carvalho havia-se bifurcado, formando um Y nos veios da madeira, em uma das extremidades. Ela seria perfeita para ficar no longo vestíbulo que conectava a entrada e o salão principal. Trabalhei por dias, limpando-a, medindo-a e desbastando-a no sentido do comprimento, decidindo qual de suas faces tinha uma aparência melhor. Até que ela ficou pronta. Nossa primeira viga! Foi um momento emocionante: afinal, começávamos realmente a construir a casa.

Todos ajudaram: Asea operou o guindaste; Fosco e Georgi postaram-se sobre um andaime, prontos para colocar a viga em seu lugar; e Alessandro e Piero seguraram as cordas atadas às duas extremidades da viga, guiando-a para que não oscilasse descontroladamente e despedaçasse uma das nossas paredes. Com uma câmera nas mãos, eu estava muito ocupado, transpirando em bicas. A viga foi içada acima da parede mais alta, e iniciou sua lenta descida. Ela parecia majestosa. Quando, enfim, ela foi baixada até sua posição final, todos aplaudiram. Retiramos os andaimes para que tivéssemos uma visão melhor daquele espetáculo. Fosco, porém, permaneceu em silêncio, parecendo sentir-se pouco à vontade. Todos fomos para casa, e a festa pareceu terminar antes mesmo que tivesse sido iniciada.

Quando cheguei, na manhã seguinte, todos os trabalhadores encontravam-se no vestíbulo, emudecidos, admirando a viga.

— Ela é grande demais, não é? —, perguntei.

Ninguém disse que não.

Asea retomou os controles do guindaste e nós posicionamos os ganchos, as cordas-guias, e içamos a magnífica viga com veios que bifurcavam-se e a depositamos no chão.

Nem todos os sonhos parecem perfeitos, na manhã seguinte.

Assim as coisas aconteciam com frequência. Nós imaginávamos alguns detalhes, desenhávamos os projetos e os testávamos. Se não funcionassem, amassávamos os desenhos e começávamos tudo outra vez. Lentamente, estávamos indo à falência. Decidi que Candace e Buster viriam naquele fim de semana e, juntos, prepararíamos a colocação de cada viga: experimentando colocá-las nos vários lugares, virando-as e numerando-as, de modo que todas estivessem prontas para ser definitivamente assentadas na manhã de segunda-feira. Buster estava com sete anos de idade; e medindo apenas 1,20m, ele não era suficientemente alto para subir até o alto das paredes e posicionar as vigas, nem pesado o bastante para manejar as cordas-guia. Então, nós o designamos para operar os controles do guindaste de 24 metros de altura. Todo o funcionamento era elétrico, com controles remotos; mas, antes, nós o fizemos treinar um pouco, içando e baixando alguns galhos. O garoto revelou possuir um talento natural; e, naquele fim de semana, nós conseguimos preparar antecipadamente cada uma das vigas.

O próximo item em nossa lista eram as portas. Ou, melhor: a falta delas. As portas do piso superior da casa eram todas feitas a mão; mas, para os estábulos no piso inferior, precisávamos de outras seis. Fosco pretendia fazer aberturas de tamanho padronizado e contratar um carpinteiro para confeccionar as portas; mas eu não me entusiasmara com a ideia. Eu não queria ter portas novas. Então, liguei para Dante — que, tal como eu esperava, possuía um grande estoque de portas havia muito tempo esquecidas.

Escolhi as mais pesadas de todo o lote; algumas das quais eram tão grossas que poderiam resistir ao impacto de petardos atirados por uma catapulta. Fosco limitou-se a contemplá-las; e, então, chamou Piero. Ele colocou seu braço sobre o ombro de Piero e disse, tentando manter-se calmo:

— O *dottore* inventou uma coisa nova. Em vez de construir uma casa de pedras e, então, abrir um buraco para encaixar uma porta de madeira, nós teremos de derrubar as paredes de pedra e construir a casa em volta de uma porta.

Piero piscou os olhos com força.

18 ~ O Armagedom Humano

Chegara o tempo de preparar a terra para as vinhas. Muito antes da demolição de *Il Colombaio*, Candace, Buster e eu havíamos começado a limpar o mato que crescia em torno das oliveiras. Com tesouras, foices e facões, nós limpamos o terreno em torno de quase duzentas oliveiras, nos dez acres abaixo da casa. No passado, houve ali um olival cultivado, mas a maior parte das árvores sucumbiu à devastadora nevasca de 1984. O restante delas foi cortado pela Banfi, que pretendia plantar videiras em seus lugares. Quando o projeto da plantação das videiras foi abandonado, os grossos troncos serrados das oliveiras brotaram novamente, dando origem às atuais árvores de três metros de altura. Perguntei aos vizinhos que possuíam oliveiras o que eles achavam quanto a transplantar as minhas para outro lugar. A resposta foi unânime: se eu as tirasse de seu lugar original, todas elas morreriam; portanto, seria mais produtivo arrancá-las do chão e queimá-las. Porém, como de costume, eu tinha meus próprios planos.

Vindo pela estrada, avistei um homem pequeno, com um semblante sério e cabelos grisalhos que começavam a rarear, operando uma enorme escavadeira. Parei e perguntei a ele o que achava de transplantar minhas oliveiras para que formassem um denso olival em torno da casa. Seus olhos brilharam:

— Elas formariam um belo oásis —, disse ele.

E embora viéssemos a trabalhar juntos, todos os dias, por todo o mês seguinte, movendo toda uma floresta de oliveiras, isto foi praticamente tudo o que Constantino teve a dizer.

Na manhã da segunda-feira, ouvi as lagartas de uma grande máquina aproximando-se pela estrada. Mas não era a grande escavadeira que eu já vira; em vez dela, tratava-se de outra, ainda maior, com um braço articulado, de cuja ponta pendia uma caçamba gigantesca. Se usássemos a primeira escavadeira, explicou Constantino, teríamos de amarrar os troncos das árvores à caçamba, para arrancá-las do chão. Então, teríamos de transportá-las, balançando no ar, por algumas centenas de metros, até seus novos lugares. Com este movimento, toda a terra iria desprender-se das raízes, que secariam; e a casca dos troncos seria arrancada pelo atrito com as cordas de amarração. As árvores, deste modo, não sobreviveriam. Em vez disso, a caçamba mais larga e profunda da escavadeira articulada poderia penetrar mais profundamente na terra, por baixo das raízes das árvores, levantando-as do chão, intactas — com a terra em volta das raízes e tudo —, para que fossem inteiramente transplantadas para buracos previamente escavados, em seus lugares definitivos.

Este era um trabalho que exigia toda a paciência e o senso de exatidão sobre-humanos de Constantino. Não se tratava simplesmente de dirigir, escavar e enterrar. Os velhos troncos e as jovens árvores que brotavam sobre eles eram conjuntos muito frágeis; por isso, ele tinha de seguir minhas orientações e os sinais que eu lhe fazia com as mãos, com uma precisão de centímetros. Um empurrãozinho a mais e o antigo tronco poderia partir-se em pedaços, desfazendo o torrão de terra em torno das raízes e arruinando a árvore nova. Força de menos, também, poderia fazer com que a terra se desprendesse das raízes, enquanto a árvore fosse içada do chão. Replantá-las era igualmente problemático. Ele tinha de levar a árvore até o seu lugar, fazê-la descer por uma pequena rampa na borda do buraco e, tão delicadamente quanto se tentasse equilibrar um ovo em pé sobre uma superfície de mármore, depositá-la ali, com suas raízes e os troncos jovens em posição tão vertical quanto possível. Uma vez colocadas no lugar, não era mais possível fazer qualquer ajuste. Manualmente, com auxílio de uma pá, eu me limitava a encher de terra o espaço em torno das raízes, para assegurar que as árvores pudessem permanecer em pé.

Os vizinhos vinham até nós, olhavam para o nosso trabalho e balançavam suas cabeças, desoladamente.

— É bom que você mantenha essa escavadeira por aqui —, diziam eles. — Assim, você poderá arrancar essas árvores e enterrá-las em algum outro lugar, quando todas estiverem mortas.

Mas Constantino e eu perseveramos. Das duzentas oliveiras que replantamos, todas sobreviveram. E, em um mês, tínhamos um oásis de oliveiras rodeando a casa.

※

A terra em torno das antigas oliveiras não fora arada por décadas. O solo era tão duro e compacto que poderia ser cortado em forma de tijolos. Fabrizio insistiu para que a terra de todo o campo fosse revolvida, a pelo menos um metro de profundidade, para que as novas vinhas tivessem chance de aprofundar suas raízes mais rapidamente.

A máquina utilizada para revolver o solo era do tamanho de uma casa pequena. Usando uma única lâmina enorme, cuja altura era maior do que a minha própria, ela circulou por todo o campo, por dias a fio. Então, um arado de tamanho semelhante foi afixado à frente da máquina, que revolveu o solo até alcançar o que parecia ser o centro da Terra. Fósseis emergiram. Havia conchas de todos os tipos, esqueletos de peixes estranhos e ossos humanos — inclusive a metade de um crânio. O campo estava pronto, mas ainda deveria esperar até a primavera para ser cultivado, dando tempo à terra para que o sol e as geadas penetrassem nas camadas mais profundas e o solo se estabilizasse. Se plantássemos imediatamente, a terra poderia acomodar-se em torno das frágeis raízes, sufocando-as.

Nesse ínterim, nós limpamos e delimitamos o terreno ocupado pela floresta, adjacente ao campo que seria cultivado, para garantir às futuras vinhas espaço suficiente para respirar. Para este trabalho, contratamos Alvaro — embora ainda não soubéssemos que ele era o Armagedom Humano.

Alvaro era um homem de cinquenta anos de idade, sorridente e perigoso. Ele podia transformar uma tarefa simples, tal como manobrar um trator em um campo de dez acres, em uma tragédia de dimensões nacionais. Seu primeiro quase homicídio envolveu Giancarlo.

Giancarlo é o nosso anjo da guarda pessoal. Ele vive com sua esposa, seu filho, sua estridente sogra e seu voluntariamente surdo sogro em Tavernelle; por isso está sempre bastante próximo para chegar a tempo de salvar as nossas vidas. Ele é o homem mais gentil, condescendente e infatigável do mundo. Ele aposentou-se cedo de seu trabalho na prefeitura, onde era encarregado dos serviços de manutenção, e chegou a meio caminho de sua jornada para o Paraíso ao começar a trabalhar conosco.

Alvaro e Giancarlo estavam cortando as árvores ao longo das bordas do campo. Alvaro cortava-as com uma motosserra, e Giancarlo livrava os troncos de seus galhos e ramagens usando a *penata*, um facão pequeno. A natureza deste trabalho exigia que Giancarlo estivesse com sua cabeça sempre abaixada, de modo que sua vida dependia dos gritos de *"Attento!"* proferidos por Alvaro, para que ele saísse do caminho. E foi isto mesmo que Alvaro fez — apenas com três segundos de atraso. Ele terminou de cortar uma árvore, observou-a oscilar, girar sobre seu próprio eixo e tombar, com seus galhos mais altos atingindo exatamente o ponto em que Giancarlo trabalhava — para, então, gritar *"Attento!"*, a plenos pulmões.

O segundo dos eventos mortíferos provocados por Alvaro foi seu quase suicídio. Nós tínhamos um trator novinho em folha; um bem pequeno, usado para trabalhar no espaço estreito entre as fileiras do vinhedo densamente plantado que Fabrizio exigira. Para desempenhar o trabalho nas colinas, ele era provido de duas lagartas largas, de aço, encimadas por uma cabine de *fiberglass*, para que o operador pudesse manobrá-lo à sombra. Alvaro deveria passar com o trator pelo campo recém-arado, rebocando um carrinho, e remover quaisquer vestígios remanescentes dos troncos de oliveira; pois, se deixados ali, sua madeira em decomposição geraria ácidos prejudiciais ao solo, que inibiriam o desenvolvimento das raízes e confeririam sabores estranhos às uvas.

Como ou por que Alvaro chegou até à borda do despenhadeiro, jamais saberemos. Eu estava pregando as *correnti* às vigas da torre, quando ouvi Candace gritar:

— Querido! O Armagedom!

Fiz com que Asea me baixasse lá de cima na caçamba do guindaste, para chegar mais rapidamente ao chão.

— Eu não estou entrando em pânico —, soluçou ela. — Mas Alvaro não deveria estar arrancando raízes no campo? Então, por que ele apanhou a motosserra e levou-a para a beirada do despenhadeiro?

Eu corri, mas não pude chegar a tempo. Ouvi o ronco da motosserra, o barulho de uma árvore caindo e, em seguida, o horrível ruído de algo sendo esmagado.

O carrinho a reboque ainda encontrava-se em terra firme, mas uma das lagartas do pequeno trator pendia no ar, sobre a beirada do despenhadeiro. A única coisa que o impedia de rolar lá para baixo era um jovem carvalho, que escorava a cabine de *fiberglass*. Alvaro acionou a motosserra e começou a cortar o carvalho. Agarrei-o pelas costas. Surpreso e ofendido, ele vociferou:

— Estou salvando o trator! Aquela árvore está arranhando o teto da cabine!

Eu mal podia respirar. Arranquei a motosserra de suas mãos e ordenei-lhe:

— Suba no trator!

— Mas, eu vou morrer!

— Você irá morrer de qualquer jeito, se eu serrar você pela metade!

Acionei o gatilho e a motosserra roncou. Ele pulou para a cabine do trator.

— Dê marcha a ré!

— Mas, o teto...

Acionei o gatilho, outra vez.

Ele deu um puxão no câmbio e o pequeno trator moveu-se, obedientemente, sobre apenas uma lagarta, tendo a pintura do teto arranhada, mas aprumando-se pouco a pouco, até pousar em segurança, sobre ambas as lagartas, em solo firme.

Eu deveria tê-lo despedido naquela ocasião. Ou, senão, quando ele fez a motosserra trabalhar sem óleo, até que o motor ficasse branco pelo superaquecimento e, finalmente, se fundisse em um único bloco de metal sólido. Ou quando ele insistiu em dar voltas e mais voltas em torno de uma pedra pontiaguda, até arrebentar uma das lagartas do trator. Em vez disso, esperei até que ele manobrasse meu carro, se esquecesse de puxar o freio de mão, e o transformasse em uma sanfona.

19 ~ Vinhateiro

Ao contrário de muitas coisas na vida, a vingança não engorda e é muito divertida. A vingança imediata, contudo, deve ser evitada — do mesmo modo que as compras feitas por impulso —, sob pena de perder-se o prazer de planejar a queda calculada de um tijolo, ou o nó nos cadarços dos sapatos de alguém que sobe o último degrau da torre inclinada de Pisa.

Àquela altura dos acontecimentos, eu já havia mentalmente afogado o romano sovina em um de seus gigantescos tonéis de vinho; ou, tal como realmente fez um vizinho a outro, que havia dormido com sua mulher: apanhado um par de tesouras de podar movidas a eletricidade e cortado todo o vinhedo favorito do homem pela raiz. Felizmente, o destino e um carregamento de esterco suíno fizeram todo o trabalho por mim.

Não muito tempo depois de havermos fechado o acordo de *Il Colombaio* com Rivella e Bucci, o romano tratante apareceu à nossa porta. Ele ouvira rumores de que estávamos pensando em nos mudar de *La Marinaia* e esperava que estes não passassem de boatos infundados, pois tinha um "negócio da China" para propor-nos. Aqueles eram os dias em que transcorriam os julgamentos por corrupção na Itália, e dizia-se que a vinícola dele caíra numa espécie de "malha fina". Por isso, o consórcio que ele representava, que era proprietário não apenas do vinhedo vizinho à nossa casa, mas, também, do lago e de outros trinta acres de campos nas redondezas — todos potencialmente excelentes para o cultivo de vinhedos

— mostrava-se, agora, disposto a vender essas propriedades. Eu pedira a Piccardi que fizesse uma estimativa do valor total de todas as propriedades oferecidas; e, segundo ele, cento e cinquenta mil dólares por tudo seria uma verdadeira pechincha.

O romano falava tão rápido que eu mal consegui compreender uma ou outra palavra, isoladamente. Então, ele diminuiu ligeiramente o ritmo e anunciou, como se falasse com um surdo:

— Cento e cinquenta mil dólares americanos.

Ele segurou a respiração e eu sorri, sem pronunciar uma só palavra. Pensando haver-me convencido, ele estendeu-me sua mão.

— *"D'accordo?"* —, balbuciou ele.

— Setenta e cinco —, disse eu.

— Como você pode dizer uma coisa dessas? Seria o mesmo que roubar!

— Sessenta e cinco —, ofereci.

— Mas, você acabou de oferecer setenta e cinco!?

— O mercado oscilou negativamente, desde então.

Ele ficou furioso.

— Tudo bem! Agora, eu não vendo para você nem por cento e cinquenta!

— Sessenta —, disse eu.

Seu rosto contorceu-se, e foi minha vez de estender-lhe a mão:

— Cinquenta e cinco — ofereci. — Eu iria pagar-lhe apenas cinquenta; mas, como somos amigos e vizinhos...

— Que tal setenta e cinco? — suplicou ele.

— Que tal cinquenta? — retorqui.

—Você é um ladrão!

Naquela noite, telefonei ao irmão de Candace e disse-lhe que havia conseguido adquirir metade do vale para ele, por uma verdadeira pechincha. Ele ficou muito entusiasmado.

—Vou enviar-lhe um cheque pelo malote —, disse o meu cunhado.

Fui deitar-me com um largo sorriso, de plena satisfação.

Porém, o romano também alimentava seus doces sonhos de vingança. Após o contrato haver sido assinado, ele confrontou-me, sorrindo:

— Seria loucura você comprar um trator para cuidar daquelas poucas vinhas. Por que não arrenda o vinhedo para mim, por um ano, até que consiga plantar mais?

Entramos em acordo, por um preço razoável: quatrocentas garrafas de seu Vino Nobile de Montepulciano. Perguntei-lhe se eu poderia deixá-las em suas adegas, pois não possuía um espaço em que a temperatura se mantivesse constante. Ele consentiu; mas, quando o ano findou, ele sorridentemente recusou-se a pagar.

Foi então que o destino mandou aquele carregamento de esterco de porco. Notei, no mapa, que a linha divisória da nossa nova propriedade passava apenas a um metro e meio da casa do romano, na propriedade vizinha. Esta havia sido belamente remodelada para receber hóspedes, incluindo um enorme salão de festas. Certa manhã, avistei trabalhadores atarefados, descarregando vasos de plantas e flores de um caminhão. Eles me disseram que haveria uma festa de gala, naquela noite, para jornalistas estrangeiros e compradores, que viriam provar seus vinhos. Ali estava minha grande chance. Na degustação de vinhos, o olfato é tão importante quanto o paladar; então, telefonei a Bonari, que criava duzentos porcos, no fundo do vale.

— *"Emergenza!"* —, disse eu. — Preciso de um carregamento de esterco suíno fresco, para esta noite.

— Claro —, disse ele. — Onde você quer que eu o descarregue?

— Ao lado do lago —, ordenei. — A um metro e meio da casa do romano!

— Por que não em cima dela? —, sugeriu ele.

— Não sou assim tão cruel —, respondi.

Naquela noite, mal pudemos dormir, devido ao mau cheiro do esterco, que vinha de uns quatrocentos metros da nossa casa.

Pierre Guillaume parece-se muito com Alain Prost, o piloto de Fórmula Um que ficou famoso na década de 1990: ele é esguio, baixinho, rápido e francês. Ele é o cultor de mudas de videiras mais respeitado de toda a Europa. Marchando através dos nossos campos como se estivesse atacando a Bastilha, ele escrevia suas notas sobre os mapas, sobre o relatório do engenheiro de solo e, no final, sobre seu maço de cigarros. Ele escolhia os clones de videiras mais adequados para cada campo. O pobre Fabrizio ofegava e resfolegava atrás de nós.

— Em cada campo, vamos plantar ao menos três clones diferentes —, pontificou Guillaume. — Desta forma, o vinho adquirirá mais complexidade; mais *finesse*.

No caminho de volta, passamos pelos terraços etruscos abandonados, no local onde Rivella dissera que poderíamos obter um Syrah espetacular. Os muros de contenção de pedra haviam desmoronado havia muito tempo, devido à ação da água, dos cervos e dos javalis selvagens que os escalavam, a caminho do riacho. Guillaume estudou as trilhas que os animais haviam aberto, revolveu a terra com a ponta de seu sapato e apanhou algumas amostras, chegando mesmo a provar um pequeno pedaço, na ponta da língua. Então, ele analisou o curso do sol, sentiu a brisa e anunciou:

— Mudas de Polsen 149 e 101 — e listou uma série de clones. E, com um linguajar incomumente pouco diplomático, acrescentou: — Se você não plantar Syrah aqui, *eu vou!*

Fabrizio ficou radiante. Nós tínhamos, agora, nossa quarta variedade de uvas. Casa cheia. Casa de loucos.

⸎

Sob o comando de Fabrizio, começamos a limpar os campos mais altos. Visto que estes haviam estado abandonados por décadas, algumas árvores que ali cresciam alcançaram dimensões consideráveis. Eu jamais havia sido dono sequer de um pedaço de floresta: *La Marinaia* possuía apenas uma sebe alta, um enorme choupo, as nogueiras "palitos de dentes" e algumas poucas dúzias de oliveiras que nós mesmos havíamos plantado; mas nada que pudesse ser admirado com respeito. Assim, quando nos dispusemos a limpar os campos, eu estava determinado a salvar cada arbusto que pudesse. Eu quis poupar até mesmo uma moita de hera. Com isso, eu estava enlouquecendo Constantino; pois o fazia operar uma máquina de vinte toneladas como se fosse um par de pinças. Por meio de um complexo conjunto previamente combinado de sinais feitos com as mãos e de expressões faciais, eu explicava a ele de onde deveria afastar-se, quais plantas deveria evitar e quais ele poderia arrancar pela raiz. O sinal combinado para designar estas últimas era feito passando a mão estendida através da parte dianteira da minha garganta.

Nos primeiros dias, minhas mãos quase invariavelmente diziam-lhe "pare", ou "desvie"; mas, pelo final da semana, eu já estava quase cortando o pescoço com minha própria mão. Os únicos sobreviventes terminaram sendo alguns grandes azevinhos, que foram removidos e replantados perto da casa, e um carvalho gigantesco, que — a despeito dos conselhos de todo mundo — foi mantido exatamente no centro de um vinhedo. De um "ecofanático", preocupado em salvar cada folha, me transformei em "Ferenc, o Huno".

20 ~ Riccardo, o Fantasma

HOUVE O DIA EM QUE "ENTERRAMOS" GIOIA VIVO.

Os toscanos são famosos por sua obstinação e sua teimosa independência; mas Gioia é, indiscutivelmente, o campeão dentre todos eles. Nós tínhamos de canalizar a água da fonte até a casa, a mais de oitocentos metros de distância. Uma vala teria de ser escavada, para conter o encanamento; e, para evitar subir toda a colina, teríamos de fazê-la atravessar toda a densa floresta. Pretendendo evitar cortar sequer uma única árvore, eu decidi que a vala teria de ser escavada manualmente. Isto representaria algumas semanas de trabalho, que deveria ser executado por alguém não apenas dedicado, como, também, um solitário, que não se importasse em passar longos dias trabalhando sem companhia. Gioia foi-me recomendado, por ambas as qualificações. Ele era baixinho, magro, calado, um pouco encurvado e jamais sorria — razão pela qual foi apelidado de "Gioia", que significa "alegria". Um mecânico brilhante, ele era capaz de consertar qualquer coisa, mesmo dispondo de praticamente nada — até o dia em que conseguiu voar, em uma máquina inventada por ele mesmo.

Segundo a história local, ele desejara voar por toda a sua vida, mas jamais tivera o dinheiro necessário para custear um curso ou o aluguel de qualquer máquina voadora; então, ele construíra uma para si mesmo. Ele montou uma espécie de helicóptero, utilizando um balanço infantil, um cortador de grama e uma cadeira. Todo o vilarejo de Sant'Angelo Scalo passava, diariamente, por sua oficina, para vê-lo cortar, soldar, recortar e soldar novamente. A engenhoca cresceu e tomou forma. Tratava-se de um artefato simples, leve e, sob todos os pontos de vista, perfeitamente racional — exceto no tocante à fixação do motor. Gioia era suficientemente astuto para imaginar que haveria muita vibração e turbulência; assim, ele instalou o motor na armação, feita com o balanço infantil e a cadeira, ajustando tudo com conexões flexíveis, e adaptou o arranjo ao componente mais flexível de todos: ele mesmo. Ele levou a intrigante máquina ao campo de futebol da cidade, fez os ajustes finais, afivelou-se a ela e deu a partida no motor. A cidade toda assistia de perto, quando os rotores começaram a girar; e toda a cidade recuou, quando Gioia, afinal, decolou. A princípio, ele apenas erguera-se alguns centímetros do chão, descrevendo curtos voos em forma de oito; até que resolveu puxar a alavanca que liberava um fluxo maior de combustível. O motor roncou, e Gioia subiu aos céus, como uma folha seca ao vento. A cidade irrompeu em brados de triunfo: agora, ela possuía seu próprio Leonardo da Vinci! Algumas pessoas dizem que ele subiu tão alto quanto a cúpula da igreja; outras juram que ele voou alto o bastante para desaparecer de vista. Contudo, após alguns minutos, lá de cima, de onde ecoava o ronco do motor, pôde-se ouvir apenas o silêncio. E, de lá, despencou Gioia, a toda velocidade.

Ele não ficou por muito tempo no hospital, mas dizem que, depois daquele episódio, ele jamais foi o mesmo. Desde então, ele gosta de trabalhar completamente sozinho, longe das vistas de todo mundo. Ele passava as manhãs escavando a vala na floresta, instalando a tubulação, vedando os pequenos poços escavados em cada um dos pontos mais altos do percurso e instalando válvulas que deixariam escapar o ar que acumulasse no encanamento. Após o almoço, ele dormia. Ele procurava um canto para si, bem aquecido pelo sol e ao abrigo do vento. Às vezes, ele instalava-se no pátio, sob as escadarias ou na soleira da porta da adega. Ali, ele encolhia-se todo, e roncava.

Numa tarde fria, em que ventava muito, nós terminamos de emparedar o espaço que conteria o revestimento de aço inoxidável da chaminé da fornalha. À hora de abandonar o serviço e irmos embora, procuramos por Gioia. Seu caminhãozinho de três rodas ainda estava ali, por isso gritamos na direção da floresta, para chamá-lo. Não houve resposta. Pedi a Asea que me içasse na caçamba do guindaste, para tentar avistá-lo e fazer com que minha voz chegasse mais longe, ao gritar. E eu gritei. Mesmo assim, não houve sequer um sinal de Gioia — até que Piero ouviu um murmúrio sonolento vindo de trás das paredes recém-erguidas do recinto da fornalha.

No dia seguinte, Gioia terminou de instalar a tubulação, e conectou-a a uma antiga cisterna, nos fundos da casa. Então, ele refez seus passos até a fonte e abriu a válvula. Nada além de ar chegou à fonte, pela tubulação. Permanecemos à espera. Saiu mais ar, e um pouco de terra; até que, afinal, um débil filete escorreu. Porém, logo um jorro de água esguichou, como se celebrasse sua fuga para a liberdade. A princípio, a água era lamacenta e turva; mas, após alguns minutos, ela passou a fluir cristalina, escorrendo para dentro da cisterna. Gioia conseguira trazer água ao oásis.

※

Il Colombaio começava a parecer-se com uma casa, novamente. No térreo, o suporte para o piso, através do qual o ar podia circular, terminara de ser instalado. No primeiro andar, as vigas, *correnti* e *mezzane* haviam sido assentadas. Uma rede de aço fora colocada sobre estas — bem como no interior das paredes — e, então, coberta com uma camada de oito centímetros de cimento. Novas leis requeriam que todas as casas fossem construídas à prova de terremotos; por isso, o topo de todas as paredes fora escavado para que vergalhões de aço fossem instalados, sobre os quais fora depositado um bocado de concreto.

O telhado foi solidamente vedado acima das *mezzane*, sobre as quais também foi colocada uma rede de aço e mais concreto foi despejado, antes que a cobertura recebesse o acabamento com as telhas antigas. Substituímos as que estavam lascadas e quebradas por outras, adquiridas de Dante.

Finalmente, numa manhã de dezembro, quando nuvens carregadas de neve começavam a juntar-se em torno do pico do vulcão, meus dedos congelados colocaram a última telha em seu lugar. *Il Colombaio* estava mais sólida do que jamais fora. Se ela havia conseguido durar sete séculos com nada além de camundongos e argamassa em suas paredes, agora, reforçada com aço e cimento, aguentaria facilmente mais mil anos.

Naquela noite, eu dormi como ainda não havia dormido o ano inteiro.

Quando você disser a si mesmo "vou fazer só mais uma coisinha e, então, parar", esteja certo de que é o momento de sentar-se no chão e não fazer nada.

Uma vez que o exterior da casa estivesse tão próximo de ser terminado, achei que seria apropriado limpar a área em volta, livrando-me de uma pilha de vigas não utilizadas que estavam na entrada do pátio. Parecia uma tarefa fácil. Eu tinha apenas de amarrar o cabo do guindaste a elas, içá-las e carregá-las colina acima, para longe da vista de todo mundo. Brincadeira de criança; afinal, eu vira meu próprio filho fazer isso.

O problema era que já estava escurecendo; por isso, eu teria de agir rápido. Em vez de tomar a decisão sensata de carregar uma viga de cada vez, achei que eu seria "durão" o bastante para movê-las dali, todas de uma vez. Passei o cabo por baixo e em torno delas tão bem quanto pude. Fiz com que o cabo fosse enrolado, dando algumas voltas em torno das vigas, e engatei o gancho do guindaste a ele. Então, pulei para a cabine, para operar o painel de controle.

Este é um dispositivo simples, com apenas seis botões: quatro para comandar os movimentos laterais, e outros dois, para fazer com que a carga seja levada para cima ou para baixo. Eu jamais havia operado controles como estes; mas, sempre há uma primeira vez para tudo. Apertei o botão do meio e "vrrrr": contemplei as vigas sendo içadas. Orgulhoso de mim mesmo, sorri. Eu estava suspendendo as vigas por sobre a casa, quando duas delas começaram a escapar da amarração do cabo, bem em cima do telhado. "Vrrrr"; as vigas oscilaram na direção da torre. Apertei outro botão e "vrrrr": as vigas dirigiram-se ameaçadoramente para uma das paredes. Outro botão, "vrrrr": agora, elas oscilavam para o lado do meu carro. Com um gesto decidido, fiz com que elas oscilassem violentamente para trás, na direção contrária. Belo lance! Pena que, com a força aplicada no sentido inverso, as vigas tenham começado a oscilar sobre si mesmas, desarrumando-se na amarração e transformando toda a carga em um aríete de dez cabeças.

Respirei fundo e apertei outro botão. *Porca troia della Madonna gonfiata, quella ignorante puttana!* Algum sádico havia incluído um sétimo botão no painel, sobre o qual lia-se, em letrinhas microscópicas, a palavra "RÁPIDO".

Bam! O telhado da minha oficina veio abaixo. Bam! O muro meio desabado do pátio terminou de ser derrubado. Bam! Demoli uma grande caixa d'água de aço. Bam! Lá se fora a antiga pocilga dos porcos — da qual eu jamais gostara muito, mesmo. Bam! Um carvalho foi quebrado e rolou, colina abaixo. No último balanço da carga, apertei o botão de "baixar", e as vigas foram parar dentro do poço. Tentei içá-las dali, mas elas ficaram emperradas lá dentro.

Fosco surgiu detrás de um canto da casa e olhou para mim, interrogativamente.

— Acertou na mosca! — disse ele.

✧

A segunda melhor coisa a respeito de ter um telhado sobre a casa era que nós poderíamos, finalmente, participar de uma tradição toscana: a festa do telhado. Nessas ocasiões, a maioria das pessoas costuma levar os pedreiros, o arquiteto e o construtor a um restaurante; mas, nós queríamos que o evento fosse tão inesquecível para todos, quanto era para nós mesmos — por isso, alugamos o grande salão de festas do Castelo Banfi.

Atualmente, o Castelo abriga um restaurante "estrelado" no Guia Michelin; mas, àquela época, o salão era apenas um vasto espaço vazio — "habitado" apenas por Riccardo, o Fantasma, que morrera em 1310. Algumas poucas vezes a cada ano, a vinícola Banfi patrocinava uma festa de gala, para clientes especiais ou jornalistas, deixando a esposa de Tommi — Maria, uma excelente cozinheira — encarregada de preparar as refeições. Ela fora proprietária de um restaurante na região de Abruzzo, no qual costumava adicionar um toque *gourmet* aos pratos clássicos da culinária camponesa. Nós ficamos sinceramente lisonjeados quando ela concordou em preparar a comida para o nosso banquete privativo.

Havíamos imaginado algo simples; mas, quando chegamos, mal pudemos acreditar em nossos olhos. O amplo salão estava iluminado pela luz de velas, com uma grande mesa coberta por toalhas de linho, prataria e porcelanas. Diante de cada lugar à mesa, havia seis taças de diferentes tamanhos, para cada um dos excepcionais vinhos da Banfi a serem servidos — além de uma *flûte* de champanhe. Emocionados e sentindo-nos um tanto deslocados, ficamos ali em pé, os quatorze integrantes do nosso grupo, bebendo champanhe, enquanto Maria contava-nos a história do pobre Riccardo, que "vivia" na torre e passeava pelo castelo à noite. A certa altura ouviu-se um uivo, e Buster, que estava com oito anos de idade e sempre quisera ser um cavaleiro, correu e apanhou a espada de uma armadura que ficava num canto do salão, como parte da decoração, e gritou:

— *Andiamo*, Riccardo! Eu não tenho medo de você!

Mas, apenas como medida de precaução, ele escondeu-se atrás de Candace. Todos nós rimos, enquanto tomávamos nossa primeira taça do Chardonnay Banfi, acompanhada por um grande sortimento de salames e *mortadellas*.

A mais intrigante das massas servidas foi o *maccheroni alla chitarra*, com um molho de tomates ao qual eram adicionados pedaços de cenouras, aipo, cebolas e carne de porco — que após serem cozidos junto com o molho, eram retirados, deixando apenas uma mistura de intensos aromas e sabores. Depois, foi servido o *agnello nel brodo ristretto*, um cozido de cordeiro, coberto com ovos mexidos e limão, seguido por um prato picante, com pedaços de carneiro assados no espeto. Para finalizar, Maria trouxe uma *crostata di ricotta*; uma torta doce que harmonizou perfeitamente com o sabor floral e exótico do Moscadello Banfi.

Dê comida e vinho a um toscano e ele ficará alegremente altissonante, até mesmo em seu túmulo. Brincamos e conversamos sobre os horrores transcorridos nos seis meses de remodelação em *Il Colombaio*, quando, após quatro ou cinco aperitivos e sete ou oito garrafas de vinho, notamos a ausência de Buster. Achávamos que ele estivesse com Maria e suas ajudantes, mas, quando Candace foi verificar, ambos haviam desaparecido. De repente, às nossas costas, ecoou um brado triunfante: a porta da torre abriu-se e dela emergiram Maria e Buster, empunhando a espada.

— Afugentamos Riccardo daqui! —, anunciou Buster. — Ele nunca mais voltará!

Já passava muito da meia-noite quando nos preparamos para ir embora, tão cheios de comida e vinho que até mesmo Piccardi estava calado. Todos os pedreiros e as mulheres da cozinha haviam-se ido; e até mesmo Tommi disse que teria de sair, para apanhar sua filha ao final de um baile. Assim, somente nós três e Maria ficamos, para arrumar tudo, apagar as luzes e trancar o castelo. A noite estava escura e silenciosa quando cruzamos o pátio vazio, falando em voz baixa sob o luar, quando, da janela mais alta da torre, emergiu Riccardo, contorcendo-se e gemendo como uma alma penada — debaixo de um lençol branco.

Buster agarrou-se a Candace, tornando-se mais pálido do que a lua.

⁓❋⁓

Com o aqueduto de Gioia em pleno funcionamento, pudemos plantar árvores à vontade.

Descendo a estrada, havia algumas oliveiras maduras que ali brotaram espontaneamente; por isso, tínhamos começado a transplantá-las, para efeito paisagístico, muito antes que a reforma da casa fosse concluída. A maior parte dos nossos vizinhos estava plantando ainda mais vinhas; mas, como seus campos eram limitados, eles só podiam fazer isso cortando as antigas e magníficas — embora não mais produtivas — oliveiras. Constantino e eu nos oferecemos para poupar-lhes o trabalho de cortá-las, queimá-las e desenterrar-lhes as raízes: nós iríamos até elas, as apanharíamos com nossa escavadeira e as transplantaríamos.

Havíamos replantado nossas próprias oliveiras em um círculo afastado da casa, deixando espaço para um futuro gramado, arbustos, árvores para sombra e flores. Agora, nesta área, introduzíamos oliveiras centenárias, cujos troncos retorcidos eram, por si mesmos, esculturas dignas de serem contempladas. Estávamos quase terminando de transplantar nossa nona "antiguidade", quando um homem jovem aproximou-se e apresentou-se como Pietro, um *vivaista*; o proprietário de um viveiro de árvores nas proximidades. Ele ouvira dizer que éramos obcecados por plantas e viera porque possuía dúzias de pinheiros mediterrâneos adultos e alguns grandes ciprestes dos quais desejava desfazer-se, para plantar um campo de árvores jovens. Eu pagaria apenas pelo custo do transporte e do replantio, e poderia ficar com todas aquelas árvores por quase nada.

Dei "carta branca" a Pietro sobre o que deveríamos fazer, de modo que terminamos com a casa e a cisterna cercadas por mais pinheiros e ciprestes do que podem ser comumente encontrados em qualquer cemitério. Ao final do trabalho, perguntei a Pietro sobre o custo.

Há uma coisa que deve ser aprendida na Toscana: mais difícil do que convencer alguém a trabalhar para você é pagar a esta pessoa pelo serviço, no final. Habitualmente, a maior parte das pessoas limita-se a dizer-lhe "mais tarde", e simplesmente desaparece — apenas para reaparecer, um ano depois, quando você não possui sequer um centavo. Então, Pietro, contrariado, caminhou por ali, contou as árvores que haviam sido plantadas e passou-me um pedaço de papel.

Os preços conferiam com os valores previamente combinados, mas havia um erro:

—Você esqueceu-se dos dois olmos grandes —, disse eu.

— Eles são um presente —, respondeu ele.

— Pelo quê?

— Por você gostar tanto das minhas árvores —, disse ele.

Percebendo que eu ficara tocado por seu gesto, ele falou:

— Olhe, Máté, muita gente fica desconfiada, suspeitando que eu as tenha enganado, de algum modo. Eu posso sentir isso. Então, eu morro com a conta, de vez em quando.

Ele continuou:

— Para os que confiam em mim, sou capaz de trabalhar dia e noite, sem ganhar mais por isso, apenas para ver um sorriso estampado em seus rostos, quando planto algo que gostam muito. Estas são as coisas que guardo na lembrança. Você sabe o que é voltar a um lugar, após dez anos, e ver no que se transformou uma arvorezinha plantada por você?

Então, ele acenou com a mão e ficou em silêncio. Certas emoções jamais podem ser explicadas.

21 ~ Natal nas Dolomitas

Aparentemente, não importa quais sejam as suas expectativas, a vida sempre lhe dará o oposto delas. Eu tinha certeza de que estaria verdadeiramente satisfeito por ter paredes reforçadas e um bom telhado cobrindo-as. Agora que *Il Colombaio* estava sólida e segura, achei que iria apenas relaxar e desfrutar do prazer de preenchê-la nos mais mínimos detalhes, até que estivesse completamente terminada. Em vez disso, certa manhã, acordei sentindo-me vazio: sem vontade de dirigir até lá, sem saudades dos risos e das brincadeiras dos pedreiros, ou do meu almoço de cinco pratos na Trattoria Sciame. E o que era pior: eu tinha um prazo para escrever um livro, o que requeria uma mente não sobrecarregada por questões como o diâmetro de uma manilha ou o tamanho ideal para uma fossa séptica. Então, decidi fazer o que faço melhor: fugir.

Eu nasci na parte mais montanhosa e romântica da Hungria: a Transilvânia. Após a Segunda Guerra Mundial, nós perdemos as montanhas para a Romênia. As fronteiras eram estritamente vigiadas; e nós tivemos de fugir durante a noite, para voltarmos ao que restara do nosso país. Com um ano de idade, viajei a bordo da mochila de meu pai, enquanto ele ultrapassava as montanhas.

Quando eu contava dez anos, os húngaros se cansaram de viver sob o terror soviético. Nós nos rebelamos e expulsamos o exército deles, por seis gloriosos dias. Porém, eles voltaram; com bombardeiros e dois mil tanques — enquanto tudo o que tínhamos eram rifles e garrafas cheias de gasolina. Minha mãe e seu bem-amado tomaram parte nas lutas. Ele coordenou a distribuição de comida para os rebeldes; e, por isso, tivemos de fugir novamente — desta vez, para a Áustria. Caminhamos por dois dias e duas noites, através da neve, da neblina e do gelo.

A fuga da Toscana serviria para recarregar os neurônios que me restavam, e passar duas semanas terminando de escrever o livro. No ano anterior, os Piccardi haviam nos levado para esquiar nas nevadas montanhas Dolomitas, por uma *settimana bianca* — uma "semana branca", ou "de férias". E, tal como acontece com a maioria dos lugares bonitos que já visitei, eu me senti prontamente disposto a mudar-me e viver ali, para sempre.

As Dolomitas talvez sejam as montanhas mais dramáticas da Terra. Pontiagudas e acidentadas, até a Segunda Guerra elas foram parte da mais bela região da Áustria, o Tirol. Ali ainda há vilarejos meticulosamente cuidados, com casinhas que parecem saídas de um conto de fadas, igrejas com campanários altos e angulosos, homens vestidos com *Lederhosen* — calças curtas de couro, seguras por suspensórios —, colinas com flancos tortuosos das quais o feno é cortado manualmente, pastagens alpinas onde ecoa o som das sinetas que as vacas trazem ao pescoço, e uma maravilhosa mistura da culinária austríaca e italiana. Este é o lar de um povo cordial e vivaz, que adora a música e a dança, e para o qual escalar um pico de três mil metros de altitude é algo tão corriqueiro quanto dar um passeio pelo parque.

※

A cidadezinha de San Vigilio in Marebbe, no coração das Dolomitas, surge no final de uma estrada apavorante, esculpida no paredão de um despenhadeiro acima de um rio. Até 1960, não havia outra maneira de chegar a ela senão a pé, percorrendo as trilhas que serpenteavam pelas florestas, seguindo de vilarejo em vilarejo. Aqui e ali, nos lugares onde a vista fosse especialmente bonita ou em que a água de uma fonte fosse canalizada através de um tronco oco, havia bancos rústicos para sentar e descansar; e, talvez, um pequeno altar esculpido em madeira, com um ramo de urzes ou azaleias selvagens colocado ao lado da imagem de Jesus.

A cidade com seiscentos habitantes fica aninhada em um pequeno vale, cercado de montanhas íngremes por todos os lados. Estas são integrantes de uma reserva natural contendo tantos picos escarpados que alguns sequer têm nome: os mais altos, por exemplo, são chamados simplesmente de *Nove* e *Dieci* — Nove e Dez. No inverno, os picos e a cidade são cobertos pela neve; e, segundo Tommi Bucci, este é o melhor lugar da Itália para esquiar.

Os Piccardi foram embora cedo, naquele ano; mas nós ficamos por mais alguns dias. Depois de esquiar, eu gostava de percorrer a pé as trilhas cobertas de neve. Perto de uma passagem entre dois picos, encontrei uma pequena serraria, onde todo o trabalho era feito por um só homem, apenas com uma serra circular e uma bancada. Josef era o proprietário e o único trabalhador. Ele era vigoroso, como todos os montanheses, com olhos brilhantes e modos reservados; e falava com um forte sotaque. O primeiro idioma utilizado na região é o ladino — um dialeto derivado do latim antigo; o segundo é o alemão, e o terceiro é o italiano. Talvez por isso Josef tenha me parecido um tanto hesitante quando lhe perguntei se haveria, por ali, uma casinha humilde que pudesse ser alugada pelo ano inteiro, para que "alguém" viesse viver ali, esquiando, escalando e escrevendo. Porém, quando eu lhe disse que vinha do Canadá, onde vivera por vários anos na montanha Whistler, nas Rochosas, ele começou a tratar-me como um amigo reencontrado após muito tempo.

— Eu tenho uma cabana —, disse ele. — Embora ache que você seja muito alto para viver nela.

Serpenteamos colina abaixo, até onde um punhado de telhados assomava por trás da floresta. O vilarejo constituía-se apenas de três casas, três celeiros, um pequeno silo de pedra, usado como depósito de feno, e uma capela. Cercas de madeira guardavam canteiros de hortas domésticas, agora cobertas pela neve. Os pavimentos térreos das casas eram feitos de pedra, e os superiores eram de larice, madeira da família do cedro, que torna-se escura com o passar dos séculos. Duas das casas estavam muito bem cuidadas, mas a última parecia um tanto abandonada. Caminhamos até ela. À entrada, um forno de tijolos cuja altura ia até o teto, proporcionava calor. Subimos um lance de escadas até o sótão, todo feito de pinho claro: as paredes, o teto, o piso e até mesmo as vigas que sustentavam o telhado.

— Cuidado com a cabeça —, avisou Josef, quando ouviu a pancada que dei com a minha. As janelas de dois pequenos dormitórios abriam-se para uma vista do celeiro; e de uma copa e cozinha conjugadas e da sala de estar via-se o vale, as montanhas e o céu. Da pequena sacada coberta, tinha-se a sensação de que seria possível voar. O valor do aluguel era o mesmo que pagávamos em Paris por uma vaga para guardar o carro. Nós apertamos as mãos, e assim foi fechado o contrato de aluguel, por um ano.

Então, na Toscana, pusemos nossas roupas em malas e passamos algumas semanas, à época do Natal, no topo do mundo.

⁂

A viagem começou bem. Com o peso dos esquis e dos presentes que carregávamos, nosso carro ganhara estabilidade e não derrapava, como de costume, sob a chuva; mas, ao sul de Florença, o céu ficou negro e começou a nevar. À altura da última saída para Florença, o tráfego na estrada parou. Para quem gosta de dirigir, a estrada, daquele ponto até Bolonha, é um verdadeiro circuito de automobilismo, digno de um *Grand Prix*: não há sequer um trecho em linha reta por quase oitenta quilômetros. A rota sobe e desce, faz curvas e mergulha em túneis, para emergir em viadutos estreitos e escorregadios. Há pessoas — das quais omitirei os nomes — que simplesmente não conseguem resistir à tentação de percorrê-la, saboreando suas variações a cada quilômetro. A estrada é pura diversão, quando está seca; uma aventura, sob a chuva; e absolutamente intransitável, sob a neve. Então, ficamos parados ali, e esperamos. O rádio nos informou de que a passagem estava bloqueada pela neve, e poderia levar horas até que as primeiras máquinas conseguissem chegar para desimpedi-la. Porém, as máquinas não conseguiam passar por causa dos carros, presos pela neve. A família estava muito aborrecida, mas eu mal conseguia conter minha alegria: que maneira melhor de começar as férias do que sendo "obrigado" a passar uma noite em minha adorada Florença?

Recuei o carro até a saída para a cidade. Ao longo dos anos, apaixonei-me por um antigo hotelzinho de viajantes — que, atualmente, encontra-se maravilhosamente restaurado —, muito adequada e naturalmente chamado Brunelleschi, uma vez que se encontra localizado a apenas alguns passos do famoso domo de autoria do artista. O hotel parecia luxuoso, mas atravessava o auge do período de baixa estação. Com todo o atrevimento que era capaz de demonstrar, eu entrei e perguntei se a casa poderia fazer um desconto especial para escritores que estivessem tentando fugir da tempestade. Um largo sorriso abriu-se no rosto do gerente.

— Será que o quartinho de guardar vassouras seria apropriado para o senhor Máté? —, indagou ele. — Posso deixar o senhor hospedar-se nele pela metade do preço.

— Tudo bem —, respondi. — Mas somente se você me indicar onde é servida a melhor comida da cidade!

Apanhamos nossa bagagem no carro e subimos. Após alguns poucos lances de escada, entramos por uma porta assinalada com os dizeres: *Suite Duomo*.

Candace riu alto. Um quarto comunicava-se com outro, que levava a um terceiro; mas, ainda mais fascinante era a vista que se tinha dali. Uma janela no aposento principal enquadrava lindamente a absoluta perfeição do domo sem igual de Brunelleschi, sustentado por paredes de mármore rosa, verde e branco.

Passamos a tarde explorando o interior do domo e contemplando o presunçoso *David* de Donatello e sua delicada *Maria Madalena*, esculpida em madeira; a *Primavera* e a *Vênus* de Botticelli e os alegres meninos e meninas do coro, de Luca della Robbia. O jantar no restaurante Tre Gobbi ("Três Corcundas") estava soberbo: *fettuccini* com molho de faisão e uma *bistecca fiorentina* que derretia na boca; e, em honra de Tommi Bucci, um dos melhores vinhos de corte da Banfi — o SummuS —, obtido a partir de um delicioso e aromático *blend* de uvas Sangiovese, Merlot, Cabernet Sauvignon e a conceituada Syrah.

Aquela noite, ficamos à janela por horas, contemplando a neve flutuar suavemente para além das paredes de mármore e do domo. Na manhã seguinte, despertamos em uma Florença coberta por uma espessa camada de neve.

✥

A neve acumulava-se de maneira irregular em torno do vilarejo quando chegamos às Dolomitas. Nosso sótão estava gelado; Josef esquecera-se de alimentar o forno. Guardamos a comida, os presentes e o vinho, e eu notei que a garrafa cheia de *grappa* que trouxera, três meses antes, agora estava vazia. Desci à adega para alimentar o forno e notei que Josef dirigia-se apressadamente para o celeiro. Conversamos amistosamente e, então, mencionei a garrafa vazia.

— Aquela *era* a sua *grappa* —, disse ele, com suas pálpebras descaídas. — Se você não arrolhar a garrafa com bastante força, verá que ela evapora, da noite para o dia.

Assim, preparei-me para ter de alimentar o forno eu mesmo, três vezes ao dia, pelo tempo que permanecêssemos ali — ou até que Josef conseguisse arranjar mais *grappa*.

✥

Naquela noite, quando as vacas haviam sido recolhidas ao celeiro e depois que o sino da capela soou, começou a nevar. A princípio, a neve ocultou a visão das montanhas à distância e, então, cobriu a cidade que ficava em um canto do vale; e logo a colina que ficava a meio caminho e o depósito de feno, logo abaixo. A neve caía suave como um suspiro, acumulando-se nos caixilhos das janelas e contra a porta. À meia-noite já havia uma camada de uns trinta centímetros sobre o chão, e continuava a nevar. Aquele era um espetáculo bonito demais para perder, dormindo.

Cobri e aconcheguei bem a família sob os cobertores, apaguei as luzes e saí sob o céu noturno. Flocos de neve caíam preguiçosamente no meu rosto, e o peso da neve era como o de uma mão amiga sobre os meus ombros. As vacas respiravam pesadamente na escuridão do celeiro. Mais acima, no topo da ravina, olhei para baixo, sobre a trilha que havia percorrido. A neve parecia cair em camadas densas como glacê de bolo; e, lá embaixo, quedava-se o vilarejo semissoterrado. A única luz era proveniente de uma janelinha na capela, onde alguém acendera uma vela.

Dois dias antes do Natal, nós ainda não tínhamos uma árvore. Perguntei a Josef onde poderíamos comprar uma e ele riu:

— A montanha tem milhares delas. Há uma serra no depósito.

Seu irmão, Toni, que se encontrava ali por perto, tentou dizer alguma coisa, mas sua gagueira impediu-lhe de articular uma frase. Ele era mais jovem do que Josef, contando possivelmente uns quarenta anos de idade; gorducho e com bochechas tão vermelhas como se tivessem sido tingidas com Merlot. Ele usava calças curtas de couro, o ano todo; apenas enrolando suas meias grossas sobre os tornozelos, de acordo com o clima da estação. Sua profissão era "seguir levando a vida". Seu pai havia deixado a casa para ambos os filhos; a horta proporcionava-lhes o alimento e as duas irmãs solteiras que viviam na casa vizinha cozinhavam para eles, de modo que suas necessidades eram mínimas. No inverno, ele patrulhava as montanhas com seus esquis; na primavera, ele cuidava da manutenção das trilhas; no verão, ele descansava; e, no outono, reforçava suas parcas economias sendo — reconhecidamente — o campeão de todo o vale na colheita de *porcini*.

Durante todo o mês de setembro, ele costumava sair na calada da noite — não porque precisasse ir muito longe, uma vez que os campos onde se encontravam os *porcini* ficavam bem próximos; mas apenas para que ninguém o seguisse e descobrisse seus "lugares secretos". À hora em que nos preparávamos para iniciar nossa escalada matinal, Toni já voltava dos campos, com suas botas e sua camisa encharcadas, e com duas cestas de vime, uma em cada mão, cheias de *porcini* até as bordas. Por volta do meio-dia, ele já teria vendido todos, para os restaurantes e hotéis da cidade. Pedimos para que ele nos vendesse alguns, mas ele recusou-se a fazê-lo. Em vez disso, deu-nos vários, como um presente, gaguejando que, desta maneira, ele teria menos peso para carregar até a cidade.

Após o almoço, Buster e eu saímos para procurar uma árvore. Apanhamos a serra manual e descemos a colina em direção ao velho moinho, onde, na borda de uma clareira, tínhamos avistado alguns jovens pinheiros. Porém, sequer precisamos ir tão longe: subindo a trilha em nossa direção, enterrando-se na neve fofa até os joelhos, vinha Toni, arrastando atrás de si o abeto azul mais frondoso que eu já vira. Ele sorriu e, decidindo que seria inútil tentar falar, deu a árvore a Buster. Então acenou, tocando a aba de seu chapéu, voltou-se e desapareceu na floresta.

⁂

Na véspera do Natal, a cobertura de neve alcançava a altura da janela do celeiro, sob a qual o calor das vacas fizera com que ela derretesse em uma suave concavidade. A lua cheia refletia uma luminosidade tão intensa que era preciso apertar os olhos sob ela. Pareceria ofensivo se rompêssemos o silêncio ao utilizar o carro; então, vestimos nossas roupas de esquiar, calçamos as botas de caminhada e rumamos a pé pela antiga trilha, para assistirmos à missa na cidade. As árvores curvavam-se sob o manto branco, e nós serpenteamos pelo caminho abaixo, cruzando pontes estreitas sobre fendas profundas, tomando atalhos através dos campos, passando por celeiros silenciosos e pela imagem de Jesus entalhada em madeira, que jazia profundamente enterrada sob a neve.

Os bancos da igreja de Pieve são de pinho lavrado, limpos e polidos como se fossem lixados todos os dias; mas o altar e as paredes são cheios de vida, com santos e anjos entalhados a mão, pintados e recobertos de ouro. Todos são tão esvoaçantes como apenas as figuras barrocas podem ser; e os braços da *Madonna* abrem-se apaixonadamente acolhedores.

Toda a congregação veste-se com seus melhores *Lederhosen* e vestidos de *Loden* — um tecido grosso e rústico — verde escuro. Os homens usam pesados chapéus montanheses de feltro, e as mulheres cobrem-se com xales rendados. Todos os lugares estavam ocupados. Nós cantamos e ouvimos o coro cantar; então, trocamos apertos de mão com nossos vizinhos, desejando-lhes um feliz Natal. Tomamos o caminho de volta sob o luar, enquanto os sinos dobravam; e, nas montanhas além, os sinos de outras igrejas ressoavam em resposta.

Buster nos apressava, para que não perdêssemos a visita do Papai Noel. Caminhávamos tão depressa quanto podíamos, transpirando e esperando, de tempos em tempos, que Candace pudesse nos alcançar. A lua já estava baixa no céu, e as sombras da floresta encompridavam-se. Buster irrompeu para dentro da casa e constatou que debaixo da árvore havia apenas os pequenos embrulhos de presentes que ali deixáramos. Ele soltou um suspiro de alívio: graças a Deus, o Papai Noel ainda não havia passado por ali. Cansado como estava, ele mal podia manter-se em pé; mas ainda foi capaz de conjeturar:

— E se o Papai Noel não souber que estamos aqui? E se ele tiver ido para *La Marinaia*, em vez de vir para cá?

— O Papai Noel sabe de tudo —, disse-lhe Candace.

Eu disse a ele que fosse para a cama e que não se preocupasse; pois, quando as renas chegassem, puxando o trenó, ele ouviria seus sinos.

— Eles são como os sinos das vacas? —, perguntou ele.

— Não —, disse eu. — São muito menores.

— Não se esqueçam de deixar leite e biscoitos para o Papai Noel —, disse ele, com a voz quase sumindo, enquanto pousava a cabeça no travesseiro.

Começou a nevar, novamente; desta vez, mais forte do que antes. Candace e eu retiramos os presentes de onde estavam escondidos, vestimos nossos pijamas e apagamos todas as luzes da casa, com exceção das que brilhavam sobre a árvore. Com o sininho que havíamos comprado especialmente para este momento, caminhei pelo sótão, agitando-o na escuridão.

— Mamãe! Papai! —, gritou Buster, pulando da cama. — Estou ouvindo os sinos!

— Eu também! — disse Candace, envolvendo-lhe em um casaco.

Ele disparou até a árvore e quedou-se ali, extático, olhando para os presentes — enquanto, na varanda, eu chacoalhava o sininho mais uma vez.

— As renas! —, sussurrou Buster, correndo para a porta.

Tive apenas o tempo exato para esgueirar-me para dentro da cozinha. Quando adentrei a sala, os dois já estavam fora da casa, sob os flocos de neve que dançavam em volta deles.

— Olhem! — gritou Buster, apontando para o céu noturno. — Elas estão lá! As renas! Você pode vê-las, papai?

Candace sorriu para mim.

— Elas são lindas, mesmo — disse eu.

22 ~ Pedras e Pessoas

Retornamos das montanhas depois de *La Befana*, o "Dia da Bruxa", durante o qual, para reiterar o desejo de uma primavera fértil, a "Bruxa do Inverno" — uma boneca feita de palha — é queimada na praça central da cidade.

Il Colombaio voltara, afinal, a parecer-se com uma casa de verdade. Durante as semanas em que estivéramos fora, os pedreiros haviam feito milagres em seu interior. Eles retiraram todos os pedaços soltos de argamassa que ainda restavam entre as pedras, preencheram as falhas e deram um novo revestimento às paredes. Quando perguntei por que algumas paredes ainda não haviam recebido o novo acabamento, Fosco disse-me que elas estavam à espera da minha decisão. Foi então que eu compreendi que ele tinha uma alma de artista. Ele achara os padrões e texturas das pedras nessas paredes tão incomuns que talvez eu quisesse deixá-las expostas. Ele estava certo: aquelas dez paredes revelaram-se as mais visualmente atraentes e interessantes de toda a casa.

Mas, então, as pedras ainda tinham respingos de argamassa sobre a superfície, e as *mezzane* do teto estavam salpicadas de manchas de tinta e resíduos de alcatrão: elas precisavam receber um bom jato de areia para que recobrassem a aparência de novas. Realizar o polimento com jato de areia é uma operação simples: técnicos trazem consigo uma máquina, movida sobre rodas, e algumas dúzias de sacos de cristais de sílica, afiados como navalhas — que, impelidos por um poderoso fluxo de ar comprimido, podem abrir um buraco que leva até a China, se dirigido fixamente para o mesmo ponto.

Os técnicos fizeram um trabalho perfeito: as pedras foram limpas e a cerâmica das *mezzane* recuperou sua tonalidade original. E, a esta altura, tivemos uma surpresa maravilhosa. Séculos atrás, cada cidade possuía sua própria olaria, onde os tijolos e outros artefatos cerâmicos eram confeccionados. Ao longo dos anos, os métodos de cozer a cerâmica mudaram; de modo que as lajotas de cada um dos cômodos da casa tinham colorações e texturas ligeiramente distintas, variando desde um marrom pálido até um vermelho profundo. Quando os tetos e os pisos foram demolidos, todas as lajotas foram misturadas; e, após a aplicação do jato de areia, o revestimento dos tetos parecia-se com mosaicos feitos por algum artista louco. Eu entrei em pânico. O que as pessoas diriam quando vissem que eu havia negligenciado um detalhe tão obviamente perceptível, durante a restauração? Eu seria apontado nas ruas? Todos ririam de mim pelas minhas costas?

— Foscooo! —, gritei. Ele veio até onde eu estava e olhou para o resultado do trabalho.

— *Bellissima* —, disse ele. — Nós não teríamos conseguido uma combinação de cores mais harmoniosa, nem que tivéssemos levado um ano para planejá-la.

Eu poderia ter lhe dado um beijo.

Os profissionais jamais deveriam deixar brinquedos perigosos onde proprietários curiosos e impressionáveis pudessem ter acesso a eles. Se os que trabalharam em minha casa tivessem feito isso, a máquina de jato de areia jamais teria estado ali, olhando-me diretamente nos olhos, naquela tranquila manhã de sábado.

O autocontrole não é um dos meus pontos fortes. Seria lógico supor que, após o fiasco com o guindaste, eu devesse deixar em paz as máquinas com as quais não fosse familiarizado; mas não se tratava de nenhum guindaste: esta era apenas um grande aspirador de pó, que, em vez de aspirar, expelia o pó. A tentação de operá-la teria feito um santo suar frio. Parecia tão fácil! Eu sabia que o botão vermelho ligava o motor, o botão verde permitia a alimentação de areia e havia uma alavanca, na extremidade de uma longa mangueira, que funcionava como um gatilho, liberando ou interrompendo o fluxo de areia.

Eu queria aplicar um jato de areia para retirar a ferrugem de uma maçaneta de ferro trabalhado que encontrara atrás da casa; uma tarefa simples, que não levaria mais do que um minuto para ser realizada. Posicionei-me ali, diante dos controles da máquina, e vi que a mangueira desaparecia, passando por uma pequena janela, para dentro da casa. Eu não iria perder meu tempo dando a volta toda, só para ver onde ela terminava; portanto, acionei o botão vermelho e, logo em seguida, o verde. Nada aconteceu.

Apanhei minha maçaneta enferrujada, dei a volta no pátio e entrei na casa — onde fui envolvido por uma nuvem de areia. Em meio à nuvem, a mangueira agitava-se e chicoteava como uma serpente enlouquecida, sem qualquer alavanca ou gatilho em sua extremidade. Em vez de correr para acionar outra vez o botão verde ou o vermelho, ou desligar aquela coisa de algum modo, eu resolvi atacar a "serpente". Encurralei-a com um ancinho, tentando calcular seus movimentos; mas a coisa parecia disposta a um bom combate. Ela recuou e chicoteou com força suficiente para, em um golpe rápido e certeiro, desfazer a barra das minhas calças.

Desferi um golpe de ancinho com toda a minha força, mas a serpente foi mais veloz. Então, fui mais esperto: cravei os dentes do ancinho sobre a mangueira, a uns dois metros da extremidade, e comecei a puxá-la em minha direção. Eu a apanhara; e ela sabia disso. Inutilmente, ela reagiu com uma tosse espasmódica. Arrastei-a pelo chão e sorri. A vitória estava quase em minhas mãos; mas, a meio metro de alcançá-la, a danada esgotou completamente a areia que tinha dentro de si. A velha maçaneta continua enferrujada, até hoje.

Nosso projeto para aquele mês era encontrar antigas lajotas para os pisos. Havíamos conseguido salvar cerca de metade das utilizadas nos pavimentos originais, mas todas as restantes estavam lascadas ou quebradas. Os estábulos no andar térreo jamais haviam sido pavimentados com lajotas; por isso, contemplávamos uma bela caçada.

A maior parte das pessoas teria simplesmente dado de ombros e comprado lajotas novas; e até mesmo existem algumas muito especiais, feitas a mão. Porém, se eu fizera questão das vigas antigas, também faria das lajotas; pois poucas coisas são tão atraentes, em uma casa toscana, quanto os contornos sensuais e a pátina das antigas *mezzane*, lavradas pelos séculos.

Dante não tinha uma lajota sequer em seu estoque; mas prometeu que conseguiria algumas para mim. Dentro de uma semana, seu combalido caminhãozinho veio subindo a estrada, trazendo não apenas algumas *mezzane* lindamente gastas, mas, também, algumas raríssimas lajotas quadradas do século XVI.

— De onde vieram estas belezas? —, perguntei, maravilhado.

— De uma capela desconsagrada —, respondeu ele. — Eu conheço a irmã do padre.

⁂

Desde que começáramos a trabalhar em *Il Colombaio*, Candace fizera questão de que utilizássemos apenas materiais encontrados em nosso próprio vale. Para os pisos e paredes dos banheiros, ela quis usar travertino, que, segundo ouvira dizer, provinha de uma pedreira situada atrás da colina mais próxima, em Bagno Vignoni.

Três coisas são imediatamente notáveis em Mario, o cortador de pedras: um grande sorriso, óculos com lentes tipo "fundo de garrafa", e seu chapéu, feito com um saco de papel habilidosamente dobrado, com dois bicos. Sua oficina ressoa intermitentemente com o ruído das lâminas cortando e polindo as pedras que ele retira da montanha. Eu mal havia começado a explicar, um tanto vagamente, o que queria, quando ele me interrompeu:

— Eu sei exatamente o que você quer! —, exclamou ele.

Se tivesse dito que podia ver em meus olhos o que era, juro que eu teria botado fogo em seu chapéu.

Sua pequena pedreira era o sonho de qualquer colecionador de pedras, com as paredes laterais rebrilhando nas cores mais fantásticas, brotando dos veios do travertino. Mario trouxera consigo um balde d'água e, enquanto caminhávamos, ele limpava a pedra e explicava suas características.

— Aqui, temos o mais perfeito travertino branco. Com poucas falhas, poucos buracos, mas uma grande desvantagem: é monótono. Aqui, há o travertino rosado; com belos veios, de grande variação tonal; mas, um tanto *femminuccia* — disse ele, "desmunhecando" seu pulso. — Mas, aqui há algo raro, que acho que irá agradar-lhe.

Ele jogou toda a água do balde sobre o que parecia ser uma pedra comum. Porém, uma vez molhada, esta revelou uma intensa tonalidade marrom, com veios e arabescos mais claros. Se eu a tivesse visto em outra casa, teria morrido de inveja.

— Vamos levar a montanha inteira —, disse Candace.

Mario sorriu.

— Há duas coisas que eu conheço no mundo —, disse ele. — Minhas pedras e as pessoas.

23 ~ Uma Vinha de Cada Vez

A PRIMAVERA CHEGARA; ERA TEMPO DE PLANTAR AS VINHAS.

Além de ter de tomar uma dúzia de decisões por dia, referentes ao acabamento do interior da casa — encontrar o mármore certo para as bancadas da cozinha, encontrar alguém que fizesse as bancadas, encontrar quem fizesse as instalações elétricas e hidráulicas, alguém que instalasse as maçanetas e os armários embutidos etc. —, tínhamos de tomar uma dúzia de decisões relativas ao início do vinhedo.

Primeiramente, tínhamos de decidir em que direção as fileiras seriam plantadas. Muito frequentemente, as fileiras são dispostas de acordo com a inclinação do terreno, para facilitar a drenagem. Se as fileiras forem dispostas latitudinalmente sobre a encosta da colina, um trator irá escavar valas profundas, criando poças de lama que retardarão a operação do maquinário após as chuvas — precisamente quando as vinhas mais necessitarão de aplicações de enxofre, para prevenir a formação do oídio, uma doença do vegetal, causada por fungos parasitários.

Infelizmente, uma vez que o declive abaixo da casa era muito suave, nós tínhamos de fazer uma escolha.

Um trator necessita de seis metros de espaço livre para manobrar ao final de cada fileira. Em propriedades como a nossa, com numerosos campos pequenos, deixar sem cultivo largas faixas de terreno, desperdiça muito espaço precioso; portanto, com quanto menos fileiras tivéssemos de lidar, melhor. Em outras palavras, nossas fileiras deveriam ser idealmente dispostas no sentido vertical, em vez do horizontal, sobre a encosta da colina.

Há dois outros fatores a considerar, ao escolher a direção em que se irá plantar as fileiras: a direção do sol e a do vento. Em regiões com poucas horas de insolação, é melhor dispô-las no sentido norte-sul, para assegurar que ambos os lados das vinhas sejam igualmente expostos ao sol, para sua maturação. Todavia, estas costumam ser, também, as regiões com maior incidência de chuvas; e, por isso, é melhor que as vinhas sejam dispostas na mesma direção em que o vento sopra, o que favorece a rápida secagem do solo e das folhas, evitando o surgimento de fungos e a formação do bolor.

Se você acha tedioso ler sobre essas coisas, imagine ter de tomar centenas de decisões relativas a elas. Fabrizio, Candace e eu passamos horas discutindo os prós e contras, até que, inadvertidamente, ele tocou em um ponto sensível:

— Quando você passar de carro pelo portão, subindo a estradinha, poderá contemplar o belo espetáculo das fileiras posicionadas de frente para você, como uma espinha de peixe.

Esta colocação teve o poder de enfeitiçar-nos. Mesmo porque, desta maneira, a parte do terreno menos favorável à drenagem era, também, a mais diretamente exposta ao vento; enquanto a outra parte recebia um pouco mais de luz solar.

Assim, a próxima coisa que tivemos de decidir foi a distância ideal entre uma fileira e outra, bem como entre cada uma das videiras. Na teoria, o espaço a ser idealmente mantido entre uma videira e outra é de um metro; ou quarenta polegadas. O problema é que, tendo de plantar três mil videiras em um acre, será preciso diminuir o espaço entre as fileiras para 1,60 metro (ou cerca de 64 polegadas), no máximo — de modo que será necessário um tratorzinho de brinquedo, ou uma máquina gigantesca, para trabalhar entre as fileiras. Afinal, decidimos manter uma distância de 1,80 metro (72 polegadas) entre as fileiras, plantando as videiras a intervalos de 90 centímetros (ou 36 polegadas).

Deste modo, para os nossos quinze acres, seriam necessárias 35.000 estacas (uma para cada videira) e 7.500 mourões, a serem fincados na terra entre cada grupo de seis videiras. Entretanto, ainda permaneciam algumas dúvidas: qual deveria ser o comprimento de cada mourão; qual seria seu diâmetro e ele seria feito de qual material? Não é de admirar que, naqueles dias, eu mantivesse uma garrafa de vinho sempre à mão.

A altura dos mourões é muito importante; pois, se estes forem altos demais, as raízes das plantas de uma fileira ficarão à sombra da fileira mais acima, impedindo o amadurecimento simultâneo de todas as videiras. Por outro lado, se os mourões forem muito baixos, as arames inferiores da cerca (em torno dos quais os cachos de uvas costumam desenvolver-se) ficarão tão próximos do solo que será preciso contratar anões para podar as plantas e colher as uvas. Além disso, quanto mais próximos do chão estiverem os brotos, mais sujeitos eles estarão à ação das geadas e das doenças. Assim, decidimos que nossos mourões teriam um metro e meio de altura — suficientes para sustentar uma cerca que permitiria a uma pessoa trabalhar em condições ideais e, ainda, fofocar confortavelmente com o companheiro que trabalhasse na fileira vizinha.

Na nossa região, os mourões são tradicionalmente feitos das nogueiras que crescem na encosta do vulcão; cortados quando a seiva da madeira deixa de escorrer, para que durem mais. A ponta de cada poste é afiada e, então, mantida sobre o fogo, para que a parte carbonizada — que será fincada na terra — impeça que o restante do tronco apodreça. Contudo, esses mourões tendem a ser muito grossos e irregulares, o que torna perigosa a passagem dos tratores pelo espaço exíguo entre as fileiras... Ah, por favor, passe-me a garrafa.

Mourões feitos com madeira de pinho são tratados com sais — coisa cuja presença não desejávamos em nossa terra. Mourões de concreto são baratos, mas basta que as lagartas de um trator encostem neles para que se esfarelem. Mourões de metal são bons, porque são galvanizados e têm pequenos ganchos soldados, para facilitar a fixação do arame que apoiará as vinhas; mas são feios.

Afinal, decidimos utilizar mourões feitos com madeira de acácia, vinda — dentre todos os lugares do mundo — da Hungria. Eles são cortados em hastes quadradas, naturalmente resistentes ao apodrecimento, de madeira muito densa e dura como pedra, de modo que é quase impossível cravar um prego nos desgraçados. Isto não é nenhuma brincadeira, quando se tem de cravar cinco pregos em cada um dos 7.500 postes; então, tivemos de iniciar o trabalho com auxílio de uma furadeira — e mais uma semana da minha vida evaporou-se, como a *grappa* de Josef.

Certo dia, Fabrizio veio correndo pelos campos ainda incultos, brandindo uma folha de papel.

—Você não leu o relatório sobre o seu solo? —, perguntou, indignado. — Eu disse a você que ele é pobre em microrganismos. As videiras novas precisam deles!

Eu não fazia sequer a menor ideia do que fossem microrganismos, mas, mesmo assim, dei um tapa em minha testa e disse:

— *Mon Dieu!* Eu me esqueci, completamente!

— Ainda bem que você tem a mim por perto! — resmungou ele. — Já mandei entregarem quinze caminhões do melhor... Como se diz... *Fertilisante organique?*

— Cocô de vaca —, expliquei.

Quinze caminhões de esterco perfazem uma montanha sobre a qual seria possível esquiar. Por uma semana inteirinha, nós cavamos, enterramos e revolvemos aquele material, incorporando-o à terra e enfiando-nos até os joelhos na mistura resultante. Devido à inalação constante, nossos dutos nasais foram revestidos por aquele aroma penetrante.

Tudo isso apenas para que você possa sentar-se tranquilamente e bebericar um bom vinho, à luz de velas.

Isto não foi mais do que a preparação para a verdadeira diversão, que começou quando um caminhão, com placas da França, apontou na curva da estradinha. Dentro de sua carroceria havia uma montanha de saquinhos de plástico branco, cheios com o nosso futuro vinhedo. Guillaume era um meticuloso detalhista. Cada saquinho era marcado com a variedade de uvas correspondente: Sangiovese, Merlot, Cabernet Sauvignon e Syrah — além do tipo de cada muda e a parte que deveria ser enterrada no solo. O tipo de cada clone também estava marcado, indicando a parte que deveria ficar acima do nível do solo, da qual os brotos floresceriam. Mas, havia um problema: as instruções diziam que o conteúdo dos saquinhos deveria ser estocado em um compartimento refrigerado, a uma temperatura não superior a 2°C; caso contrário, as mudas poderiam brotar prematuramente e quebrar-se, ao serem plantadas na terra. Havia acabado de chover, e todos os campos eram um só grande lamaçal — no qual não poderíamos trabalhar antes de uma semana, ao menos. Até então, imaginei que os saquinhos já estariam cheios de pequeninos cachos de uvas.

Mais uma vez, Tommi Bucci veio em meu socorro. Ele ofereceu-me o compartimento refrigerado da Banfi, para que eu o utilizasse pelo tempo que quisesse. Eu estarei em dívida para com este homem por umas três gerações.

❦

Os viticultores mais modernos plantam suas vinhas com auxílio de máquinas — mas não os Máté! Contudo, nosso plantio manual não se deve a alguma excentricidade: há um método em nossa loucura. Seguindo um facho de raio laser projetado desde a extremidade de uma fileira de videiras, uma máquina pode fazer a plantação eficientemente, desde que as fileiras sejam dispostas em linhas retas. Se as fileiras forem dispostas em curvas, como as nossas — visto que temos de aproveitar cada centímetro dos nossos campos de formatos irregulares —, calcular o ponto exato em que a máquina terá de começar a trabalhar, a cada vez, pode levar uma vida inteira. Por isso, plantamos nossas 42.000 videiras uma a uma, manualmente.

Na verdade, este foi um trabalho em equipe, quase tão divertido quanto a colheita das uvas. Depois que os mourões que marcavam o ponto inicial de cada fileira foram fincados, estacas menores foram posicionadas nos lugares em que outros mourões seriam fincados mais tarde, naquele ano. Um fio de arame marcado a intervalos de noventa centímetros foi esticado ao longo de cada fileira; e o plantio manual foi iniciado, da maneira mais miraculosa possível.

Mas, antes, deixe-me contar *o que* nós tivemos de plantar. Os saquinhos continham algo que, para mim, parecia um graveto seco, com uns vinte centímetros de comprimento e alguns fiozinhos de raízes em uma das pontas. A outra ponta fora mergulhada em uma espécie de cera, para protegê-la do frio. Primeiro, era preciso deixar esses gravetos imersos em água, para que eles pudessem absorver o suficiente para sobreviver aos primeiros dias de calor, no solo quente e seco. Na manhã seguinte, os pauzinhos tinham suas raízes aparadas, de modo que nenhum deles ficasse mais longo do que uns dez centímetros.

Então, chegava o momento de usar a ferramenta. Esta consiste-se de um pedaço de metal de uns noventa centímetros de comprimento, com uma extremidade em forma de T, para o manuseio. Na ponta, há uma lâmina semelhante a uma garra, sobre uma concavidade. A muda é inserida na concavidade do interior da garra, até pouco acima da altura das raízes, e a ferramenta é posicionada sobre o chão, diante da marcação feita no arame estendido. Então, você colocava todo o peso do seu corpo sobre o T da ferramenta, enterrando a garra no solo, até que apenas uns sete centímetros da muda ficassem para fora. Puxando-se a ferramenta para cima, a muda ficava plantada; não me pergunte como, nem por quê. Aí, era só endireitar o graveto um pouquinho, endireitar as suas costas, e partir para plantar a próxima muda, ao longo da fileira.

Quarenta e duas *mil* vezes.

24 ~ Os Terraços Etruscos

Ninguém gosta de admitir que tem um filho favorito. No final, terminei por gostar igualmente de todos os nossos vinhedos. Os três campos de Sangiovese, próximos da casa, eram como um lar; e eu adoro o que fica mais próximo da propriedade de Angelo por causa da igreja abandonada e porque dali é fácil dar um pulo na casa de Fabrizio, para bater papo. O campo que fica diretamente em frente da casa é especial porque nele é possível sentir o aroma do que Candace prepara na cozinha; e do campo que se estende na direção do despenhadeiro — que termina com a plantação de Merlot — tem-se uma bela vista do desfiladeiro, e está suficientemente próximo da propriedade de Fattoi para permitir que façamos fofocas por sobre a cerca.

Bem acima da casa, os outros campos têm seu próprio charme. Da plantação de Cabernet, entre os carvalhos, descortina-se um esplêndido panorama de todo o vale; e, mais acima, floresta adentro, pode-se avistar o enorme castelo em que vive um homem afável, muito apropriadamente chamado Castelli — que, segundo Ofelio, é *"dolce come il pane"*; doce como pão.

O distante vinhedo de Sangiovese, próximo da fonte, é um refúgio. Isolado do mundo pela floresta, é possível sentar-se à sombra do majestoso carvalho que deixamos no centro dele e contemplar o horizonte longínquo. Três castelos podem ser avistados à distância: Arginaccio, com sua torre do século XII; Argiano, uma gigantesca estrutura do século XVI, famosa por ter uma janela para cada um dos dias do ano; e, por trás de uma fileira de ciprestes, surge o castelo Banfi, cuja torre é "assombrada" por Riccardo.

A partir deste ponto, é possível fazer o caminho de volta atravessando-se a floresta e um olival, ao longo do desfiladeiro, até chegar ao meu vinhedo favorito: os terraços etruscos, onde plantamos a Syrah.

Reconstruir os terraços com uma escavadeira foi quase tão difícil quanto reconstruir *Il Colombaio*. Fosco calculou que, ao longo de um ano e meio de obras, nós construímos, demolimos e reconstruímos ao menos uma décima parte da casa, simplesmente por acharmos que algo não ficara tão bom quanto deveria ou poderia. A remodelação dos terraços, com a plantação de Syrah, seguiu o mesmo método.

Rino estava chegando aos setenta anos de idade, e era quase completamente surdo, após haver trabalhado como operador de escavadeira por toda a sua vida. Ele adorava um desafio, mas quando viu os terraços erodidos pela primeira vez, seu sorriso desvaneceu.

— *Madonna*, Máté! — disse ele, hesitante. — Será que sairemos vivos daqui?

Os terraços eram incrustados na sinuosa encosta de uma colina quase íngreme demais para ser escalada a pé. A maioria dos muros etruscos desmoronara muito tempo atrás; e um capim alto, com folhas grossas e afiadas como facas, bem como alguns *corbezzoli*, haviam-se apossado deles. Tendo sido construídos artesanalmente, a largura dos terraços variava de acordo com os graus de inclinação da encosta; e tudo indicava que terminaríamos reconstruindo-os manualmente, também. Isto nos levaria inexoravelmente à falência; portanto, tínhamos de imaginar outra maneira de refazê-los, desde o princípio. Candace e eu passamos a semana toda bancando os engenheiros. Com um teodolito apoiado sobre um tripé e uma vara de quatro metros e meio de comprimento, calculamos a elevação em cinco pontos onde o ângulo de inclinação da colina variava; e tentamos — uma centena de vezes — determinar a altura ideal para as larguras mínimas, de modo a preservar a aparência de uma obra artesanal, sem qualquer vestígio de que uma máquina tivesse passado por ali.

Finalmente, decidimo-nos por fazer seis terraços estreitos — com cerca de dois metros e meio de largura —, com duas fileiras de videiras plantadas em cada um: a primeira apenas uns trinta centímetros abaixo do nível da seguinte, um "degrau" acima; com espaço suficiente apenas para que o nosso pequenino trator pudesse passar entre elas. Tudo funcionou muito bem, no papel; mas um lápis não é páreo para uma escavadeira de vinte toneladas, e o papel tampouco pode comparar-se a montes de terra desbarrancando para o fundo do desfiladeiro.

Primeiro, nós limpamos o mato, manualmente: cortamos os arbustos altos e o capim e queimamos tudo. Então, certa manhã, Rino posicionou sua grande máquina no terraço mais alto. Por semanas, ele arou e revolveu o solo, arrancando raízes e pedras, nivelando o terreno à medida que o percorria — assegurando-se de que os terraços curvos não tivessem depressões suficientemente profundas para que a água pudesse acumular, encharcando a encosta da colina e provocando um deslizamento. Quando terminou de dar forma ao primeiro terraço, ele voltou e começou a aplainar o terraço seguinte, um nível abaixo do primeiro. Semeamos cada terraço com grama selvagem e cobrimos todos eles com palha, para proteger as sementes do sol e da chuva inclementes; um por um, sucessivamente.

Eu visitava Rino em seu local de trabalho duas vezes a cada manhã, e duas vezes à tarde: não apenas para assegurá-lo de que fazia um trabalho impecável, mas, também, para fazer-lhe companhia; para que ele não se sentisse, como queixou-se certa vez, "como um cão abandonado".

Ele trabalhava com sua gigantesca escavadeira como se o fizesse com suas próprias mãos. Jamais precisamos utilizar o teodolito outra vez; simplesmente fazíamos a medição com a vara e avaliávamos o restante "a olho": se parecesse que iria ficar bonito, estava tudo bem.

No terceiro terraço, deparamo-nos com rochas; e Rino perdeu seu sorriso. Desencavamos e retiramos as pedras, transportamos mais terra e tornamos a cavar. Foi preciso quase um mês para criarmos espaço suficiente para duas mil videiras. Mas, que videiras! E que sabor intenso o daquelas uvas. A Syrah é, por natureza, parcimoniosa com seus frutos; e nas nossas quentes colinas ao sul — o nosso *Côte Rôti* —, ela floresce com o melhor de sua frugalidade. Suas uvas não são maiores do que amoras, e o peso de um cacho raramente excede cem gramas. Nosso acre de cultivo de Syrah ainda não chega a produzir novecentas garrafas de vinho por ano; mas o que não consegue render, em termos de quantidade, é compensado pelo sabor concentrado, que fascina a todos que o experimentam.

Não sei dizer ao certo por que este vinhedo é o meu favorito: talvez seja pelo fato de ser tão pequeno, ou por causa dos terraços que equilibram-se precariamente na encosta da colina. Possivelmente seja porque eu adoro sentar-me à mesa de mármore que há acima dos terraços, onde, durante o inverno, o calor sobe, dando a impressão de que estamos no mês de julho. Ou, talvez, por causa da inebriante desolação do desfiladeiro íngreme e luxuriantemente banhado pelo sol, no silêncio, lá embaixo.

Sempre que sinto necessitar de um refúgio, eu escalo a encosta, passando pela cisterna para onde corre a água de Gioia, atravessando a floresta e em meio às oliveiras, e sento-me à minha mesa, lá no "topo do mundo" — do qual é possível entrever apenas os contornos mal delineados, por entre as brumas. Ali, sentado, eu o contemplo; ou apenas fecho os olhos e sonho.

Durante a maior parte do ano pode-se ouvir o som da água de um córrego, batendo contra as paredes rochosas do desfiladeiro.

Quando adquirimos *Il Colombaio*, não fazíamos sequer a mais remota ideia de que o riacho ou o desfiladeiro também estariam sendo adquiridos.

O mapa detalhado que Tommi nos dera não mostrava a altitude ou as características do relevo do terreno. Nele havia, é verdade, uma linha tortuosa que assinalava um certo *Fosso del Banditone* — a "vala do bandido" —, localizada a cerca de oitocentos metros de onde Ofelio encontrara a fonte;

porém, qualquer vala de irrigação na Toscana é chamada de *fosso* — mesmo que a profundidade da água não chegue a alcançar os tornozelos de alguém. Por isso, presumimos que o nosso *fosso* não fosse diferente de todos os outros — até o dia em que Candace e eu decidimos embrenhar-nos pelo mato, atravessando a colina ao sul, enquanto Buster estava na escola. Tomamos uma trilha aberta por javalis selvagens, que era feita de detritos instavelmente amontoados; então, escorregamos e caímos. Agarramo-nos aos talos do capim alto enquanto despencávamos e cortamos as palmas das mãos. A trilha terminava no ninho dos javalis: um recanto de terra seca, à sombra de um ílex. A relva estava amassada no lugar onde os animais dormiam. Tentamos fugir dali, penetrando ainda mais na floresta, mas escorregamos e deslocamos algumas pedras soltas, despertando uma víbora adormecida.

— Ótimo! —, disse Candace. — Se formos mordidos por uma serpente aqui, vamos morrer.

Ela tinha razão. Após ser mordida por uma víbora, a pessoa não tem mais do que meia hora para salvar-se, tomando o soro antiofídico. Teríamos levado esse tempo apenas para sair dali, se soubéssemos para onde ir — coisa que não sabíamos. Porém, a víbora estava *in letargo* — hibernando —; e, por isso, limitou-se a esgueirar-se dali, um tanto incomodada, para debaixo de outra pedra. Como não tínhamos tido sorte ao tentar subir a colina, decidimos descer por ela. Uma vez que se começa a deslizar, colina abaixo, sobre detritos e pedras soltas, é muito difícil parar; assim, o melhor a fazer é firmar-se sobre seus calcanhares e apreciar a descida. A nossa só foi interrompida muito abaixo, pelos resquícios de um antigo muro. Pombos arrulharam e bateram asas, para longe dali. O ar era tão quente que parecíamos estar em outro clima. Somente quando os pombos se afastaram pudemos ouvir o ruído da água. O rumor era bem alto, como o de cataratas, bem abaixo de onde estávamos; e ouvia-se um ruído ainda mais alto vindo de algum lugar, lá no vale.

— Uma queda d'água! —, admirou-se Candace.

— Na Toscana? —, disse eu, sarcasticamente descrente. — Nós estamos pouco ao norte do Saara!

— Veja, querido —, explicou Candace. — Esse ruído é de água. A água faz barulho quando cai. Então, você só precisa colocar as duas palavras juntas para construir a expressão "queda d'água". *Capisci?*

As mulheres pensam que sabem tudo.

— Eu aposto com você a minha metade de tudo o que temos —, insisti.

— Você já apostou isso, trinta anos atrás.

— Tudo bem. Dez liras, então.

— Tudo bem.

Logo abaixo de nós, o capim era tão denso que não podíamos ver onde apoiávamos os pés; então, atravessamos a encosta diagonalmente, seguindo a trilha aberta por algum animal de pequeno porte. Quando a trilha começou a descer, nós continuamos a segui-la. Eu ia à frente, com Candace logo atrás de mim, ganhando velocidade, escorregando e atravessando a vegetação cerrada em direção à intensa luminosidade que provinha detrás dela, tão entusiasmado com a descida que quase passei direto sobre a beirada. Aos meus pés, a pedra porosa terminava abruptamente na borda de um penhasco; e, em meio a sombras escuras, lá embaixo, talvez a uns trinta metros, um suave fluxo de água que corria sobre a borda cascateava sobre grandes rochas expostas ao sol.

— Água —, disse Candace. — Queda.

୨୧

O penhasco era muito íngreme ao longo de toda a sua borda, então voltamo-nos e seguimos na direção contrária à do curso d'água para encontrarmos um caminho para descer. Atravessamos os terraços derruídos caminhando sobre nossas mãos e pés. Eu usei um galho quebrado para abrir caminho em meio ao mato fechado, até que alcançamos uma trilha que, no passado, fora larga o bastante para dar passagem a uma carroça. Finalmente avistamos o riacho, uns duzentos metros adiante. A floresta parecia abrir-se repentinamente; e, abaixo do despenhadeiro, um pequeno campo verdejante rebrilhava ao sol. Sob as margens íngremes, corriam as águas do riacho, quebrando em ondas sobre os rochedos e as pedras. A floresta vicejava em ambas as margens, mas, ao longo de seu percurso, a água abrira um leito largo e deixara uma boa faixa de pedra sólida sobre a qual era possível caminhar. Seguimos, corrente acima, até que ouvimos outro ruído.

A margem estreitava-se em certo ponto, e havia pouca luminosidade; de modo que, após alguns poucos passos, tivemos de atravessar a corrente. Numa curva do riacho, os javalis haviam escavado um poço de lama no fundo do leito. As marcas de seus cascos estavam por toda parte, e havia respingos de lama sobre as pedras, nos troncos das árvores e na folhagem que encobria o lugar em que aqueles animais se refestelavam, ou lutavam, ou — quem sabe? — dançavam.

O riacho alargava-se. Tiramos nossos sapatos e o vadeamos. O ruído tornava-se cada vez mais alto. Nós estávamos no ponto mais profundo da garganta do desfiladeiro e nossos pés congelavam, quando, após contornarmos a última curva, tivemos uma visão arrebatadora.

Em ambos os lados, despenhadeiros rochosos erguiam-se até o céu. Somente algumas plantas retorcidas haviam-se enraizado em suas encostas; mas, todo o restante era feito de pedra cinzenta, contra um fundo verdejante. E, entre os dois despenhadeiros, de uma fenda aberta na rocha por milhões de anos de água corrente, um jorro cristalino fluía desde o alto de uma plataforma de pedra para cair estrepitosamente em uma ampla piscina verde, lá embaixo.

Sentamo-nos sobre uma pedra, em absoluto silêncio.

⁓❉⁓

Portanto, quer seja pela queda d'água, ou pelo silêncio sobre os terraços, ou pelo aroma dos arbustos que florescem nas encostas, aquele pequeno vinhedo ainda é o meu favorito. Talvez seja pelo inebriante perfume do vinho — fragrâncias que fazem você inspirar até o fim —, um Syrah tão delicioso, encorpado e rico, que seus sabores atingem e revelam-se diretamente na alma.

Este é o vinhedo que eu cultivo pessoalmente. Levanto-me bem cedo, para vê-lo apanhar os primeiros raios de sol, projetando sombras que alongam-se entre as vinhas. Pela manhã, com frequência a geada acumula-se sobre os terraços mais baixos, e as tesouras de podar parecem feitas de gelo entre os meus dedos. Porém, com os muros retendo o calor do sol, estas são sempre as primeiras videiras a florescer, a alcançar a *véraison* — o surgimento das cores características — e a amadurecer; e as primeiras uvas a serem levadas à adega.

Durante o verão, eu percorro as fileiras semanalmente, liberando os cachos dos arames, retirando lhes alguns bagos de uvas e protegendo os sob as folhagens de cada videira, para que todos amadureçam simultaneamente — ao menos em cada uma das fileiras. Então, no final de agosto, eu inspeciono as fileiras duas vezes a cada semana, com um refratômetro — um instrumento do tamanho de uma caneta, utilizado para avaliar o teor de açúcar das uvas —, anotando os resultados de fileira por fileira e esperando até o último momento pela ocasião perfeita para fazer a colheita. Devido à curvatura da encosta da colina e à diferença de temperatura existente entre o terraço mais baixo e o mais alto, chegamos a colher as uvas de cada fileira a intervalos tão longos quanto uma semana. Mas é sempre a fragrância do Syrah nos tonéis que anuncia a chegada da melhor estação do ano na Toscana.

25 ~ O Coração da Casa

Nós tínhamos montanhas de lajotas de cerâmica usadas, aguardando para serem trazidas de volta à vida. Eu tinha de separá-las de acordo com o tamanho; e Fosco ameaçou pedir demissão se eu não fizesse isso. Ele já pedira demissão umas cem vezes: por causa das vigas retorcidas, das janelas que deveriam ser mantidas com seus diferentes tamanhos, por ter sido forçado a construir paredes em torno das portas e, é claro, por ter de aplicar uma quantidade extra de argamassa para assentar as pedras. Mas, desta vez, ele jurou que se demitiria no mesmo instante, a menos que as lajotas fossem de tamanhos uniformes em cada um dos cômodos; caso contrário, ele perderia a pouca sanidade mental que lhe restava tentando assentar lajotas de comprimentos e larguras diversos. Foi então que Piccardi enviou "a cavalaria" em nosso auxílio.

"A cavalaria", constituída por um único homem, chegou em meio a uma nuvem de poeira, montado numa motocicleta que parecia haver saído diretamente de um filme de 1920. Quando o homem desmontou e dirigiu-se até onde eu estava, a nuvem de poeira seguiu-o, como se fosse sua própria tempestade particular. Ele ainda encontrava-se a uma boa distância quando "trovejou", com uma voz tão grave que me fez tremer:

— *Sono* Vasco! *Mi ha mandato* Piccardi!

Vasco andava por volta dos cinquenta anos de idade, todo feito de nervos e músculos; e sua voz não era simples obra do acaso: ele aprendera modular-lhe o tom no exército, onde fora um sargento. Embora estivesse aposentado havia muitos anos, ele mantinha sua voz tonitruante — e adorava utilizá-la. Sem que eu soubesse, Piccardi resolvera enviá-lo a mim, quando viu o "Everest" de lajotas com que teríamos de lidar. *Il Sergente* — como ele passou a ser chamado, a partir daquele dia — poderia separá-las, organizá-las, limpá-las, lixá-las e designá-las aos seus devidos lugares, para serem utilizadas em cada um dos cômodos a que fossem destinadas.

Enquanto *Il Sergente* trabalhava alegremente, cantando a plenos pulmões, Fosco e eu enlouquecíamos pouco a pouco, no antigo estábulo de ovelhas, agora transformado em cozinha, tentando encaixar um forno a lenha com um metro de profundidade em uma parede de pedra de sessenta centímetros de espessura — a qual, entre outras coisas, tinha três andares de altura e era responsável pela sustentação da casa toda.

Para compreender quão vital era a solução deste problema, é preciso saber que, para os toscanos, o coração de uma casa sempre foi a cozinha. Um toscano cozinha e come ali; ali, ele conversa, lê e costura; ele joga cartas; e é bem provável que tenha sido concebido ali. Até não muito tempo atrás, nas gélidas noites de inverno, famílias inteiras dormiam na cozinha, pois o forno a lenha costumava ser a única fonte de calor e aquecimento da casa.

Até a Segunda Guerra Mundial, o forno a lenha e o pequeno fogão de tijolos posicionado ao lado dela — que armazenava o carvão em brasa — eram os únicos implementos domésticos utilizados para cozinhar. Quando perguntei à *Nonna*, certa vez, como os toscanos haviam decidido que os melhores molhos, e os pratos assados e cozidos, eram aqueles deixados para cozinhar lentamente, por horas a fio, ela limitou-se a sorrir e, finalmente, disse:

— Nós cozinhávamos devagar porque não havia maneira de cozinharmos rapidamente.

Se esta afirmação foi feita apenas em tom de brincadeira, eu não sei; mas cozinhar lentamente é uma característica tão particular da alma toscana quanto praguejar. Se isto for retirado dos toscanos, é melhor retirar-lhes também o próprio ar, pois respirar não mais valerá o sacrifício de fazê-lo. Por isso, a maioria das novas residências — inclusive os apartamentos — tem, como dependência indispensável, um pequeno forno a lenha na cozinha. Nós tínhamos um em *La Marinaia*, que permanecia aceso de setembro até abril. Nas poucas oportunidades em que o fogo extinguiu-se durante esses meses, a cozinha pareceu haver perdido sua vivacidade.

Portanto, *Il Colombaio* iria ter um forno a lenha na cozinha, mesmo que a maldita torre nos soterrasse vivos enquanto o construíssemos.

A questão era: como a torre poderia ser mantida em pé, enquanto demolíssemos a parede na base dela? Então, certo dia, na Trattoria Sciame, eu tomei uma *grappa* a mais, após o almoço; e, abracadabra: tão repentina e claramente quanto Deus entregara os Dez Mandamentos a Moisés, o "deus da *grappa*" enviou-me os planos para a construção do forno a lenha. Quando os repassei a Fosco, ele reagiu de maneira que eu jamais havia testemunhado: girou em torno de si mesmo, segurou a cabeça entre as duas mãos, resfolegou e irrompeu ruidosamente em um acesso de riso insano. Então, ele voltou-se para mim e, tornando-se repentinamente sério, disse:

— *Madonna gonfiata*, isto pode dar certo, mesmo!

No lado externo da parede que pretendíamos demolir, havia o caminho de entrada. Assim, à entrada da casa, escavamos na parede um longo entalhe horizontal à altura de um homem, com uns dez centímetros de profundidade, e nele inserimos uma viga de aço. Às extremidades da primeira viga, soldamos outras duas, no sentido vertical, formando uma estrutura semelhante às traves de um gol, e colocamos outra viga horizontal sobre o solo, para que o peso da torre de três andares pudesse ser distribuído uniformemente. Isto, segundo eu acreditava, sustentaria toda a parede, enquanto a escavássemos pelo lado da cozinha e construíssemos uma arcada que sustentaria as pedras sobre o interior do forno a lenha.

Com as vigas de aço colocadas em seus lugares, nós voltamos à cozinha e começamos a escavar-lhe a parede, com todo cuidado. E a rezar, também. Nós escavamos e retiramos as pedras tão delicadamente como se toda a parede tivesse sido construída com ovos. As pedras foram retiradas, uma a uma. Porejando suor, estávamos quase no fim da tarefa quando, de repente, ouvimos um estalo ensurdecedor, acima de nós.

Fugimos correndo dali, como ratos.

Paramos no pátio, com nossos corações quase saltando pela boca. A torre parecia haver cedido um pouco, mas ainda estava de pé. Então, ouvimos um segundo estalo horrendo; ainda mais alto do que o primeiro. Da janela do andar acima, Asea assomou, sorrindo; e atirou para baixo pedaços de velhas tábuas que ele havia rachado a golpes de machado. Olhamos para ele, incrédulos. Seu sorriso desapareceu.

— São para o fogo —, justificou ele. — É hora do almoço.

Fosco ficou vermelho como uma beterraba. Eu jamais o ouvira gritar mais do que uma palavra a cada vez — geralmente, o meu nome; mas, naquele momento, ele disparou pelas escadas acima, rindo e berrando:

— Agora, sim! Desta vez, eu lhe arranco os *coglioni*!

26 ~ Está Chovendo Cervos

Os dez acres diante da casa continuavam cheios de gravetinhos secos, dispostos em fileiras perfeitamente alinhadas. O problema é que maio já chegara e o clima estava quente, e tendendo a esquentar ainda mais. A única maneira de evitar transformar aquela terra em uma nova versão do Vale da Morte era irrigá-la. Para isso, havia duas soluções: uma, seria levar a reboque no trator um tanque de água com uma mangueira curta acoplada e, dirigindo bem devagar, despejar ao menos uns quatro litros sobre cada um dos gravetinhos. Porém, dirigir o trator para cima e para baixo, parando de vez em quando para encher o tanque de água, consumiria um tempo enorme. Então, optamos pela solução número dois: canalizar a água pela encosta abaixo e irrigar a terra com uma mangueira longa.

Fizemos correr um encanamento desde a cisterna, ao longo da parte superior do vinhedo e, a cada quinze metros, instalamos torneiras às quais seria possível acoplar uma mangueira, estendendo-a ao longo de toda uma fileira. Assim, poderíamos regar um dos lados do vinhedo, e também o outro ao trazer a mangueira de volta ao ponto de partida. Que bela artimanha: bastava ficar sob o sol da bela Toscana com a mangueira pendendo da mão, sossegada e relaxadamente, sem nenhum esforço. Eu estava no paraíso — ao menos, durante o primeiro meio dia; após o qual o cumprimento da tarefa ainda requereria ao menos uma boa semana inteira. O tempo permaneceu quente e seco, sem o menor sinal de chuva; e, no décimo dia, eu arrastava a mangueira atrás de mim como se fosse uma corrente da qual pendesse uma bola de ferro. Então, comecei a conversar com Deus.

Eu rezei e implorei por um dia de chuva; ou apenas algumas horas; ou mesmo uma simples nuvem passageira. Vinte míseros minutinhos de chuva! Mas as minhas preces não foram atendidas; ou, se o foram, a resposta a elas foi "Não!".

Decidi ponderar sobre o que havia pedido em minhas preces e resolvi aceitar, em troca, sofrer um derrame ou um ataque cardíaco. Ou, então, um pequeno terremoto; apenas suficientemente forte para abrir uma fenda na terra capaz de engolir cada uma das minhas videiras.

Eu me sentia como um beduíno, condenado a viver no Saara por toda a eternidade. Exceto pelo fato de os beduínos não terem de desperdiçar suas vidas aspergindo gotas d'água sobre gravetos mortos. Eu reguei por dias e semanas a fio; até não conseguir mais lembrar-me da minha vida antes de começar a regar. Eu reguei cantarolando, eu reguei rezando, eu reguei em silêncio e eu reguei em agonia. Após três semanas, os gravetos pareciam mais mortos do que antes.

Enfim, certa noite — quando a água da cisterna esgotara e minhas esperanças haviam quase secado —, ela chegou. Começou bem depois da meia-noite, com uma lufada de ar frio que passou como um fantasma através das janelas abertas. A temperatura foi baixando, até que eu tive de puxar as cobertas para cima do meu corpo. É engraçado como a gente quase nunca reconhece seu ruído, atribuindo-o sempre a algum gato andando sobre o telhado, ou a um lagarto deslizando pelas calhas de cobre. Plinc! E então, plinc, plinc, outra vez; e logo o ruído confunde-se com o som do vento agitando as árvores, mais e mais alto, até que começa a ventar e a chover como se toda a casa estivesse prestes a ser levada pela tormenta. Levantei-me da cama para fechar a janela, mas não fiz isso: apenas fiquei ali, parado, contemplando a chuva encharcar as nossas vinhas.

Pela manhã, os vinhedos pareciam lamaçais, e poças d'água refletiam o sol como espelhos. Antes que aquela semana terminasse, tudo havia mudado. Era preciso olhar bem de perto; mas, se você se abaixasse, veria uma ligeira insinuação de verde nos gravetinhos mortos: as brilhantes folhinhas minúsculas de um vinhedo cheio de vida.

⁕

Cervos comem qualquer coisa verde. Eles comeram nosso canteiro de lilases, nossas alfaces, a folhagem das cenouras e uma das minhas pantufas. Mas o que eles mais apreciam são as folhas tenras das jovens videiras. Especialmente as nossas; como se estas fossem, de algum modo, melhores do que as milhões de outras videiras existentes no vale. Sim, eu sei que todos vocês, amantes dos animais, dirão "Ora, folhas! O que são algumas folhinhas a mais ou a menos?" — aliás, exatamente as mesmas palavras que murmurei, para mim mesmo, na primavera. Porém, quando, durante o verão, eles passaram a devastar todo o verde de um vinhedo inteiro mais eficazmente do que um bombardeio de *napalm* — o que significaria que sequer uma única uva brotaria daquelas videiras, e nós perderíamos cerca de mil garrafas de Brunello di Montalcino em nosso primeiro ano de produção —, então, vocês compreenderiam a mudança da minha atitude, de "ora, folhas!" para "vou esganar os bichos com minhas próprias mãos!"

Contudo, optei por tomar uma providência mais humanitária: eu construí uma cerca.

Não estamos falando, aqui, de cercar um canteiro de cenouras: trata-se de uma propriedade de setenta acres, cujas linhas limítrofes assemelham-se ao sismograma de um terremoto. A demarcação passa por florestas, gargantas e despenhadeiros; por isso a decisão de cercá-la não foi facilmente tomada — embora tenha trazido consigo uma vantagem adicional.

Uma das leis democratizantes da Toscana garante a qualquer pessoa o direito de caçar dentro dos limites da propriedade de *qualquer outra*. Isto pode parecer muito justo, enquanto assegura a todas as pobres almas despossuídas de terras o direito de matar e esfolar livremente, como os milionários. O problema começa quando um bastardo que vive em algum lugar tão distante quanto Roma resolve matar e esfolar alguma criatura bem debaixo da janela do quarto em que você dorme, às seis horas da manhã de um domingo. No entanto, uma vez que sua propriedade seja cercada e este fato seja registrado no *catasto*, você é obrigado, por lei, a afixar pequenas placas de metal à cerca, a cada sessenta metros, com os dizeres: "Propriedade demarcada – É proibido caçar".

Naturalmente, partiu-me o coração ter de fazer isto aos meus compatriotas caipiras, que adoram andar pelo mundo armados até os dentes; mas, como eles mesmos dizem, "a lei é a lei".

O plano era instalar uma cerca simples, do tipo usado para conter ovelhas, que não destoaria do panorama campestre; apenas um pouco mais alta, para desencorajar os cervos. Porém, para assegurar que os cervos saíssem da propriedade — e permanecessem fora dela —, eu apelei à infalível psicologia cervídea. Inicialmente, cercamos três lados da propriedade, deixando o quarto lado aberto, esperando que os cervos iriam, em poucos dias, dar-se conta de que estavam cercados e, preferindo a liberdade, escapariam pelo único flanco livre. Quando, após três semanas, minha intuição cervídea disse-me que os bichinhos já haviam tido tempo suficiente, fechamos o quarto lado da cerca.

Um silêncio maravilhoso reinava em torno da casa. Os caçadores mantiveram-se afastados pela cerca e, agora, mal era possível ouvir os estalidos de suas armas, à distância. Outra boa notícia é que os cervos jamais conseguiram pular a cerca, tentando invadir a propriedade. A má notícia, porém, é que todos os malditos ruminantes amantes do silêncio permaneceram *dentro* dela! E não apenas isso: a julgar pelos rastros dos cascos, que se multiplicavam como marcas de sarampo pelo chão, eles deviam ter convidado todos os cervos da Toscana.

Era hora de aplicar o Plano B.

Quem quer que já tenha visto as longas orelhas do Bambi erguerem-se em alerta ao menor ruído sabe que esses apêndices servem para que os cervos possam localizar o perigo. Em resumo, esses animais fogem do barulho. Assim, eu convidei todos os amigos e vizinhos para uma festa "do barulho". Eles trouxeram tambores, cornetas, potes e panelas, um trompete e armas de fogo. Um professor de música trouxe até mesmo um xilofone portátil; e eu trouxe o instrumento mais ensurdecedor de todos: Tina Turner, berrando a plenos pulmões, dos alto-falantes de três enormes rádios *boom-box*.

Espalhamo-nos em uma longa linha, mantendo-nos ao alcance da visão uns dos outros, e iniciamos nossa ruidosa marcha através da propriedade. Nós berramos, batemos, sopramos e abrimos fogo. Podíamos ver os cervos correrem para salvar suas vidas, atravessando os vinhedos e embrenhando-se pela floresta; mas nós éramos incansáveis, e continuamos em frente. Ao chegarmos ao último grande vinhedo, enquanto fechávamos a cerca, eu fiz um sinal, contei até três e ligamos, simultaneamente, os três *boom-boxes*, dando-lhes o nosso golpe de misericórdia: Tina.

Estrategicamente posicionados e com os botões do volume girados até bem além da marca vermelha, os *boom-boxes* explodiram, com Tina Turner cantando "You Ain't Woman Enough to Take My Man", numa arrepiante potência capaz de provocar uma fissão nuclear.

Como é sempre melhor prevenir do que remediar, eu deixei um dos *boom-boxes* ali mesmo, onde fora posicionado, a noite toda — programado para repetir o refrão da canção no volume máximo, a cada trinta segundos.

Na manhã seguinte, caminhei até lá; onde só restara o silêncio. As baterias haviam-se exaurido. A floresta estava imóvel: sequer uma folha se mexia, e não se avistava nenhum cervo. Satisfeito, caminhei através do vinhedo mais alto e abaixei-me para apanhar o rádio. Foi então que eu vi. Em volta do rádio, até onde a vista podia alcançar, a terra fofa estava repleta de marcas de cascos de cervo. Perdi a respiração. Como eu poderia saber? Quem poderia ter adivinhado?

Os cervos adoram uma boa "balada".

As folhinhas dos brotos cresceram, e pequenos ramos desenvolveram-se. Nós tínhamos de fixar os mourões para estender os arames, entre os quais colocaríamos os *palette*, as estacas menores. Esse trabalho foi confiado a especialistas, vindos de fora. Basicamente, a tarefa era simples: bastava trazer uma pequena escavadeira e posicionar um mourão a cada intervalo de seis videiras e, então, com a caçamba da própria máquina, fincar delicadamente a estaca na terra.

Os homens terminaram o trabalho nos quatro acres em quatro dias; e, ao fim de tudo, ninguém jamais vira bagunça maior em toda a vida. Os mourões inclinavam-se em todas as direções: alguns estavam fora do alinhamento e outros estavam muito altos ou tão baixos que os arames esticados passariam por cima deles. Eu tive de convocar Giancarlo e *Il Sergente*. Munidos de uma picareta, uma pequena escada de armar e uma gigantesca marreta, eles lançaram-se ao trabalho, endireitando, nivelando, martelando e, às vezes, arrancando um mourão do solo, enchendo o buraco de terra e fincando-o novamente.

Então, chegara a vez dos arames. O mais baixo deles sustentaria o *cordon*, o tronco vergado da videira. A partir dele, cinco ou seis ramos brotam e crescem para o alto. Para impedir que estes desabem entre as fileiras, utilizam-se dois fios de arame móveis que partem de um gancho mais baixo e, à medida que os ramos crescem, são deslocados para um gancho mais alto. No alto de cada mourão prende-se um fio de arame fixo. Idealmente, para que o fio dure mais e não ceda, usa-se um arame de aço inoxidável. Porém, como estes não oxidam, o arame brilha para sempre.

—A última coisa que você irá desejar —, explicou Fabrizio, — é ter vinte e quatro mil metros de uma teia de aranha reluzente diante de sua casa.

Eu podia enumerar uma série de "últimas coisas" que desejava, mas preferi manter minha boca fechada e concordei com a utilização de um arame galvanizado fosco — que, diferentemente do arame de aço inoxidável, cede; e, por isso, eu terei de esticá-lo novamente, uma vez a cada ano, até o dia da minha morte.

Enquanto o vinhedo diante da casa florescia e desenvolvia-se, Rino e eu começamos a preparar o grande vinhedo na depressão em forma de bacia que havia próximo da fonte. Ali, não se tratava de mera questão de arar, afofar e revolver o solo. A bacia não era perfeitamente regular: ela continha pequenas depressões mais profundas, elevações e era atravessada por uma crista; portanto, teríamos muita terra para mover.

Mas Fabrizio não permitiria que simplesmente nos divertíssemos "movendo montanhas". Para ele, o trabalho tinha de ser "científico"; tinha de ser perfeito. Se nos limitássemos a nivelar as elevações e preencher as depressões, iríamos terminar com alguns trechos de solo coberto por uma camada de três metros de terra e outros constituídos de pedra nua. Então, primeiramente revolvemos todo o terreno com máquinas enormes e amontoamos toda a terra. Em seguida, nivelamos toda a base, cortando pedras e preenchendo depressões; e, finalmente, recolocamos toda a terra retirada da bacia, distribuindo-a em uma camada de espessura uniforme. O resultado final foi um anfiteatro quase perfeito, cujos lados possuíam uma inclinação ideal para a drenagem. No entanto, havia um único problema: ele continha pedras espalhadas em quantidade suficiente para construir uma casa.

Por isso, tivemos de retirá-las, destruindo nosso belo anfiteatro, e enterrar as rochas soltas em colunas alinhadas sob a terra, para facilitar a drenagem. A última tarefa designada a Rino e sua escavadeira foi revirar cada centímetro cúbico do terreno, até a um metro de profundidade, para remover todas as pedras soltas. Caso alguém saiba de alguma maneira mais rápida de ir à falência, por favor, queira informar a todos os viticultores em potencial: isto irá poupar-lhes muito tempo e inúmeros aborrecimentos.

27 ~ A Cidade Antiga

Durante os estágios finais da restauração da casa, quase todo dia trazia consigo um presente inesperado; algo novo, para agradar aos olhos. Um homem pequenino como um duende, chamado Enzo, apareceu para aplicar óleo às vigas e às *correnti*; e, em poucos dias, elas tornaram-se belamente escurecidas, cheias de veios e de nós tortuosos, como se tivessem tido esta mesma aparência desde o início dos tempos. Ele iria começar a pintar as paredes internas, mas, antes, tivemos de solucionar uma pequena catástrofe: eu insisti para que as cantoneiras das molduras em torno das portas e janelas, que os pedreiros levaram uma semana para tornar perfeitas, fossem demolidas e refeitas.

Eu havia estado em Nova York naquela semana, mas, antes de viajar para lá, desenhei sobre a areia do chão a forma arredondada que eu gostaria que as cantoneiras em torno de todas as aberturas da casa tivessem: "parábolas", como se diz no jargão da arquitetura. Todo o problema deveu-se ao entendimento relativo do termo; pois, enquanto a minha concepção de uma cantoneira arredondada pressupunha a modelagem de formas tão curvas quanto, digamos, as de uma garrafa de vinho, para outras pessoas (sem citar nomes), isto significava a execução de cantos tão retos e arestas tão vivas que seria possível barbear-se com elas.

Foi então que, pouco antes de perder completamente minha sanidade mental, eu encontrei a cidade etrusca.

Aquela fora a primeira vez, ao longo de todo o ano, que eu realmente perdera minha paciência. Eu chamei Fosco e, apanhando uma espátula, dirigi-me à janela mais próxima. Com a calma de um Buda, desbastei o canto vivo como a lâmina de uma navalha, até que ele ficasse tão suavemente curvo quanto uma garrafa de vinho. Enquanto eu raspava, expliquei-lhe, em voz muito baixa, que parecia uma coisa idiota — não é, mesmo? — restituir uma casa de setecentos anos à sua aparência original, na qual o trabalho da mão humana podia ser notado em cada detalhe ligeiramente irregular, e fazer com que todas as cantoneiras parecessem haver sido cortadas com uma serra de raio laser. Assim sendo, por que nós — apenas por diversão — não desbastávamos todos os cantos quadrados e os refazíamos, a mão, com arestas mais suaves? Eu sabia que isto iria custar mais dinheiro; mas, já que estávamos todos a caminho do asilo dos desvalidos, que diferença faria se chegássemos lá um dia mais cedo?

Então, eu sorri, passei a espátula às mãos dele e saí dali, dirigindo-me ao galpão onde eram guardadas as ferramentas. Apanhei uma *pennata* e embrenhei-me na floresta, praguejando em três idiomas. Comecei a desferir golpes, cortando tudo o que havia na minha frente, determinado a não parar até que tivesse desmatado todo o planeta. Porém, não fui muito longe. Após meia hora de devastação furiosa, eu encontrei, em meio à parte mais escura e densa do emaranhado de folhagens, as primeiras casas do que viria a revelar-se como uma cidade de três mil anos de idade.

❦

Já mencionei que a nossa propriedade inclui duas colinas. Os habitantes locais chamam a primeira delas de *bollicina*, ou "bolha", por causa de sua conformação perfeitamente esférica. Enquanto trabalhava com Rino nos terraços abaixo da *bollicina*, notei que ela não se erguia naturalmente da encosta da colina maior; mas, sim, era cercada por uma faixa de uns seis metros de terra evidentemente nivelada manualmente. Os lados da bolha, também, eram artificialmente íngremes, como se outrora tivessem constituído a alta muralha de uma fortaleza, cujas pedras tivessem desmoronado formando a colina. Esta poderia ser a "Troia" que eu não encontrara em torno da urna enterrada.

Enquanto cortava o mato, descobri os resquícios de uma parede que erguia-se até a altura do meu joelho, cujas pedras pareciam haver sido assentadas com tanto cuidado quanto as das construções de Machu Picchu. A parede tinha cerca de um metro de espessura, e recebera acabamento em ambos os lados. A apenas uns dois metros de distância, havia outra parede — construída da mesma maneira e com a mesma altura —, correndo paralelamente à primeira. Fui cortando o mato para segui-las, até onde fossem. O terreno descia e subia, mas as paredes corriam sempre juntas, paralelamente, como se fossem guias para carroças puxadas por cavalos; ou, possivelmente, uma estrada protegida de ambos os lados. As paredes corriam até uma clareira plana que, contida por um muro de arrimo, era perfeitamente nivelada. A clareira tinha o tamanho de meio campo de futebol; e ninguém em seu juízo perfeito jamais nivelaria tanta terra, a mão, senão para que ela fosse utilizada para construir residências para outras pessoas — uma vez que os grãos e a vinhas podiam ser cultivados em terreno inclinado, e os animais, também, viviam muito bem nas encostas das colinas. Eu retomei a estrada e, mais adiante, um círculo de pedras erguia-se da parede externa. O círculo continha um buraco profundo como um poço, mas sua estrutura de pedra erguia-se como se fosse a base de uma torre. Escavei um pouco o solo na base da estrutura, e pedaços de cerâmica antiga começaram a surgir por toda parte.

Escalei a segunda colina. Aqui, a estrada duplamente emparedada terminava em uma abertura estreita, que poderia haver sido um portão. Havia mais resquícios de antigas paredes — alguns muito próximos, como se tivessem formado um grupo de casas adjacentes; outros se encontravam isolados, pontilhando a floresta.

Resquícios de uma grande edificação irregular dominavam o topo da colina. Cômodos abriam-se para outros cômodos, que se abriam diretamente para um despenhadeiro. Quando desbastei o mato mais adiante, eu entendi por quê. Naquele ponto, eu me encontrava a menos de cinquenta metros da fonte.

⁂

Naquela noite, toda a família transformou-se em um grupo de arqueólogos com os olhos arregalados, em busca da fama e da glória. Desencavamos todos os livros que possuíamos nos quais pudesse haver alguma referência aos etruscos; e até mesmo os cartões postais de Chiusi, onde víramos suas tumbas pintadas. Lavamos cuidadosamente os pedaços quebrados de cerâmica que eu havia encontrado e os espalhamos sobre a mesa, para apreciá-los melhor.

Alguns pedaços eram finos e encurvados — provavelmente fragmentos de tigelas ou de urnas —, mas a maioria constituía-se de cacos de antigas *tegole*, as telhas achatadas com bordas levantadas, como as que cobriam *Il Colombaio*. Mas estas não eram *tegole* como as que eu vira antes: tanto suas bases quanto suas bordas reviradas eram duas vezes mais espessas do que as nossas; e todas eram pontilhadas de pequenas manchas negras, no lado interno. Nós as lavamos e esfregamos, mas as manchas negras — na verdade, pequenos buracos — não puderam ser removidas. Além disso, apesar de sua consistência robusta, as peças de cerâmica eram estranhamente leves. Então, olhamos mais atentamente para os desenhos de templos etruscos. Basicamente, eles tinham as mesmas formas dos templos gregos — povo que, no passado, colonizou estas terras —, mas eram construídos em escala muito menor. As *tegole* nos desenhos pareciam enormes: umas quatro vezes maiores do que as de *Il Colombaio*. Portanto, o tamanho das telhas de um templo poderia explicar a necessidade de sua espessura; mas, o que dizer quanto ao seu pouco peso? E sobre os pequeninos buracos negros?

Dedicamos todas as noites do restante da semana a fazermos pesquisas, mas nenhum dos livros fazia qualquer menção ao peso específico das telhas. Quase um mês depois, enquanto eu trabalhava no vinhedo próximo da igreja, duas belas jovens aproximaram-se e perguntaram se eu permitiria que elas apanhassem fragmentos de cerâmica na nossa propriedade. Eu disse a elas que poderiam apanhar toda as peças de cerâmica que pudessem encontrar, exceto as que constituíam o telhado da nossa casa. Ambas eram mestras da Universidade de Florença, fazendo pesquisas sobre uma antiga cidade romana que fora um centro comercial de vinhos, uns dois mil anos atrás. A julgar pelos fragmentos de lajotas que haviam encontrado — que sabiam haver sido partes de uma canalização subterrânea que conduziria vapor d'água sob o piso dos banhos romanos —, a cidade estendia-se pelas atuais terras de Gaja e as nossas.

Contei a elas sobre os estranhos fragmentos de *tegole* que eu havia encontrado — sem dizer-lhes onde. Seus olhos brilharam.

— Etruscos! — disseram elas, quase em uníssono.

As jovens mestras explicaram-me que a olaria dos etruscos não era tão aperfeiçoada quanto a dos romanos: nelas, o calor era menos controlado e distribuído de maneira irregular, fazendo com que suas peças de cerâmica mais grossas tendessem a deformar-se. Para compensar esta desvantagem, os etruscos costumavam misturar palha à argila: quando a palha atingisse o ponto de combustão, o calor liberado em torno da queima de cada fragmento proporcionaria o cozimento da argila no interior da peça. Isto aquecia o interior da peça de argila quase à mesma temperatura da superfície externa, e os pequenos fragmentos de palha desapareceriam. Então, eu pude compreender, com um exame mais minucioso, que os pequeninos buracos negros na cerâmica haviam sido produzidos pela queima dos pedacinhos de palha.

Naquele fim de semana, nos dedicamos às escavações. Esquecendo-nos da pobre *Il Colombaio* e suas vinhas, agora nós éramos os "Caçadores das Pedras Perdidas".

Encontramos uma porção de lajotas quebradas; mas também desenterramos fragmentos de peças delicadas, que somente um oleiro bem treinado poderia haver produzido. Estes não eram os resquícios de simples cabanas de pastores, espalhadas pelas colinas, ou de camponeses que mourejavam para arrancar seu sustento da terra. Com templos e cerâmica fina, esta deve ter sido uma verdadeira cidade.

— Só está faltando uma coisa —, disse Candace, encharcada de suor, após toda a escavação. — Se isto era uma cidade, onde estão todas as suas pedras?

Eu estava preparado para responder a esta pergunta.

— Venha comigo —, disse eu.

Emergimos da parte mais densa da floresta e, assim que passamos pelas últimas árvores, eu disse a ela que olhasse para baixo. Abaixo de nós encontrava-se a antiga igreja nas terras de Gaja, com sua estranha torre; e, em torno do centro representado por ela, construções de pedra estendiam-se, como braços, em todas as direções. A meio caminho, para além de uma depressão, havia o castelo de Castelli. Não muito tempo atrás, uma centena de pessoas vivia entre suas altas muralhas, construídas com as pedras levadas colina abaixo, desde a nossa velha cidade.

— Por que — disse eu — alguém iria dar-se ao trabalho de escavar, cortar e entalhar pedras perfeitamente regulares para a construção quando, a poucas centenas de metros, havia um estoque abundante das melhores pedras entalhadas?

— Humm —, disse Candace. — Acho que você não pode estar errado todas as vezes.

28 ~ O Trator Indomável

Plantar um vinhedo e produzir seu próprio vinho não é algo para quem goste de realizar planos a curto prazo. Livrar um campo das pedras e ará-lo leva um verão inteiro; então, é preciso deixar o solo assentar até que esteja pronto para o plantio, não antes da primavera seguinte. Plantar e irrigar as mudas leva o tempo necessário para que você perca o esmalte dos seus dentes; e colher as primeiras uvas de alta qualidade leva ao menos três anos. Porém, há algumas "paradas" muito agradáveis ao longo do caminho.

A primeira delas ocorre no final de junho, do segundo ano, quando você contempla as suas vinhas e pode jurar que enlouqueceu. Até então, tudo o que você tivera não passava de terra bruta e sem vida. Logo, por alguns meses, apenas alguns gravetos marrons, igualmente destituídos de vida e, depois, por um ano inteiro, seus campos adquirem uma adorável aparência verdejante. De repente, sem nenhum aviso prévio, você começa a notar o surgimento de alguns pontos purpúreos, bem diante de seus olhos. Uvas. Uvas em plena maturação.

Eu estava tão envolvido com os detalhes de como amarrar as vinhas e carpir em torno de cada caule, para que as ervas daninhas mais fortes não sufocassem as frágeis raízes das videiras, e de passar com o trator ao longo das fileiras sem destruir a casa ou qualquer coisa em seus arredores, que a mudança na coloração das uvas passou-me completamente despercebida. Porém, após este momento de júbilo, vieram dias em que fui tomado pelo mais absoluto pânico: o que faríamos, agora?

Eu havia apenas conseguido "domar" nosso pequeno trator com lagartas e estava vangloriando-me do meu sucesso; mas obtê-lo não havia sido nada fácil. Nós temos dois tratores: um deles é caro, alemão, com uma cabine com ar condicionado e é dirigido por meio de um volante, como um automóvel; o outro é pequenino, com as lagartas, que nós utilizamos para os trabalhos pesados, tais como revolver e arar a terra e transportar cargas volumosas. Em vez de um acelerador e um volante, ele possui alavancas. Muitas alavancas. Alavancas em quantidade suficiente para fazer alguém muito mais equilibrado do que eu perder completamente o juízo. Bem, eu sei que você tem tanto interesse sobre o funcionamento de um trator de lagartas quanto sobre o sistema digestivo do morcego frugívoro de Madagascar; mas eu vou lhe contar minha história, mesmo assim.

Para começar, o tal trator é um Fiat; produzido na Itália — o que significa que anos de engenharia foram necessários para a criação da engenhoca mais complicada e desconfortável possível. Por exemplo: ele tem apenas sessenta centímetros de largura, sem contar as lagartas; portanto, a primeira coisa que você se dá conta ao conseguir entrar nele é que será impossível sair. A segunda coisa que você percebe quando se senta ali, numa posição normalmente exclusiva às mulheres que dão à luz, é que está cercado por mais alavancas do que há em todas as máquinas caça-níqueis de Las Vegas.

Primeiro, você escolhe uma dentre oito velocidades diferentes, usando uma ou duas alavancas. Então, você escolhe ir para frente ou para trás, com outra alavanca; e injeta um pouco de combustível no motor: não pisando em um pedal, mas, sim — você adivinhou —, acionando uma alavanca. Mas, será que esta funciona como o pedal do acelerador de um carro, fazendo a máquina avançar mais rápido quando você a pressiona e mais devagar quando a solta? Ora, claro que não! Isto seria apenas senso comum. Para ir mais rápido, você puxa a alavanca; e para frear, você a empurra, com toda a força. Para fazer com que a maldita coisa se mova, você tem de acionar a embreagem (não o *pedal* da embreagem, é claro; mas a *alavanca* da embreagem). Para fazer uma curva — segure seu chapéu! —, você pisa em uma espécie de freio a pedal: o pedal da esquerda, vira para a esquerda; o da direita, faz a curva à direita. Para ajustar ligeiramente o rumo, é preciso manipular *outra alavanca*. Para fazer uma curva realmente fechada, você aciona uma dentre *duas* longas alavancas. Para elevar ou baixar a caçamba, é preciso acionar outra alavanca. Caso você tenha contado até aqui, já deve haver acionado quatrocentas e noventa e sete alavancas. Este é apenas um desafio de complexidade mediana, se você tiver de arar um campo, digamos, no Kansas, onde o impedimento vertical mais próximo é uma elevação de dez centímetros, a uns cem quilômetros de distância; mas é uma história completamente diferente quando se trata de arar uma faixa de terra de 1,80 metros de largura, cercada por postes de madeira e fios de arame.

Mas eu não sou um ingênuo. Eu não mergulhei naquela selva de alavancas, no meio de um vinhedo, e comecei a puxá-las aleatoriamente. Não, senhor! Antes, eu pratiquei em um campo pequeno, absolutamente deserto — a não ser por umas poucas árvores, alguns arbustos, um antigo muro de pedras e um galinheiro cercado com uma tela de arame.

Montei no trator, girei a chave de ignição e o motor pipocou. Eu quis injetar-lhe mais combustível para que não morresse; puxei a alavanca certa, mas na direção errada e — bam! O motor morreu. Repeti a operação e tentei engrenar uma marcha. As duas alavancas de mudança de marcha do Fiat são feitas para render umas boas risadas: ao lado de alguns números, uma delas tem o desenho de uma tartaruga; e a outra, o desenho de uma lebre. Nenhum homem a quem tivesse restado uma gota de testosterona no organismo jamais escolheria a alavanca da tartaruga. Eu escolhi a da lebre e posicionei-a diante do número quatro — o meu número de sorte. Então, comecei a puxar a alavanca do acelerador enquanto liberava suavemente a alavanca da embreagem, e o motor rugiu. O trator corcoveou e empinou sua dianteira — o que é um feito extraordinário, considerando-se o fato dele não possuir rodas — e, então, zarpou como um demônio escapando do inferno, na direção do galinheiro. Calmamente, eu acionei umas onze alavancas e, após alguns sacolejos, eu já o fazia rodar com tranquilidade, apenas um pouco além dos oitenta quilômetros por hora, rumando diretamente para o muro de pedras.

Aquele não parecia o momento adequado para escolher qual alavanca puxar, por isso eu puxei *todas* as alavancas, tanto quanto pude. Mas o Fiat não era nenhum cavalo e, em vez de diminuir sua velocidade, como eu esperava que fizesse, ele correu ainda mais velozmente, mantendo aproximadamente o mesmo rumo, mas avançando em zigue-zague — para o profundo pesar de alguns arbustos, que almejavam desfrutar de uma vida um pouco mais longa. A centímetros do muro de pedras, eu me lembrei dos pedais de freio. Calquei fundo o meu pé esquerdo — meu pé da sorte — e a fera girou bem a tempo de desviar-se de uma calamidade; mas, ter aplicado umas sete vezes a força da gravidade sobre meu pé esquerdo, fez com que todo o sangue do meu corpo se concentrasse em meu joelho esquerdo. Quando recobrei a consciência, já estávamos passando por cima de algumas árvores que havíamos derrubado. Foi neste momento que me lembrei de que, na verdade, gosto de tartarugas; mas não havia tempo para contemplações desse tipo, pois o galinheiro assomava ameaçadoramente à nossa frente. Tentei acionar uma alavanca que ainda não havia experimentado, o que resultou no abaixamento do arado — de modo que, agora, não apenas havíamos derrubado as árvores mas, também, revirado o solo que deixávamos para trás.

O galinheiro foi fácil. Construído com leves pedras porosas, não tivemos quaisquer problemas para transformá-lo em um muito necessário monte de areia. O cercado, no entanto, ofereceu-nos maior resistência. Com algumas manobras, eu conseguira evitar a tela de arame até o último minuto, quando uma das lagartas enroscou-se em um único cantinho, fazendo com que toda a cerca fosse arrancada de seus suportes e, em cinco segundos, estivesse completamente enrolada em torno da lagarta.

Candace permanecera à beira do campo, com seus braços cruzados, supervisionando tudo.

— Finalmente podemos plantar um pouco de alfafa —, disse ela.

29 ~ Viagem a Bordeaux

Com a nossa primeira safra de uvas toscanas nos encarando — exigindo uma extensa preparação e montanhas de equipamentos especiais —, fizemos a única coisa lógica sob tais circunstâncias: dirigimos até Bordeaux. Esta não foi uma fuga inconsequente; pois, entre St. Emilion e o Haut-Médoc são produzidos alguns dos melhores vinhos do mundo: Petrus, Cheval Blanc, Château Palmer e Château Margaux. Esta era uma missão de espionagem. Se você vai roubar ideias, assegure-se de roubá-las dos melhores.

Fabrizio, que possuía alguns excelentes contatos em Bordeaux, tinha um amigo que pôs sua cabana de caça — a oeste da cidade — à nossa disposição, por uma semana. Durante os dias, nós percorremos os vinhedos e as vinícolas; e, à noite, trabalhamos duro cimentando nossas artérias com *foie gras chaud en feuille de choux* (patê de fígado de ganso quente sobre folhas de repolho), *confit de canard*, galinha com lagostim, cabrito ao alho e salada de agrião com fígado de galinha, além de um pequeno caminhão cheio de queijos e, para finalizar, *tartes et gâteaux* — tudo isso enquanto "sobretaxávamos" nossos próprios fígados com garrafas de *deuxième crus*.

Os vinicultores parecem estabelecer instantaneamente laços entre si, à maneira dos adeptos da sociedade secreta dos maçons. Seus olhos brilham e seus corações abrem-se ao encontrarem um companheiro de excentricidade. A hospitalidade encontrada nas vinícolas — especialmente as menores, de propriedade familiar, como a nossa — parece não conhecer limites. Passamos manhãs inteiras experimentando vinhos — alguns de safras com várias décadas de idade; então, éramos convidados para almoçar e recebíamos verdadeiras aulas demonstrativas sobre os menores detalhes acerca do equipamento utilizado nos vinhedos — desde arados "mágicos", capazes de entrar e sair por entre as videiras, e tambores giratórios utilizados para remover os engaços — os pequeninos galhos dos quais brotam as uvas — imediatamente antes do início da fermentação, até bombas peristálticas que não esmagavam as sementes das uvas, como o fazem as prensas que funcionam com um pistão.

Na seção de fermentação das vinícolas, nós ouvimos palestras sobre a forma e as proporções ideais dos barris, para que o vinho tivesse o máximo contato com a madeira; e dissertações sobre a melhor maneira de manter a umidade da crosta — a grossa camada de cascas compactadas que emerge à superfície do vinho em fermentação, graças à elevação do dióxido de carbono liberado no processo: fazê-la submergir manualmente, com auxílio de uma máquina ou simplesmente bombeando o vinho por sobre ela.

Nas adegas, longas discussões foram travadas sobre os melhores recipientes para deixar o vinho envelhecer: nas pequenas *barriques* de carvalho, nas quais o vinho tem o máximo contato com a madeira; nos *tonneaux*, duas vezes maiores que as *barriques*; ou nos tradicionais e gigantescos tonéis de carvalho.

A primeira decisão que tínhamos de tomar dizia respeito às pipas, grandes recipientes abertos nos quais as uvas permanecem entre doze e vinte dias fermentando. Há quem jure que é melhor deixá-las fermentar em grandes pipas de madeira; outros preferem tanques de concreto, nos quais a temperatura se mantém constante; mas a maioria utiliza recipientes de aço inoxidável. Não apenas porque estes últimos sejam mais higiênicos — pois nada pode arruinar um vinho mais rapidamente do que bactérias indesejáveis —, mas, também, porque a temperatura do mosto, a mistura de cascas e sumo de uvas, pode ser controlada até a perfeição, graças ao resfriamento possibilitado por revestimentos embutidos.

Nossas cabeças giravam, sofrendo da condição que um amigo um dia definiu como "A Tragédia da Escolha". Porém, isso durou apenas até que entrássemos na vinícola Château Palmer.

No interior de um espaço amplo e suavemente iluminado encontravam-se as pipas mais fantásticas que jamais havíamos visto. As três longas fileiras de pipas altas, de aço inoxidável, que reluziam diante de nós, não tinham a costumeira forma cilíndrica que víramos em toda parte: estas eram cones truncados, cuja altura quase alcançava a do teto. Em torno de cada um dos cones, serpenteavam três tubulações de aço, pelas quais corria água quente e fria, para manter a temperatura do vinho. A solda nas junções parecia tão bem feita quanto as de qualquer iate; e o ajuste das portas, válvulas e torneiras apresentavam um trabalho de acabamento digno de um ourives. Foi um caso de amor à primeira vista. Eu simplesmente tinha de ter pipas como aquelas, mesmo que isto significasse jamais poder voltar a comer *foie gras* por toda a vida. Imediatamente, eu copiei o nome do fabricante de uma placa de bronze incrustada acima de uma válvula.

Na manhã seguinte, telefonamos para a fábrica — que descobrimos produzir tanques de aço inoxidável para caminhões e armazéns. Infelizmente, o trabalho que eles haviam feito para o Château Palmer fora um favor pessoal para um amigo. Eu os adulei, implorei, disse que me contentaria com apenas três pipas — por enquanto —, com metade do tamanho das de Palmer, e pensei até mesmo em ameaçar-lhes, mas havia-me esquecido de como se faz isso em francês. Então, concentrei-me em implorar. Finalmente, lembrei-me do combustível que move a França: o orgulho esnobe. Disse-lhes que todos os vinicultores da Toscana morreriam de inveja se tivéssemos aquelas pipas, lindas como joias, em nossa adega. Todas *Made in France*! Fez-se um silêncio pensativo na outra ponta da linha.

—Você poderia esperar até a primavera? —, sugeriu a voz gentilmente conciliadora.

Eu disse que poderia esperar até o dia do Juízo Final, desde que pudesse passar a Eternidade com suas pipas.

O negócio foi fechado. Tudo o que tínhamos a fazer era voltar para casa e medir o espaço disponível na nossa vinícola, e eles fabricariam três pipas que se ajustariam perfeitamente a ele.

Eu estava no paraíso. Tiramos o domingo para celebrar e brindar na cidade de Margaux, próxima do Château.

Para um vinicultor, Margaux é o equivalente a Lourdes para os católicos. Ali vivenciei uma das únicas oportunidades na França em que não prestei atenção ao que comi em uma refeição. Pela janela, o panorama descortinava-se forrado de vinhas: não havia uma só árvore ou flor em todo o horizonte, e até mesmo as estradas eram bem estreitas, para que sobrasse mais espaço para o cultivo. Não consigo lembrar-me do que comi naquele dia; mas lembro-me que, imediatamente após o almoço, eu me levantei e corri pelos vinhedos. De repente, eu havia perdido completamente a cabeça, ainda que, ao mesmo tempo, o lugar me parecesse muito familiar: a largura das fileiras, o espaçamento entre as videiras e tudo mais. Eu cheguei a estimar as distâncias pelo tamanho do meu sapato, que mede aproximadamente trinta centímetros. Eu estava certo. Tanto a largura das fileiras quanto o espaçamento entre as plantas eram precisamente iguais aos dos vinhedos que plantáramos, em casa.

Caminhei de volta à mesa do restaurante, com um gingado perceptivelmente feliz.

Se aquelas medidas eram suficientemente boas para Margaux, também o eram para nós.

Com nossas mentes entupidas de informação e nossas artérias de colesterol, tomamos o caminho de volta para casa. Tínhamos os estômagos tão cheios que não podíamos pensar em tornar a comer. Mas, pelo finzinho da tarde, já estávamos ansiando pelos leves pratos de frutos do mar da costa noroeste da Itália. Na verdade, uma das grandes alegrias da viagem entre Montalcino e Bordeaux é a parada para o pernoite na pequenina cidade portuária de Portofino, onde fica o mais belo — e, para os marinheiros, o mais seguro — pequeno porto de toda a Europa. A partir de Santa Margarita, a estrada sinuosa é entalhada em pleno rochedo, pouco acima das águas azul-turquesa do oceano. Ela termina abruptamente no sopé de algumas colinas muito íngremes, no que era, naqueles dias, um pacato vilarejo de pescadores, com um porto em forma de crescente, numa baía quase completamente fechada para o mar.

Portofino é cercada por penhascos, com as várias casinhas multicoloridas dos pescadores incrustadas entre eles, e a enseada. Canoas de pesca pintadas com cores brilhantes enchem de vida a praia; algumas delas, na posição normal, outras emborcadas sobre o suave banco de areia que forma o segmento final do porto. Ali, os pescadores consertam seus barcos ou emendam suas redes dependuradas em cavaletes, ou amontoam-nas em pilhas sobre o quebra-mar; seus gritos e risos ecoam entre as casas e os penhascos.

Ao sul, há um promontório, com luxuriantes jardins e uma igreja. Se puder tirar seus olhos do panorama que se descortina diante de você, ao sentar-se sobre a mureta que cerca o pátio da igreja, você poderá tomar uma trilha que o levará até o farol, a três quilômetros de distância, para contemplar o pôr do sol. Porém, o melhor espetáculo está mesmo na cidade. Com a luminosidade do poente defletida pelas nuvens, as casas reluzem em cores tão vibrantes quanto em um sonho. O quebra-mar fervilha com todos os habitantes locais; sentados, caminhando ou fofocando, enquanto os últimos barcos pesqueiros e canoas ancoram para passar a noite.

Vagarosamente, as luzes vão sendo acesas nas casas e alguns pescadores acendem lanternas em seus barcos, e seus reflexos dançam sobre a superfície da água. O burburinho das vozes diminui com a escuridão, e dobradiças rangem enquanto portas e escotilhas são suavemente fechadas.

Jantamos a uma mesa posta ao ar livre, atrás da linha dos barcos deixados sobre o banco de areia.

O melhor *pesto* do mundo é feito aqui, na Ligúria. Não apenas por seu sabor — que eu achei memorável —, mas, também, pela maneira como é servido: sobre largas folhas de *lasagna*, em vez de sobre fios cortados de *pasta*. Não sei quem primeiro teve a ideia de desafiar a tradição do *tagliatelle*, do *fettuccini* ou do *maltagliate*; mas, que Deus o abençoe, pois há algo de festivo em comer usando garfo e faca, à beira-mar, numa cálida noite mediterrânea. O segundo prato é, quase invariavelmente, constituído de peixe. Os ligurianos adoram incluir azeitonas em sua culinária; mas estas não são as graúdas e verdes azeitonas do sul, nem as pequenas e de sabor picante típicas da Toscana. Aqui, as azeitonas crescem em terraços nas encostas íngremes das colinas, açoitadas pelos ventos e crestadas pelo sol; por isso, elas são muito pequeninas e pretas, com pouca polpa, mas um sabor muito intenso. E, quando assadas juntamente com o peixe, formam um par gastronômico perfeito. Num gesto de delicadeza para com as nossas artérias, dispensamos a sobremesa, naquela noite; mas compensamos a ausência desta prestando uma homenagem à França, com um cálice de *cognac*.

Com a família instalada na cama, em segurança, e o *cognac* inflamando dentro de mim, saí para uma longa caminhada pela cidade adormecida. Há uma sensação de mistério em percorrer as ruas de um lugar desconhecido, sozinho, após a meia-noite. Aromas, pensamentos e visões são amplificados. Pode-se preencher as sombras escuras com seus próprios sonhos e fantasias.

Sombras dançavam no porto. Eu circulei a enseada entre os cascos dos barcos, sob as casas às escuras. Gatos procuravam pelas cabeças de peixe descartadas e saltavam em meio ao cordame para assaltar os baldes de iscas.

A lua surgiu por entre os ciprestes sobre a colina; e, como se tivessem sido flagrados na prática de algum ato condenável, os gatos esconderam-se. Tomei uma estreita viela, rumando para o pátio da igreja. A cidade toda parecia um cenário teatral, e a brisa noturna vinda das colinas envolveu-me com a fragrância de alecrim e sálvia.

30 ~ O Adeus do Pedreiro

I*l Colombaio* estava viva, novamente. Abandonada e desfazendo-se por uma geração, agora suas paredes eram à prova de terremotos, seus telhados poderiam aguentar o impacto de um asteroide de dimensões medianas, e suas portas e janelas — amorosamente confeccionadas por Scarpini — resistiriam ao forte *Tramontana*, o vento que sopra durante o inverno.

Arnaldo, o irmão de Pignattai, viera para assentar as lajotas de travertino de Mario — agora, polidas como espelhos — e as antigas lajotas de cerâmica, todas limpas e perfeitamente empilhadas. Ele era silencioso e preciso; um mestre em seu ofício. Seu auxiliar era o falante Occhialino, ou "Pequenos Óculos" — um apelido tão irônico quanto o do taciturno Gioia, uma vez que os óculos usados por Occhialino eram tão grossos que se poderia duvidar que ele conseguisse enxergar através deles.

Calmo e paciente como era Arnaldo, o trabalho em *Il Colombaio* quase o havia enlouquecido. Diferentemente de outros *poderi* que haviam pertencido a grandes proprietários, com fundos suficientes para contratar pedreiros de verdade para construí-los, *Il Colombaio* sempre fora um mosteiro independente, habitado por monges tão pobres quanto seus ratos. Suas habilidades como construtores eram mínimas; e o desejo por estruturas perfeitas parecia ser contrário à sua fé. Na verdade, a julgar pelos ângulos bizarros em que as paredes juntavam-se, é possível que eles tenham inventado um décimo primeiro Mandamento: Não construirás em ângulos retos. E, por Deus, eles aferraram-se à observância deste; pois não havia um só ângulo reto em toda a construção. Um querido amigo filósofo veio nos visitar, certa vez, e, contemplando os ângulos improváveis e as paredes inclinadas, exclamou:

— Que coisa mais metafísica!

Arnaldo não era um metafísico. Ele gostava das formas sólidas e de paredes aprumadas, que juntavam-se em ângulos retos, de modo que não precisasse cortar cada uma das *testa di cazzo, maledetta puttana di quella Madonna spanata!* (tradução censurada) lajotas em romboides, trapezoides, paralelogramos ou em outras formas geométricas não especificadas. Devido à ausência de ângulos retos em toda a casa, cada um de seus cômodos foi objeto de longas discussões sobre a melhor maneira de assentar as lajotas, para compensar a irregularidade de suas formas, e sobre qual padrão dispô-las: em forma de espinha de peixe ou alternadamente alinhadas, como tijolos; ou, talvez, devêssemos tornar regular o formato do cômodo; ou deveríamos botar toda a maldita casa abaixo e começar sua reconstrução do zero. Contudo, com muita frequência, o trabalho prosseguiu em silêncio; apenas de vez em quando eu ouvia um grito lancinante, acompanhado pelo voo de uma lajota arremessada pela janela a uma distância recorde da casa. Dia após dia, os pisos tornavam-se mais vivamente coloridos; tanto que, ao final do trabalho, nós relutamos em colocar mesmo o menor tapete sobre eles.

⁓⁕⁓

Certa manhã, sucedeu o evento abençoado. Nós estávamos atrasados, tendo acabado de escolher a última porta — um raro tesouro de folhas duplas, cuja parte superior era feita de pesadas peças de nogueira em forma de treliça, cada parte sobreposta à parte inferior. Esta, colocada sob um pequeno telhado, seria a porta de acesso ao pátio. Dirigi de volta à casa com o coração pulando de alegria.

Um provérbio toscano diz que é maravilhoso ver pedreiros duas vezes na vida: no dia em que eles chegam para trabalhar, e no dia em que se vão embora. No topo da estradinha estava o caminhão dos pedreiros, com a carroceria lotada com o equipamento que eles haviam trazido, dia após dia, ao longo dos últimos dezoito meses. Minha alegria desvaneceu-se quando vi Fosco aproximar-se. Seu semblante estava ausente; seus olhos miravam a distância. Nem mesmo Asea estava sorrindo.

Dezoito meses são um tempo muito longo; especialmente quando se trabalha junto, todos os dias, construindo uma casa, pedra por pedra, que deverá permanecer em pé por uns mil anos. Apertos de mão transformaram-se em abraços e beijos em ambas as bochechas. Ninguém disse uma palavra. Somente Buster veio correndo e gritando *"Arrivederci!"* não para os pedreiros, mas para Candace e eu; pois ele desejava ir-se embora e tornar-se um *muratore*, um pedreiro, e trabalhar com Fosco.

Nós três permanecemos em silêncio quando eles desapareceram pela estrada, deixando que a poeira levantada assentasse sobre os vinhedos.

31 ~ Um Sótão em Roma

PARA TORNAR-SE UM VINICULTOR DE RENOME MUNDIAL, você precisa possuir três coisas: uma enorme paixão pelos seus vinhedos e sua adega, um olfato perfeitamente treinado e o número do telefone do Serviço de Atendimento aos Suicidas.

෴

Ter paixão pelos seus vinhedos e sua adega não significa apenas amar possuí-los; é preciso amar e cuidar deles ao longo de cada passo no caminho: desde a escolha dos campos e a plantação das videiras, até cuidar delas, dia após dia, estação após estação, desde a poda no inverno, até a manutenção na primavera, durante toda a longa maturação até os excitantes — e excruciantes — dias da colheita, no outono.

Quando um magnata grego adquiriu o Château Margaux, quarenta anos atrás, ele contratou Emile Peynaud — o conhecedor de vinhos mais destacado do mundo, à época — como consultor. Ao pedir a Peynaud que lhe produzisse o melhor vinho do mundo, segundo a história conta, Peynaud replicou-lhe: "Isto é fácil. Basta que você me dê as melhores uvas do mundo".

Produzir as melhores uvas do mundo consome longos dias e uma infinidade de noites insones. A vinícola e a adega demandam tanto trabalho quanto o próprio vinhedo — com um requisito adicional: a atenção obsessiva aos detalhes e à higiene. Cada etapa do processo — a retirada dos cachos, o esmagamento, a *délestage* ("desengaço"; ou a retirada dos resíduos sólidos indesejáveis), a fermentação tumultuosa e a descuba (a separação final do vinho dos sedimentos que assentam no fundo do recipiente) — deve ser executada com perfeição. O vinho é um organismo vivo, tanto quanto somos você e eu. Se exposto às bactérias erradas — mesmo depois de engarrafado —, o vinho adoece. Deixado sem o tratamento correto, ele pode até não morrer, mas você certamente poderá dar-lhe adeus.

Muito antes de obtermos nossa primeira safra, pedimos a Carlo Corino — consultor de vinhos para vinícolas de grande renome, tais como Frescobaldi, Gaja e Planeta — para que atuasse como nosso consultor. Totalmente inexperiente, certa vez perguntei-lhe qual era o segredo para produzir um vinho excepcional. Ele olhou para mim como se eu tivesse duas cabeças e, então, riu alto.

— Se eu soubesse qual é o segredo — disse ele —, eu seria um bilionário. A verdade é que não há *um* segredo: há *cem*. E todos eles têm de ser perfeitamente executados; sem a menor falha.

Um olfato treinado é imprescindível. Isto não apenas permite que você seja capaz de distinguir os aromas peculiares do vinho nos vários estágios de produção, desde a tina de fermentação até o engarrafamento, mas — o que é muito mais importante — também permite que você detecte os aromas *errados*, indicativos de que algo está prestes a fugir ao controle, desde os primeiros estágios, ainda a tempo de intervir efetivamente, com procedimentos tais como a descuba ou o refinamento, e eliminar a causa do problema.

Um olfato não treinado, todavia, pode ser facilmente confundido. Na falta de uma graduação universitária como enólogo, a segunda melhor coisa é fazer um curso para tornar-se um *sommelier* profissional. Isto não apenas instrui alguém sobre os processos de produção do vinho, mas, também, treina o olfato para reconhecer cada um dos odores concebivelmente encontráveis no interior de uma adega. Trata-se de assumir um longo compromisso: normalmente, dois anos de árduos estudos — nada que possa ser confundido com uma noite de degustação de vinhos, acompanhada por uma tábua de queijos, na sua *rôtisserie* preferida.

Logo após haver plantado nossas vinhas, tornou-se óbvio que o meu nariz — embora seja, visualmente, um impressionante bico aquilino — possuía a mesma sofisticação olfativa de uma batata. Treiná-lo para que pudesse distinguir uma ampla gama de aromas sutis seria uma tarefa tão fadada ao fracasso quanto tentar ensinar *breakdance* a uma lesma.

Nosso "ás na manga" foi Candace. Ela é capaz de sentir o aroma de uma rosa a vinte passos; o de um gambá na comarca vizinha; e o *bouquet* de uma taça do nosso Syrah do outro lado da sala. Ela não apenas reconhece os grandes vinhos, mas, também, tem a alma de uma artista e a mente de uma cientista; e, igualmente importante, é uma bebedora de vinho "de carteirinha". Ela seria a candidata perfeita a uma vaga no melhor curso para *sommeliers* de Roma. E, segundo os ditames do destino, a vida nos levaria a passar uma temporada "de férias" de dois anos em Roma.

Quando Buster voltou a frequentar a escola, após um ano de educação doméstica, ele tornou-se instantaneamente o primeiro aluno da classe. Porém, dentro de três semanas, devido à sua incontrolável necessidade de conversar e de brincar, rumou direto para a última posição. Requisitamos uma reunião com o diretor, para vermos o que poderia ser feito a esse respeito.

Devo mencionar que não temos televisão em casa. Nós não somos amish; possuímos computadores e DVDs de todos os filmes clássicos filmados, mas achamos que a vida é demasiadamente curta para ser desperdiçada "zapeando" de um canal para outro. Para suprir nossas necessidades de drama e entretenimento reais, nós convivemos com pessoas de carne e osso. Ou brigamos, entre nós mesmos.

O diretor foi muito cortês. Ele nos disse que o problema devia-se a Montalcino; que, agora, havia-se transformado em uma famosa cidade vinícola. A escola não mais era frequentada exclusivamente por bem disciplinados alunos locais; mas, também, por um grupo de *stranieri* — estrangeiros — errantes. Pensamos que ele estivesse se referindo a um estudante proveniente da Tunísia, a outro da França e ao nosso, vindo de Nova York; mas, não — assegurou-nos, ele. Estes eram ótimos estudantes; mas que vinham sendo influenciados pelo péssimo comportamento dos *stranieri* que tinham passado a frequentar a escola naquele ano, vindos de Sant'Angelo.

Sant'Angelo é uma cidade a dez quilômetros de distância.

Nós empalidecemos.

Nosso filho é uma criança adorável, garantiu-nos o diretor; mas ele deveria ignorar as outras e concentrar-se mais em seus estudos. Perguntamos ao diretor se ele recomendaria alguns exercícios especiais como dever de casa. Não. Quaisquer tipos de jogos psicológicos de treinamento? Não. Uma entrevista com um psicólogo? Não. Alguma sugestão? O diretor recostou-se em sua cadeira, soprou uma nuvem de fumaça de cigarro no ar e, com um tom de voz grave, anunciou:

— Acho que ele deveria assistir mais televisão.

Isto aconteceu em uma sexta-feira. Na manhã da segunda-feira seguinte, Buster foi matriculado na St. George's British School, uma escola particular em Roma.

Nós precisávamos de um apartamento em Roma para morarmos de segunda a sexta-feira. Para ser condizente com o estilo de vida Máté, este deveria ser barato, esquisito e eminentemente antiprático — "qualidades" que revelaria, de fato, possuir.

— Fica no quinto andar de um prédio sem elevador — disse Maria, a corretora de imóveis —, entre o rio e as Escadarias da *Piazza di Spagna*; uma vizinhança antiga, cercada de vistas maravilhosas por todos os lados.

Segundo ela, o apartamento era uma oportunidade única dentre os de sua classificação. Então, atravessamos a cidade a pé.

Àquela época, Roma havia limitado muito o trânsito de automóveis, pois aquele era o ano do *Giubileo*, a comemoração pela passagem do 2.000.º aniversário de Cristo; de modo que todos os edifícios, monumentos e pontes outrora cobertos por uma camada cinzenta adquirida ao longo de décadas de poluição, haviam repentinamente recuperado suas cores brilhantes, e o mármore das estátuas reluzia como no dia em que fora esculpido. Serpenteamos por alamedas estreitas, passamos pela *Piazza Navona*, pelo edifício do Parlamento e atravessamos o rio, até chegarmos à *Via della Lupa* — a "Rua da Loba" —, com uns cem metros de extensão.

— Ali é onde Caravaggio costumava vir para rezar —, disse Maria, apontando para uma igreja. — Ali era onde ele fazia suas refeições, e ali ele cortava seu cabelo — disse ela, indicando com um movimento de cabeça a barbearia que ficava na esquina.

Com uma chave do tamanho de um martelo, ela abriu a alta porta de madeira e nós começamos a subir as gastas escadarias de mármore. O pé-direito dos andares era inacreditavelmente alto, e cada lance de escadas parecia não ter mais fim. Quando o oxigênio já nos faltava, paramos.

— Quinto andar —, ofegou Maria.

Pensei que ela abriria a porta que ficava imediatamente em frente; mas, em vez disso, ela voltou-se para o início de um novo lance de escadas. Sem janelas, as escadas subiam à mais completa escuridão.

— A escadaria privativa de vocês —, arquejou ela. E nós subimos e subimos. Ela abriu a porta do apartamento e a luz jorrou de um vestíbulo de entrada estranhamente pitoresco. Uma das paredes era coberta por afrescos; outra, era feita de vitrais; e da terceira parede surgia — eu juro! — mais um lance de escadas. Uma sala de jantar, à esquerda, abria-se para uma sala de estar, com uma lareira de verdade; e ambas as dependências tinham grandes portas de vidro que se abriam para um amplo terraço, sombreado por plantas verdejantes. Saímos para o terraço e vimos Roma e o Tibre aos nossos pés. Passando uma pequena cozinha, havia um estúdio, que se abria para um terraço menor, com vista para os domos e as colinas de Roma.

— Onde iremos dormir? —, perguntou Candace, educadamente.

Maria voltou ao vestíbulo de entrada e abriu uma porta estreita, que eu pensara tratar-se da porta de um armário, mas que, na verdade — que surpresa! —, dava acesso a mais escadas. O dormitório era um sótão, com janelas em três de seus lados. Olhamos uns para os outros e tivemos certeza de que este seria o nosso "lar".

Dois anos depois, Candace era uma *sommelier* diplomada em Roma.

32 ~ A Víbora

DE VEZ EM QUANDO, alguém entra em sua vida e você pensa, "Meu Deus, como pude viver tanto tempo sem esta pessoa?"; Giancarlo era uma dessas pessoas. Atencioso e gentil, ele é o mais leal dos amigos; e cordial além de quaisquer medidas. Seu amor pelos vinhedos, olivais e florestas é comparável ao nosso; mas sua preocupação por fazer as coisas bem feitas e a atenção que ele dedica aos menores detalhes — quer seja ao construir uma pinguela, cuidar de um canteiro de alcachofras na horta, ou assegurar que haja bastante lenha para passar o inverno — permite que eu durma em paz, à noite, ao pensar que "está tudo bem; Giancarlo está aqui".

Assim que Alvaro, o Armagedom, e a ameaça mortífera que ele representava nos deixaram para sempre, o caráter de Giancarlo pôde realmente desabrochar. Nós plantamos centenas de arbustos de alecrim e alfazema em torno da casa, reforçando-os aqui e ali com arbustos maiores de *corbezzolo* e *lentaggine*. As árvores cresciam bem: os pinheiros já proporcionavam sombra e os ciprestes estavam suficientemente altos para ondular ao vento. Plantamos um jardim de rosas diante da entrada da casa, e suas cores contrastavam lindamente com a das paredes de pedra e do gramado verdejante, que mantínhamos viçoso durante todo o verão — uma raridade na Toscana — graças à água do aqueduto de Gioia.

Quando os pequeninos brotos de uva surgiram no final de uma primavera, eu estava passando através de um vinhedo com Giancarlo e um par de ajudantes, removendo os "chupões" — brotos desprovidos de uvas — para que estes não roubassem os nutrientes dos brotos com frutos. Crescendo muito rapidamente, os brotos são frágeis: basta dar um ligeiro puxão em sua base para podá-los; fazendo desta uma tarefa relaxante, que requer pouquíssimo esforço, sem que seja preciso curvar-se para executá-la. O dia estava calmo e, durante o trabalho, nós "jogávamos conversa fora", como de hábito. Giancarlo recontava uma piada que o fazia rir tanto que mal conseguia balbuciar seu desfecho; mas, repentinamente, ele interrompeu seu riso e exclamou:

— *Porca troia! Una vipera!* — Uma víbora.

Ele não estava brincando. Na trilha usada pelo trator, entre o vinhedo e o olival, deslizando calmamente através da poeira, uma víbora movia-se na direção da casa. Sendo um fanático pela manutenção da limpeza do lugar, não consegui encontrar uma só pedra ou pedaço de pau que pudesse utilizar para matar o bicho; então, corri até o galpão de ferramentas. Quando voltei com uma pá, os três homens encontravam-se em pé, perto da casa, à beira do roseiral, olhando para a terra revolvida a seus pés.

— Onde está a víbora? —, perguntei.

— Ela veio por aqui —, respondeu um dos ajudantes. — Então, embrenhou-se nas roseiras.

— Enquanto eu corri para fechar a porta da frente… —, disse Giancarlo.

— Ela deve ter entrado em algum buraco —, completou um dos ajudantes.

— Aqui não há nenhum buraco —, disse o outro.

— *Você* é o buraco! —, disse Giancarlo. E acrescentou, com voz suave:

— Francesco, não se mova. Ela está bem ao lado da sua perna.

Aquele era um momento estranho para que eu me lembrasse de que o substantivo *vipera* é feminino, em italiano. No entanto, não havia muito mais que eu pudesse fazer.

— Mova sua perna esquerda na minha direção, bem devagar —, sussurrou Giancarlo.

Fiz exatamente isso e, então, olhei para baixo. A víbora estava a meio caminho de subir por uma roseira, enrolando-se bem junto do caule lenhoso.

— Vou matá-la com a pá —, prontificou-se um dos ajudantes.

— Uma ova que você vai! —, disse Giancarlo. — Você vai é cortar a roseira e ela vai fugir.

— Ninguém se mova! Apenas fiquem de olho nela —, disse eu. — Volto já!

Corri até a estufa e voltei de lá com um par de tesouras de podar. Eram tesouras profissionais, com cabos de alumínio e lâminas de aço inoxidável, afiadas como navalhas. Abri as tesouras, abaixei-me e rastejei até a roseira. Lentamente, com movimentos quase imperceptíveis, alcancei o ponto em que a víbora encontrava-se. Ela ergueu sua cabeça, mas eu me mantive imóvel. As lâminas rebrilharam bem perto dela, que abriu suas mandíbulas para dar um bote. Mas eu fui mais rápido; e a víbora caiu no chão, cortada em quatro pedaços.

Ouvi claramente os três homens engolindo em seco, olhando, horrorizados, para mim — como se uma víbora cortada em pedaços fosse algo pior do que uma capaz de matar qualquer um de nós.

⁂

No início de setembro, caiu a primeira chuva desde o mês de junho. Tinha havido algumas pancadas rápidas, que salvaram as uvas de esturricar e acrescentar ao vinho um desagradável sabor de passas; mas esta era a primeira chuva a deixar poças no chão e fazer com que a terra poeirenta dos vinhedos grudasse em nossos sapatos.

Fabrizio nos fez passar com o trator através dos vinhedos, com um arado acoplado na traseira, para revolver a terra na superfície, de modo que esta atuaria como um manto, protegendo a camada inferior do solo do sol escaldante. Assim arado, o solo também absorveria cada gota de chuva. Na manhã seguinte, as folhas das videiras estavam visivelmente mais viçosas; e, no outro dia, elas pareciam cheias de vida, outra vez.

Giancarlo estava radiante enquanto trabalhávamos na floresta, naquela manhã.

— Em dez dias — disse ele —, você verá um milagre surgir aos seus pés.

Imediatamente, pensei "uma víbora"; mas por mais que eu o adulasse, ele não quis dizer mais nada.

Passamos a semana preparando-nos para a *vendemmia*.

A maioria das vinícolas modernas faz a colheita mecanicamente: uma máquina passa entre as fileiras e colhe os cachos, jogando-os em uma caçamba. Vinícolas pequenas fazem a colheita manualmente colocando os cachos colhidos em baldes plásticos; porém, estes são logo esvaziados em um grande coletor, puxado por um trator. Nenhum desses dois métodos é ideal para a obtenção de vinhos de alta qualidade, pois quando as uvas são depositadas em grandes pilhas — especialmente as que estejam em seu estágio ideal de maturação —, seu próprio peso esmaga as que se encontram no fundo do recipiente. O sumo desprendido destas logo começa a oxidar e a tornar-se ácido, antes que as uvas cheguem à *cantina*.

Assim, seguindo as instruções de Carlo, fizemos nossa colheita depositando os cachos em caixas de plástico rígido, contendo, no máximo, quinze quilos cada uma. As caixas eram levadas à adega rebocadas pelo trator — para o qual pedimos a um carpinteiro que confeccionasse um carrinho suficientemente estreito para passar entre as nossas fileiras — e as uvas nelas contidas eram colocadas diretamente na desengaçadeira, posicionada sob uma cobertura do lado de fora de uma janela da adega.

Todos os dias, eu passava pelos vinhedos munido de um refratômetro. Eu estava quase terminando de vistoriar o terraço superior de Syrah quando ouvi Candace gritar, lá do alto, com voz excitada:

— Querido! Querido! Isto é um milagre!

Candace costuma manter-se calma sob "fogo cerrado". Poucos anos atrás, nas Ilhas do Golfo da Colúmbia Britânica, nós navegávamos em nosso veleiro através de uma passagem estreita e perigosa, onde as correntes de vento podem chegar a 24 km/hora e rodamoinhos formam-se em questão de segundos. Em lugares como este, quase todos os marinheiros com alguma atividade cerebral detectável baixam as velas de suas embarcações, ligam seus motores a diesel e aproveitam para fazer a travessia durante uma calmaria, antes que as correntes tornem-se muito fortes. Mas não eu. Nosso barco é um veleiro; então, por Deus, eu iria velejar. Assim, adentramos a passagem seguindo a corrente marítima, mas contra o vento. Eu manejava o timão, lutando contra os rodamoinhos que ameaçavam formar-se, forçando o leme violentamente na direção contrária, enquanto Candace ficava na proa, detectando possíveis formações rochosas adiante. Rumávamos velozmente, com as velas a todo pano e um sorriso em meu rosto, quase a meio caminho de uma ilhota desolada, quando Candace disse calmamente, lá da frente do barco:

— Querido, acho que, se continuarmos assim, vamos encalhar. Eu já posso ver o fundo.

Conseguir ver o fundo não é grande coisa no Mar do Caribe, ou em alguma lagoa dos Mares do Sul, onde as águas são tão claras que é possível avistar uma âncora lançada a quarenta pés (pouco mais de doze metros) de profundidade. Porém, no Pacífico Norte, onde o plâncton e as algas abundantes tornam a água muito densa, só é possível ver o fundo quando já é possível caminhar sobre ele. Se o seu barco tiver uma quilha de seis pés, como o nosso, ao avistar o fundo é melhor você apanhar o seu rosário e começar a rezar. Ao timão, eu não tinha qualquer visão das laterais do barco; mas, estando ainda muito distante da ilhota, eu não podia imaginar estar navegando em águas tão rasas.

— Estamos passando sobre um banco de areia —, assegurei a Candace.

— Querido —, disse ela. — Estou vendo um caranguejo.

— Ainda temos pelo menos dez pés de profundidade —, rosnei em resposta.

— Posso ver até a cor dos olhos dele.

Então, encalhamos. Com as velas completamente enfunadas, ficamos imóveis como estátuas, bem no meio da passagem.

Eu estava furioso. Candace voltou calmamente para o convés do barco, tirou seu chapéu e sentou-se.

— Acho que vou aproveitar para apanhar um bronzeado, já que temos de fazer uma parada para descansar.

— Por que diabos você não me avisou que a água era muito rasa?!

— Eu avisei você, querido. Três vezes.

— Sim, mas você não estava em pânico! Você me avisou sem demonstrar qualquer emoção!

Ela parou de espalhar a loção bronzeadora sobre seu corpo e olhou para cima.

— Isto, por acaso, teria tornado as águas mais profundas?

Então, deitou-se de costas e fechou os olhos.

⁂

Por isso, eu sabia que se Candace parecesse excitada, devia ser por causa de algo grande. E, de fato, era: pesando bem mais de meio quilo.

Se você sair da casa pela nossa cozinha e subir pela encosta da colina, passará pelo jardim, pela estufa e pela velha cisterna, até alcançar uma trilha sombreada por arbustos de ílex. Atravessando uma pinguela, você adentrará um parque florestal cheio de antigos carvalhos, com arbustos selvagens crescendo à sombra deles. Onde os carvalhos rareavam, roseiras selvagens cresciam; e, em meio a estas, encontravam-se Candace e Giancarlo. Giancarlo afastava os arbustos de rosas com uma vara e Candace estava à sombra de um carvalho, segurando algo grande e marrom com ambas as mãos, como se fizesse uma espécie de oferenda solene aos deuses. Tratava-se de um *porcino* grande como uma bandeja. E isto era apenas o começo.

O campo de carvalhos e roseiras tem uns bons cem metros de comprimento, por uns vinte de largura. Se você parar e olhar debaixo das touceiras de capim, sob o manto de folhas que caíram no ano passado, verá as protuberâncias marrons dos novos *porcini* aflorando da terra. Dúzias delas; pois há muito tempo este campo tornara-se conhecido pelos nativos como um *porcinaio* — um campo de *porcini*. E, ano após ano, tão certo quanto a migração das andorinhas, os *porcini* tornam a surgir.

— Não se mova, querido. Eles estão por toda parte.

E estavam, mesmo. Era preciso procurar bem por um lugar onde apoiar os pés entre eles. Nós encontramos dezesseis — entre grandes e pequenos — debaixo de uma única árvore. E, num ponto em que as roseiras rareavam, encontramos algo ainda melhor do que os *porcini*: uma pequena faixa de terra repleta com os cogumelos favoritos de César, que os toscanos chamam de *ovuli* — pois, devido à sua coloração branca e amarela, parecem-se com ovos cozidos partidos ao meio. Cortados em fatias finas e regados com suco de limão, eles constituem-se de uma das mais refinadas delícias da vida.

Se Giancarlo era o nosso "anjo da guarda", Nunzi era a sua contraparte feminina. Pequenina e cheia de vitalidade, embora já tivesse passado dos sessenta anos de idade, ela auxiliava Giancarlo nos vinhedos e Candace na adega. Ela é a minha "psicóloga particular residente" e a nossa "janela" para as fofocas que correm pelo vale; mas, mais importante do que tudo, uma vez por semana ela nos mima com suas habilidades culinárias.

Ela prepara geleias, compotas e corações de alcachofra em conserva; e faz patês, cozido de coelho, molhos de carne, molhos de legumes, cozido de javali e vitelas e codornas recheadas. Naquela noite, comemos *porcini* fritos em azeite de oliva e alho com folhas de salsa, espargidos sobre *fettuccini* fresco, cuja massa ela mesma abrira manualmente sobre a mesa da cozinha, durante o dia. A massa preparada por ela derrete na boca e escorre diretamente até o coração da gente.

No dia seguinte, a Syrah alcançou 24 brix no meu refratômetro — indicando um potencial para a obtenção de sabores tão complexos quanto eu poderia desejar. Aquele foi um grande momento. Três longos anos após havermos plantado os mirrados gravetinhos, irrigando-os, podando-os e amarrando-os, preocupando-nos com eles noite e dia, afinal chegara o momento de colhermos nossa primeira safra. Nossa primeira *vendemmia*, de verdade.

33 ~ *La Vendemmia*

PARA O VINICULTOR INICIANTE, a noite que antecede a *vendemmia* é a ocasião ideal para embebedar-se até cair no sono; caso contrário estará fadado a rolar na cama, insone, pensando se não se esqueceu de encher com diesel o tanque do trator, se lavou a esmagadeira com água limpa ou se lembrou de afiar as lâminas das tesouras de podar. Será que as caixas foram deixadas emborcadas, para que não acumulassem o orvalho da noite? Será que não se esqueceu de chamar nenhum dos dez colhedores; e, se fez isso mesmo, será que eles aparecerão para trabalhar; ou será que irá chover o dia inteiro, de modo que nada disso faria a menor diferença?

Tudo o que resta a fazer é confiar nas providências tomadas diariamente ao longo do último mês, contemplando tudo o que Fabrizio, Carlo e o seu próprio bom senso disseram-lhe para fazer.

Naquele ano, nós ainda não tínhamos uma vinícola muito vistosa; nem suas instalações espaçosas eram dominadas pelos tanques de aço inoxidável, que ainda eram um sonho a ser realizado na temporada seguinte. Tudo o que tínhamos era a velha adega sob a casa, apenas com espaço suficiente para a fermentação e o envelhecimento da primeira safra em barris de carvalho. Mas, tal como o restante da casa, a adega havia sido remodelada; e encontrava-se impecável, à espera das uvas.

Aquele era o terceiro ano após a plantação. As uvas das safras dos primeiros dois anos eram jovens demais para produzir um bom vinho; e mesmo a safra daquele ano teve de ser drasticamente reduzida, por meio de descartes dos cachos menores, ainda verdes. Carlo sugeriu que tentássemos algo difícil e que consumiria muito tempo, mas que poderia resultar em um vinho soberbo. Ele fez com que encomendássemos quinze *tonneaux* de carvalho da França, mas especificou ao tanoeiro que não colocasse as tampas nas pipas, enviando-as separadamente destas. Desse modo, pudemos fermentar o mosto em pipas abertas; que, uma vez completado o processo de fermentação, foram vedadas por um tanoeiro local e — *voilà!* — enchidas novamente pelo gargalo o orifício aberto na lateral dos barris — com o vinho que seria armazenado para envelhecer por dois anos. Como um benefício adicional, a fermentação em pipas de madeira suavizaria e integraria melhor os taninos — os quais, no caso de uvas jovens, podem conferir uma aspereza acentuada ao vinho. Foi uma ideia verdadeiramente genial.

Os barris foram alinhados e a desengaçadeira de reluzente aço inoxidável, novinha em folha, estava a postos, do lado de fora da janela da adega, pronta para remover os ramos dos cachos e esmagar as uvas somente com a pressão necessária para romper-lhes as cascas. A coisa mais importante a ser lembrada quando se enche os barris é que a fermentação borbulha, gerando gás carbônico em quantidade suficiente para inflar um Zeppelin. As cascas aprisionam o gás carbônico como se fossem pequenos paraquedas, e são impelidas para bem acima da superfície do líquido onde comprimem-se em uma camada — chamada "chapéu" — tão densa quanto massa de pão. É preciso deixar um espaço equivalente ao menos a 20% da quantidade de líquido para a expansão do gás carbônico, ou este irá fazer saltar a tampa do barril, com uma explosão.

Despertei quando ainda estava quase completamente escuro. Por um instante, rezei por um dia de chuva e de adiamento; mas logo mudei de ideia e rezei para que tivéssemos um dia seco, ao menos o bastante para que levássemos toda a Syrah para a adega. As uvas estavam prontas. Apanhei minhas roupas e deixei o quarto nas pontas dos pés, para não despertar Candace, e saí para a gélida aurora. Preocupado, mas excitado, caminhei pela alameda coberta de ílex, passei pelo campo dos *porcini* e somente quando tomei a trilha de terra batida para o vinhedo olhei para os meus pés e meu coração quase parou. Meus sapatos estavam encharcados pelo orvalho. E, se eles estavam encharcados, as uvas também estariam. Eu não queria minhas uvas molhadas. Eu não havia esperado semanas pelo ponto de maturação ideal apenas para ter um mosto aguado.

Ouvi o carrinho de três rodas de Giancarlo roncar subindo pelo caminho aberto pelo trator — como sempre, meia hora antes do horário combinado para iniciarmos o trabalho. Ele olhou para as uvas e, depois, para o céu.

— Não se preocupe —, disse ele. — Já está chegando.

A princípio, pensei que ele estivesse se referindo à chuva: os colhedores a veriam e ficariam em casa; enquanto eu, o líder deles, voltaria para a minha cama e puxaria as cobertas bem acima da minha cabeça. Mas eu estava enganado. Ele apontou para o céu iluminado pelo alvorecer, onde nuvens vermelhas flutuavam velozmente em nossa direção, sopradas pelo Sirocco, o vento vindo da África. Quente e seco, ele silvaria através do desfiladeiro, sobre os terraços e por entre as videiras; e, para a Syrah, cujas uvas são pequeninas como amoras e brotam espaçadas nos cachos, ele secaria todo o orvalho depositado sobre elas em questão de minutos. No momento em que o sol despontou, o Sirocco já soprava com toda força; mas, estranhamente, trazia consigo nuvens negras que adensavam-se sobre as colinas.

Os colhedores começaram a chegar. Primeiro, vieram Nunzi e seu marido, Alfiero — já avançado em seus setenta anos, mas ainda espigado como um poste, e famoso nos vinhedos por seu repertório infindável de piadas de conotação sexual. Então, chegaram Arnaldo e sua sobrinha, Illaria — uma vigorosa moça de 24 anos de idade, com um absurdo senso de humor e um espírito indomável. Eles foram seguidos por três aposentados de Paganico — trabalhadores silenciosos e compenetrados —, e logo por Federico, Giani e — em último lugar, mas não menos importante — por Vasco, *Il Sergente*.

O som das tesouras de podar foi abafado pelo das conversas, à medida que as caixas enchiam-se. Levamos todas elas ao trator, que foi dirigido vagarosamente até a adega, para que o balanço não fizesse as uvas esmagarem-se, umas contra as outras. Candace estava lá, pronta para bombear o mosto para as pipas que o aguardavam. Ligamos a desengaçadeira — um tambor rotativo com furos que, por meio de lâminas revestidas de borracha, separa as uvas dos ramos dos cachos. Candace acionou a bomba. Olhei pela janela aberta da adega, para a obscuridade lá dentro. Ela segurava o tubo largo sobre um barril, para onde iam as uvas esmagadas. Do tubo jorrava uma torrente de líquido vermelho como sangue, gorgolejando na penumbra.

※

Havia grande animação nos vinhedos. Giancarlo, mais eficientemente do que nunca, estava em todos os lugares: colhendo, enchendo as caixas, redistribuindo as caixas vazias e, o tempo todo, admirando, como um menino, os frutos de seu trabalho sendo armazenados em segurança. Mas ele mantinha-se com um olho no céu. As tesouras funcionavam mais depressa, os rostos voltavam-se para o sul, onde as nuvens escureciam e acumulavam-se, carregadas de chuva. A poeira vermelha do deserto agitava-se em meio à úmida atmosfera do mar. Tínhamos mais dois terraços de uvas para colher. Candace veio correndo da adega, para ajudar. Nós cortamos, encaixotamos, carregamos e dirigimos como loucos, através da grama fofa dos olivais. As nuvens agora acumulavam-se bem em cima dos pinheiros. O vento soprou mais forte e folhas começaram a voar. Os primeiros pingos grossos abriram pequenas crateras na poeira. Ainda faltava um terraço.

Eu corri para buscar um encerado. Através do vale, os castelos haviam sumido em meio às nuvens de chuva. Quando emergi da floresta, o vento me apanhou em cheio. Ele soprava com tal força que parecia querer varrer da face da terra tudo o que encontrasse em seu caminho. Nós cobrimos as caixas carregadas com o encerado e as expedimos. O carrinho do trator estava lotado, mas as tesouras dos colhedores ainda trabalhavam. Corremos para a adega.

Em meio ao nosso caminho de volta, a chuva começou a nos fustigar. Foi então que avistamos todos os colhedores correndo, cada um deles carregando as últimas caixas cheias através do olival, curvando seus corpos sobre elas, para manter as uvas secas e a salvo da chuva.

Após três dias, a fermentação da nossa Syrah tornou-se vivamente perceptível. Se você encostasse seu ouvido num barril, poderia ouvir o borbulhar; e se você pusesse seu nariz dentro dele, engasgaria com o dióxido de carbono. O "chapéu" ainda não se formara; portanto, podíamos dormir em paz.

A Merlot ficou pronta para ser colhida uma semana depois. A meteorologia previu uma significativa precipitação de orvalho durante a noite; o que não seria necessariamente prejudicial às uvas, mas sem uma brisa sequer, teríamos de esperar até o meio-dia para que elas secassem e nós pudéssemos colhê-las. Eu estava pronto para combater o orvalho. Tínhamos três grandes pilhas de talos de videira podados no inverno, que, agora, encontravam-se secos como palha e pegariam fogo com extrema facilidade. Dizem que o orvalho cai mais pesadamente nos momentos que antecedem a aurora; então, ajustei o despertador para as três horas da manhã e saí, ainda meio adormecido, para a noite. O ar estava parado e pesado; perfeito para a precipitação do orvalho. Meus dentes batiam, tanto pelo frio, quanto pelo nervosismo. Acendi o fogo sob a primeira pilha de talos secos e ela inflamou-se lindamente, com fagulhas esvoaçando pela escuridão.

Eu já havia acendido as três pilhas e estava me congratulando, quando um golpe de ar frio atingiu-me no rosto. Uma brisa — uma maldita brisa! — começou a soprar, na direção errada. Ela não era forte o bastante para afastar o orvalho, mas era suficiente para levar o ar aquecido para os vinhedos vizinhos. Um ano de planejamento e eu terminei por levantar-me naquela noite para salvar a colheita de Angelo Gaja.

Conseguimos levar as uvas Merlot para a adega naquele dia — todas saudáveis, mas frias; portanto, ao menos quatro dias teriam de transcorrer antes que a fermentação tivesse início. A Syrah, por outro lado, borbulhava e sibilava como o caldeirão de uma bruxa.

No final de setembro, depois que a Cabernet e a Sangiovese juntaram-se à Syrah e à Merlot na adega, uma longa mesa foi posta na velha cozinha, repleta de petiscos: corações de alcachofra, azeitonas, *prosciutto*, salames, um pescoço de ganso recheado e cortado em fatias, fígado envolto em toucinho e uma montanha de *crostini* variados. Candace, Nunzi e Illaria trabalhavam arduamente. O velho forno abaulado exalava um calor convidativo, cheio de costelas, galinhas e faisões sendo assados. Nunzi apresentou as bandejas de *lasagna* que havia preparado na noite anterior. Os homens rudes, que se movimentavam com tanta segurança e desenvoltura pelos campos, arrastavam-se timidamente pelo espaço confinado, tentando hesitantemente apanhar alguma comida — a qual, se fosse servida ao ar livre, à sombra de uma árvore, eles teriam atacado com determinação e *gusto*. A uma ordem dada por *Il Sergente*, todos sentaram-se à mesa. Eu propus um brinde a todas as pessoas que nos haviam ajudado. Os copos tilintaram e todos beberam. Um trovão ribombou e grossas gotas de chuva atingiram as janelas. Giancarlo brindou ao "homem lá de cima", por haver esperado até que tivéssemos terminado todo o trabalho antes de mandar cair a chuva, e todos nós bebemos novamente.

Nunzi e Candace irromperam trazendo dois caldeirões de *ravioli* flutuando em água ainda fervente. Os *ravioli al carciofo* — recheados com alcachofra — haviam sido confeccionados por Nunzi, com uma massa tão fina que tinham de ser retirados da água com uma escumadeira e servidos diretamente nos pratos. Se fossem escorridos, uns sobre os outros, teriam se transformado em um mingau. Todos comemos em silêncio; os raviólis derretendo em nossas bocas.

Seguiu-se uma *lasagna* com *porcini* — feita com uma massa tão fina quanto a anterior —, que logo desapareceu tão silenciosamente quanto costumam fazê-lo os pratos da culinária toscana. O vinho que fluía generosamente começou a fazer notar sua presença: as línguas soltaram-se e todos brindamos às cozinheiras. Alfiero brindou ao concerto que déramos em "homenagem" aos cervos; *Il Sergente*, às dez mil marretadas que teve de aplicar para fincar os mourões; e Giancarlo, às nossas costas doloridas de tanto amarrar e afixar as vinhas. Então, brindamos ao granizo, à geada e às víboras cortadas em pedaços.

O aroma das carnes assadas flutuava por toda a casa. Nunzi assou suas galinhas criadas em casa, com suas longas coxas desenvolvidas ao correrem pelo terreiro; vitela recheada com linguiças e cogumelos, longas costelas temperadas com azeite de oliva e sal e, por último, porco marinado e cozido com cebolinhas brancas e Brunello.

Os feijões brancos toscanos da horta de Candace agora fumegavam sobre a mesa, ao lado de folhas de beterraba refogadas com azeite e alho. Nossa gratificação final foi o *tiramisù* de Nunzi, regado com champanhe.

❦

Acendemos a lareira ao crepúsculo e, enquanto as fragrâncias do *espresso* e da *grappa* inundavam a sala, limpamos a longa mesa para uma partida do antigo jogo de *Panforte*. Este é disputado com um bolo achatado de frutas e castanhas, denso e pesado como chumbo, envolto num embrulho bem apertado de papel grosso. Formam-se duas equipes e um jogador de cada uma das equipes alterna-se para aproximar-se a até três passos de uma extremidade da mesa e atirar o *panforte* sobre esta, até a extremidade oposta, jogando-o tão próximo da borda quanto possível. Deixá-lo pendente da borda da mesa é a melhor jogada; mas, se o *panforte* ultrapassá-la e cair no chão, o jogador é eliminado.

Há algumas estratégias a considerar: é melhor jogar o *panforte* alto e fazê-lo aterrissar pesadamente, ou fazê-lo deslizar sobre a mesa, calculando o atrito? Muitos aqueceram-se, alongando os braços e girando os pulsos. Alfiero, sendo o mais velho, dava conselhos aos mais jovens. Ele inclinou seu longo corpo para frente em um arco, piscou com força umas duas vezes para avaliar a distância, flexionou o pulso, ergueu o braço e, com um gesto suave e dramático, atirou o *panforte* para debaixo da mesa. Todos explodimos numa só gargalhada.

— Pausa para ir ao banheiro —, arquejou Nunzi. — Não consigo segurar mais!

Permanecíamos em silêncio enquanto cada jogador atirava o *panforte*; e, então, prorrompíamos em suspiros e gritos quando o disco chegava à sua posição final. Quando parou de rir, Nunzi mostrou-se surpreendentemente competitiva — atenta aos pés que avançavam além da linha demarcatória e medindo cada milímetro da posição do *panforte* após os arremessos. Giancarlo preparou-se para fazer sua jogada. Os modos tímidos que ele demonstrava nos vinhedos foram substituídos por uma concentração que eu jamais havia visto. Ele curvou-se e alongou-se tanto que parecia haver aumentado sua própria estatura e, então, com um movimento exageradamente lento, fez seu arremesso. O disco voou e, como que por mágica, pousou de lado. O *panforte*, então, começou a rodar languidamente sobre a mesa, afastando-se de Giancarlo. Porém, como se tivesse sido desviado pela mão do próprio Diabo, o disco descreveu uma curva e foi rolando de volta para a direção de quem o havia arremessado e, com uma pancada surda — ouvida em meio às estrepitosas gargalhadas —, aterrissou aos pés de Giancarlo.

Era hora de fazer um intervalo.

Brindamos com *grappa* aos vencedores, aos perdedores, às cozinheiras, à *vendemmia*, ao *Sirocco* e à Lua; mas, mais do que a qualquer outra coisa, brindamos aos barris de uvas esmagadas que descansavam na adega.

Minha vez de jogar chegou na segunda metade da partida, e fui seguido por Francesco, Buster e Illaria — sem que nenhum de nós obtivesse qualquer resultado excepcional. Então, chegou a vez de *La Signora* — como Giancarlo respeitosamente chamava Candace —, que até então permanecera silenciosa, à sombra dos outros jogadores.

༻❀༺

Candace parece frágil. Medindo 1,65 metros — quase tudo, de pernas —, ela pesa apenas uns cinquenta quilos, quando molhada. Ela é, por falta de uma palavra melhor para defini-la, anticompetitiva. Ela é conhecida por perder apenas para fazer com que as outras pessoas sintam-se melhor; mas faz isso muito mal.

Vinte anos atrás, no Canadá, ela participava de seu primeiro campeonato nacional de voo com planadores: uma acirrada competição, com nove dias de duração, disputada entre pilotos solitários voando em uma das mais belas criações do engenho humano: planadores de *fiberglass*, com asas de 13,65 metros de envergadura, tão delicados e graciosos que fazem um veleiro de competição parecer uma barcaça de sucata. Esguios como flechas e polidos como joias, com uma cobertura de *plexiglass* sobre uma carlinga exígua, essas aeronaves não possuem motores, mas podem voar a grandes distâncias, suspensas por correntes termais — colunas de ar quente em elevação —, subindo até a 20.000 pés (ou seis mil metros). Então, elas voam a 240 km/h, até a próxima corrente termal, onde tornam a ganhar altitude.

Aos pés das Montanhas Rochosas, Candace foi colocada para competir contra trinta pilotos veteranos; todos homens. Ela era jovem e bonita, mas a maioria dos pilotos simplesmente ignorou-a; eles estavam ali para competir. Ou, melhor, eles estavam ali para *vencer*. Na primeira manhã de competição, foi estabelecido o percurso para o dia: um exaustivo triângulo de duzentas milhas (320 quilômetros), que provavelmente levaria cinco horas para ser percorrido.

Fez-se um silêncio carregado de tensão quando os 31 planadores reluzentes alinharam-se na pista do aeródromo. Os aviões de reboque decolavam e os lançavam, um a um, a quinhentos pés (aproximadamente 150 metros) de altitude, e retornavam à base. Candace com seu planador — marcado com o código de competição 5C — rebrilhando ao sol, desapareceu no céu. Poucos minutos depois, o rádio estralejou:

— Cinco-Charlie para Cinco-Charlie Base. Meu trem de pouso emperrou e não consigo recolhê-lo. Tenho de retornar.

Ela não tivera escolha. O trem de pouso aberto diminuiria drasticamente sua velocidade de voo; então, ela foi forçada a pousar, para consertar o defeito. No entanto, ela seria a última a tornar a decolar, por isso. Ela não se importou com o atraso na partida, pois assim podia manter-se longe do mortífero enxame de pilotos que circulava no céu. Os gigantescos cones de ar que se elevavam — como tornados de intensidade moderada — levavam os planadores até a mil pés de altitude; mas eram tão estreitos e apertados que faziam com que todas as aeronaves se aglomerassem, quase tocando suas asas em pleno voo, para tentar aproximar-se do centro e apanhar a corrente mais forte. As colisões eram comuns.

As horas passavam e uma grande tempestade aproximava-se. As equipes em terra começaram a demonstrar um certo nervosismo. Algumas já começavam a atrelar seus *trailers* aos automóveis: havia poucas dúvidas quanto à capacidade da chuva de destruir a estabilidade das asas, forçando as aeronaves a pousarem em algum pasto a centenas de quilômetros da base.

Os rádios crepitavam; pilotos diziam às suas equipes para que fossem resgatá-los. Alguns informavam, no último minuto, sobre suas coordenadas ou sobre entroncamentos de estradas ou celeiros que pudessem servir como pontos de referência acerca dos lugares onde aterrissariam. Alguns deles já voavam tão baixo que podiam descrever até mesmo o maquinário agrícola que avistavam em terra. Então, fez-se silêncio. Eles haviam pousado. Uma vez que estivessem em terra, ou mesmo voando a baixa altitude, a comunicação por rádio cessava. Chegavam mensagens apenas dos que ainda estavam no céu.

— Sete-Yankee Base. Seu piloto aterrissou em segurança.

O céu tornou-se completamente negro. Durante várias competições importantes em que as condições meteorológicas tornaram-se semelhantes a estas, pilotos haviam morrido.

Cortinas de chuva desciam das colinas. O rádio estralejava sem parar, agora, enviando as equipes para todas as direções, para que tentassem localizar as aeronaves pousadas, que a tempestade havia espalhado por toda a província de Alberta. O aeródromo esvaziava-se dos automóveis e *trailers*.

Um dos pilotos quase chegou à base. Ele conseguira manobrar e desviar-se das nuvens de chuva e avisou pelo rádio, quase gritando de alegria: "Dez milhas!" Dez milhas, ou dezesseis quilômetros, é uma distância muito curta para um planador, que pode voar por até quarenta milhas, se conseguir manter-se a uma milha de altitude. Pouco tempo depois, ouvimos o piloto comunicar: "Cinco milhas, altitude estável"; e começamos a procurar pelo ponto branco que deveria surgir no céu negro. O rádio deixou de crepitar e a chuva ocultou completamente a visão das colinas. Vários minutos se passaram e não vimos sequer um sinal do planador no céu, nem recebemos qualquer mensagem pelo rádio. O piloto havia entrado em um funil de vento; ele tentara aterrissar, mas atingira uma vala de irrigação e destruíra sua aeronave, a apenas quatro milhas da base.

Daquele momento em diante, os rádios silenciaram. Nenhuma palavra fora comunicada por ninguém; e nenhuma palavra fora recebida do Cinco-Charlie. Aquela foi a meia hora mais longa da minha vida. Não é possível às equipes em terra estabelecer comunicação com os pilotos em voo, pois os rádios operam em uma única frequência; e sempre são os próprios pilotos que tentam fazer uma última comunicação desesperada. Eu previ as piores possibilidades: o planador feito em pedaços, Candace sofrendo, morrendo sozinha. Apanhei o carro e liguei a ignição; mas, ir para onde? Norte? Leste? Sul? Desliguei o carro e saí correndo sob a chuva.

— Alfa-Bravo Base —, estralejou o rádio. — Seu piloto pousou em segurança, próximo ao silo vermelho em...

Não pude distinguir bem as palavras, mas reconheci perfeitamente a voz: fina, melódica e feliz. A voz calorosa anunciava claramente a mensagem, de algum lugar no céu sombrio. Após uma pausa, a voz soou, tão alegre quanto antes:

— Cinco-Charlie Base, fala Cinco-Charlie.

Então, após uma pausa, ouviu-se um leve suspiro:

— Ainda voando.

Graças a Deus, pensei, enquanto a chuva fustigava meu rosto. Eu poderia ter dançado de alegria. Contudo, quinze minutos passaram-se e a chuva amainou, mas o céu ainda estava escuro como se fosse noite; e eu voltei a ficar ansioso. Eu perscrutava o horizonte a leste, como um idiota. Pensei ter avistado pequenos pontos brancos aproximando-se através da escuridão; mas, pisquei e eles desapareceram. Nenhuma mensagem. Andei em círculos e ajustei o botão de sintonia fina do rádio uma dúzia de vezes, para certificar-me de que ele estava funcionando.

De repente, um pequeno ponto branco brilhou no céu ominoso — um pontinho branco que não desapareceu quando eu pisquei. Ele estava muito longe, a milhas de distância, e muito baixo. Baixo demais; mal passando por sobre uma colina. O pontinho aumentou de tamanho e eu prendi a respiração. Então, o ponto branco submergiu em meio ao verde escuro do solo. Meu coração disparou, e eu continuei olhando na mesma direção.

O rádio crepitou com estática. Então, a abençoada vozinha disse:

— Cinco-Charlie, uma milha.

Seu planador surgiu em meio às nuvens escuras e sua voz soou novamente; ansiosa, mas rindo:

— Jesus do céu! Eu não consigo pousar esta coisa!

Ela estava tão próxima que eu podia avistar os freios acionados nas asas do planador. Mas, mesmo com os freios totalmente projetados para fora, o planador continuava a ganhar altitude. Uma monstruosa corrente termal estava levando o Cinco-Charlie às alturas.

— Tudo bem —, suspirou Candace. — Lá vou eu!

Ela deve ter empurrado os manetes dos freios até o fim, com toda a força, pois seu belo pássaro branco agora voava em posição vertical, com o nariz apontado diretamente para o solo. Puxando suavemente os manetes, ela fez uma manobra contra o vento e forçou a aeronave a baixar, planando apenas a alguns centímetros do asfalto da pista de pouso, e logo rodando suavemente para parar bem diante de onde eu me encontrava. Arranquei a cobertura da carlinga e abracei-a mais forte do que jamais o fizera.

— Cinco-Charlie, nenhuma milha —, disse ela, sorrindo.

Então, a chuva desabou.

⁓✼⁓

Agora, ela estava pronta para o seu arremesso do *panforte*. Ela atirou o disco com displicência, como se não estivesse realmente tentando acertar nada. O *panforte* deslizou sobre a superfície plana e, contra todas as probabilidades, parou quando quase metade de seu diâmetro já ultrapassava a borda da mesa. Ela vencera.

— *Scusatemi* —, "desculpem-me", disse Cinco-Charlie.

⁓✼⁓

Enquanto todos já se preparavam para ir embora, Candace desapareceu — para retornar trazendo uma grande jarra cheia. Então, ela passou entre nós, enchendo nossos copos vazios, dizendo ser algo que havíamos esquecido de beber. Ela serviu o líquido encorpado, cor de rubi, e uma sedutora nuvem de aromas impregnou a atmosfera. As fragrâncias faziam-me recordar as das frutas tropicais da Birmânia; as das especiarias no mercado de Marrakesh; a da canela dos vales das Ilhas Seychelles; e o cheiro da terra molhada após uma chuva nas Marquesas. Isoladamente ou todas juntas, elas adensavam-se como nuvens antes de uma tempestade. Nós bebemos sem dizer uma só palavra.

Giancarlo, normalmente reticente, foi o primeiro a quebrar o silêncio:

— Eu não sou um *expert* em vinhos —, disse ele. — mas conheço bem aquilo que conheço. Já trabalhei em uma porção de vinícolas por aqui, e este é, de longe, o melhor vinho que jamais provei.

Talvez todos nós intuíssemos que algo muito especial estava fermentando na adega. Mas nem mesmo eu, o otimista incurável, teria ousado afirmar que, anos mais tarde — após haver sido cuidado por Candace durante a fermentação e no envelhecimento por dois anos em *barriques* de carvalho — este mesmo Syrah seria listado como um dos *Grandes Tintos Italianos* pela Morrell's, de Nova York, que o chamou de "uma verdadeira joia da vinicultura".

34 ~ Vulcões Púrpura

As uvas Sangiovese, em pipas abertas na adega, haviam iniciado sua jornada de cinco anos a caminho de tornarem-se um Brunello; e meus cabelos iniciaram seu processo de tornarem-se uniformemente grisalhos, em cinco anos.

Como já mencionei, a precisão em cada etapa é a chave para produzir um vinho inesquecível. O problema é descobrir quais são, afinal de contas, essas etapas. Os poucos livros abrangentes sobre o assunto são completamente impenetráveis, ou insuportavelmente tediosos. Porém, nós tínhamos Carlo para salvar-nos, com seus conselhos lúcidos e sábios. Além de ter trabalhado nas vinícolas mais famosas da Toscana, ele havia passado oito anos na Austrália, onde suas ações audaciosas levaram à implantação de inovações e refinamentos na produção vinícola local.

Durante nosso primeiro ano, ele preocupou-se em fazer-nos aprender os fundamentos básicos da vinicultura: colocar as uvas em barris de madeira. Para garantir que eu reservasse espaço suficiente para a expansão que ocorre durante a fermentação, ele fez com que eu medisse cuidadosamente a capacidade de cada barril e marcasse com giz um limite além do qual as pipas não deveriam ser enchidas. Porém, a vida nem sempre transcorre de acordo com os nossos planos, nem respeita marcas de giz. Eu enchera nossas doze pipas exatamente até as marcas, mas, do lado de fora da adega, as uvas ainda eram despejadas na desengaçadeira, a bomba continuava a bombear, e o sumo das uvas continuava a jorrar. Eu tinha duas escolhas: despejar o sumo excedente no chão ou dentro das pipas. Decidi distribuí-lo entre todas as pipas, tão igualmente quanto pude. O dia seguinte foi dedicado à limpeza da adega e à lavagem da bomba, da desengaçadeira e das caixas — além da armazenagem de todo o equipamento e maquinário até o próximo outono — enquanto, no interior das pipas, o processo da fermentação acelerava-se loucamente, prestes a iniciar a fase chamada "fermentação tumultuosa".

Já havia escurecido quando terminamos o trabalho. Giancarlo, exausto, desejou-me boa noite e eu sentei-me nos degraus da escadinha que levava à adega. Candace e Buster estariam em Roma até o fim de semana; por isso eu tinha a casa, o gato e todas as preocupações somente para mim. Nunzi havia enchido o refrigerador com refeições prontas, para que eu não morresse de fome; então, eu comi sozinho, desfrutando do silêncio da casa. Eu estava relendo O Coração das Trevas, de Joseph Conrad, deliciando-me com o senso de humor irônico e a brilhante clareza das observações do autor na passagem em que ele descreve sua viagem de navio à África.

"Encontramos um navio de guerra ancorado ao largo da costa. Não havia sequer uma cabana ali, mas ele bombardeava o mato. Parece que os franceses estavam travando uma das suas guerras naquelas redondezas. A insígnia naval hasteada pendia molemente, como um trapo; as bocas dos longos canhões de seis polegadas projetaram-se de todas as aberturas do convés inferior [...] Em meio à desolada imensidão de terra, céu e água, a belonave incompreensível abria fogo contra o continente. Blam! — disparava um dos canhões. Uma chama fugaz brilhava e desaparecia, uma tênue nuvem de fumaça branca desvanecia, um pequeno projétil emitia um silvo débil — e nada acontecia. Nada poderia acontecer. Havia um toque de insanidade em todo aquele procedimento."

Eu podia ouvir o troar do canhão. Pensei comigo: "Meu Deus, este homem sabe escrever! A gente vivencia sua história!" Servi-me de um pouco de um excelente conhaque de ameixas que havíamos comprado em Dordogne, e fui para a cama.

O outono é a estação mais clemente na Toscana. O calor diminui, as noites são frias e o ar da floresta bate contra as janelas, enchendo seu quarto e gentilmente levando você a dormir. O único som que se ouve à noite é o da primavera escoando pelas canaletas de argila até juntar-se às águas escuras do lago. Caí num sono sem sonhos, até que ouvi o canhão troar novamente. Os malditos franceses não iriam cessar fogo. Levei alguns momentos para perceber que eu não me encontrava na África.

O canhão voltou a abrir fogo. Fui até a janela e pus-me a ouvir. A temporada de caça ainda não havia iniciado; mas, de todo modo, a caça não era permitida antes do alvorecer. Vesti meus *jeans* e desci as escadas para ver se, por acaso, uma tora de lenha cheia de bolhas de ar estava explodindo no forno da cozinha, mas o fogo já se havia apagado: apenas duas toras de carvalho em brasa ardiam lentamente sobre os carvões. O gato parecia assustado. Ca-bum! De repente, compreendi tudo. E saí correndo.

A noite estava clara; uma brisa suave soprava, trazendo o cheiro do fogo que ardia sob a cobertura. Abri a porta da adega e dei um passo para trás: mesmo com as janelas entreabertas, é aconselhável permitir à atmosfera interna livrar-se de um pouco mais do dióxido de carbono, que pode deixar uma pessoa inconsciente, antes que se dê conta. Então, entrei e acendi a luz. Ca-bum!

Os barris encontravam-se tão perfeitamente dispostos em ordem quanto antes; mas o espaço que eu deixara livre sobre a superfície do sumo das uvas agora encontrava-se tomado por uma massa monstruosa, púrpura e rosada, que se expandia sob a luz fraca. Os barris silvavam, gorgolejavam e esguichavam como pequenos vulcões. Os montões de massa púrpura continuavam a crescer, muito além das bordas dos barris. Eles ondulavam lentamente, como se algo ameaçador se contorcesse por baixo deles. Eles silvavam em uníssono, expelindo jatos de vapor na direção do teto. Então, um dos montões contorceu-se, estalou e explodiu em fúria. Longe dali, em meio às sombras, outro montão surgiu, elevando-se a alturas insuspeitadas e, então... Ca-bum!

Uvas esmagadas voaram.

A princípio, um bago por vez; mas, logo, bagos voaram para todos os lados. As uvas caíam como uma descarga de chumbo miúdo, como granizo, como um temporal; atingindo o teto, as paredes, as janelas, a porta e a mim.

Meu impulso inicial foi o de fugir dali e deixar que aqueles malditos vulcões enchessem todo o espaço da adega até o teto; mas o húngaro teimoso que habita as profundezas do meu ser apanhou a longa vara que usamos para fechar as janelas e, investindo como um Dom Quixote, eu mergulhei a vara nos montões, agitando-os, para que aquelas bestas sibilantes liberassem os gases que continham e arrefecessem seu potencial explosivo. Uma vez lancetados, os montões emitiam um longo suspiro e murchavam sobre si mesmos. Olhei em torno, saboreando minha vitória. A adega estava uma bagunça; mas não era nada que uma hora de ação com rodos e esfregões não pudesse resolver.

Eu me consolava com o pensamento de que tinha tido sorte, pois, para ser franco, a coisa poderia ter sido bem pior — quando a coisa, realmente, ficou pior. Como se obedecessem a um sinal, as uvas contra-atacaram. Elas emergiram simultaneamente, transbordando de todos os barris. A massa púrpura cresceu por sobre as bordas, tremeluzindo como se quisesse desafiar-me, e, de repente, entrou em erupção. Mais uvas esguicharam dos barris do que eu me lembro de haver despejado dentro deles.

Com baldes de aço inoxidável, eu recolhi o sumo transbordante, correndo de um barril para o seguinte, como aquele homem do circo, que tenta manter doze pratos equilibrados girando sobre varetas oscilantes. Corri até a sala de estocagem para apanhar um tanque de aço inoxidável, com capacidade para 400 litros, e despejei nele os baldes que ia enchendo com o conteúdo dos doze barris. Baldeei ininterruptamente, sem pensar, sem olhar para o que estava fazendo e respirando apenas o suficiente para exalar as piores maldições. Quando o tanque encheu-se, eu estava encharcado de suor. Os barris pararam de transbordar e eu pude, finalmente, sentar-me e respirar profundamente.

Eu sempre fui bom em Matemática; por isso pensei que, se ajustasse a alavanca do trator para funcionar na posição Lebre-4, eu conseguiria arrancar pelas raízes todas as malditas videiras do chão, até o nascer do sol.

35 ~ Sant'Antimo

Quem vem de Buonconvento para Montalcino, sobe pela estrada até chegar a uma curva em U, diante do antigo portal da cidade. A partir dali, um vale estreito estende-se para o leste. Nele encontra-se a propriedade dos Biondi Santi, a família que inventou o Brunello, nos anos 1800. Pelas encostas do vale acima, os vinhedos elevam-se até o Passo del Lume Spento — o "Passo do Lume Apagado". Uma década atrás, este era um vale dominado por florestas e pastagens: algumas poucas ovelhas pastavam e um único lenhador cortava os carvalhos; e, afora isso, o trabalho da mão humana era apenas uma vaga lembrança, até que os amantes de vinhos chegaram e substituíram as ovelhas por uvas.

Hoje em dia, no outono, o vale brilha em tons de vermelho e dourado à luz do entardecer. Na extremidade do vale encontra-se a construção de travertino branco da Abadia de Sant'Antimo, erigida por Carlos Magno — ou Carlos I, Rei dos Francos, Imperador do Ocidente e Fundador do Sacro Império Romano. A história conta que, durante uma peregrinação que fizera a Roma, no final dos anos 700, ele chegou a este tranquilo retiro. A modesta igrejinha que ele construiu ainda está de pé; mas o que tira o fôlego dos visitantes é a enorme e despojada abadia, alta e austera. Os únicos elementos decorativos são algumas poucas pequenas gárgulas que encimam seus cantos, voltando suas cabeças para baixo; mas mesmo elas parecem deslocadas, ali. Feitas de um mármore mais escuro, com uma técnica de escultura diferente do restante da abadia, elas parecem fragmentos de uma outra época, encontrados ao acaso e ali posicionados. Na curvatura da nave principal, um enorme cipreste ergue-se quase até o teto, parecendo uma enorme vela negra destacando- se contra a pedra clara. Um pasto estende-se abaixo das muralhas, com algumas retorcidas oliveiras esparsas, cujos troncos foram escavados pelos animais e pelas intempéries, ao longo dos séculos.

Eu visitara um amigo que vive em Castelnuovo dell'Abate, uma cidadezinha murada, encravada em uma colina próxima, e, a caminho de casa, decidi fazer uma parada na abadia, buscando um pouco de silêncio. A tarde chegava ao fim e a abadia refulgia timidamente, como se de algum modo tivesse retido um pouco da luminosidade do dia que findava. Eu fizera uma longa caminhada pela trilha de terra batida que levava até a porta da frente; uma caminhada suficientemente longa para deixar o resto do mundo para trás.

Eu já estivera ali muitas vezes, em todas as horas do dia; mas esta fora a primeira vez que notei como a abadia — erigida na extremidade mais distante do terreno plano — tinha a floresta a poucos passos de sua porta de entrada. Isto assim era porque sua porta abria-se para a colina, fazendo com que a abadia desse as costas para o mundo.

Lá dentro não estava mais claro do que à luz do crepúsculo. O interior da abadia é tão simples que reforça sua impressão de sacralidade. Ali há apenas um crucifixo de madeira e um altar. A luminosidade que entra pelas janelas superiores banha as paredes e arcadas de travertino, saturando a tonalidade das pedras. Um facho de luz escapava por uma estreita porta lateral — a porta que, nas igrejas toscanas, é reservada para a passagem dos mortos. Um candelabro de ferro encontrava-se posicionado à direita, com os tocos das velas derretidas ainda ardendo. Sentei-me em um dos bancos, sob a sombra projetada por um pilar. Não se ouvia outro som além do arrulhar dos pombos. Passou-se algum tempo antes que eu ouvisse passos arrastando-se pelo piso de pedra. Um sino dobrou.

A porta lateral abriu-se e, um a um, monges saíram por ela, arrastando seus longos hábitos brancos pelo chão, com os capuzes lançando sombras sobre seus rostos. Eles inclinaram-se diante do altar e, então, tomaram seus lugares: três à esquerda e três à direita, colocando-se de frente uns para os outros, em silenciosa oração. Um deles iniciou um cântico, suavemente e sem qualquer esforço perceptível, mas o som de sua voz encheu toda a abadia.

Todos alternaram-se entoando cânticos com vozes claras e seguras, que ressoavam em meio à penumbra. Então, um deles suspendeu por uma corrente um turíbulo com incenso ardente e a fragrância da fumaça envolveu as pedras. Os monges retiraram-se do mesmo modo que haviam entrado: curvando-se diante do altar e passando em fila pela porta, um por um, como sombras brancas no meio da noite.

Os pavios acesos tremeluziam em meio à cera derretida das velas. Acendi uma vela nova e afixei-a bem alto, onde se sobressaía estranhamente em meio às demais. Contudo, ela deve ter parecido inconfundível para as almas dos meus entes queridos.

É impressionante como uma casa de pedra pode ser silenciosa durante a noite. Eu havia acendido as lareiras na semana anterior: a da cozinha deveria permanecer acesa até a primavera; e a do andar de cima — na verdade, um pequeno fogão a lenha — emanava calor como um dragão. Além do chiado da lenha e do crepitar das chamas, os únicos ruídos eram produzidos por Fiori, o nosso gato doméstico, ronronando durante seus sonhos, sob da mesa da cozinha.

Apaguei todas as luzes e sentei-me na sala de estar. Olhei através da arcada para o pátio iluminado pelo luar e imaginei se, apurando bem os ouvidos, seria possível ouvir os ecos dos cânticos entoados por monges aqui mesmo, nesta casa, muitos anos atrás.

36 ~ Degustadores do Japão

Os dias ensolarados da Toscana podem enfeitiçar você: os ciprestes apontando para o céu, as sombras nitidamente recortadas, as cigarras, as longas tardes e o sol poente que incendeia as bordas das nuvens. Mas são as noites de luar que capturam o seu coração.

Alguns de nós são atraídos pela escuridão do mesmo modo como as mariposas são atraídas pela luz. Talvez seja a minha sombria alma húngara que se sente tão à vontade aqui quanto se estivesse em casa — tanto quanto ela é profundamente tocada por tempestades. Ou talvez isto seja devido a uma indescritível sensação de que na escuridão algo de maravilhoso pode acontecer.

Candace jamais foi uma fã ardorosa da escuridão. Ela disse que isso não se devia a algum temor aos homens ou aos animais, ou mesmo a quaisquer irrequietos fantasmas medievais; mas, simplesmente porque as pessoas decentes não procuram manter-se em lugares escuros. Caso alguma dúvida acerca deste julgamento jamais houvesse passado por sua cabeça, ela foi dissipada — de uma vez por todas — certa manhã, por Maria, uma hóspede que recebemos em casa.

Então, ela contava quatro anos de idade e era tão temperamental quanto sua mãe, Giovanna, a melhor amiga de Candace, desde os tempos em que ambas cursaram a faculdade de Artes Plásticas, em Nova York. Mãe e filha estavam instaladas no quarto de hóspedes, na ala mais antiga da casa. Certa manhã, Maria desceu para tomar o café, sonolenta e cansada, bem diferente de seu jeito espirituoso habitual; e quando perguntaram-lhe o que havia de errado, ela disse que não pudera dormir porque o *Signor Ladro* — o "Senhor Ladrão" — rondara por ali, a noite inteira. Para Candace, seu caso contra a escuridão estava encerrado — até uma noite enluarada, bem tarde, na floresta de *Il Colombaio*.

Após nosso primeiro ano vivendo ali, inventamos uma nova forma de nos presentearmos nos Natais e aniversários: nós nos dávamos trilhas. Candace iniciou esta nova "tradição familiar" quando ela mesma, Giancarlo e Alfiero secretamente reconstituíram uma antiga trilha etrusca que atravessava nossa — até então — impenetrável floresta. Um túnel à altura dos joelhos fora aberto pelos javalis selvagens que dominavam a floresta, à noite; mas, acima deste havia apenas a vegetação intocada. Intrigados, os três abriram caminho, cortando e queimando o mato, até saírem da floresta e encontrarem-se no fundo do desfiladeiro, numa pequena clareira ao lado do riacho. Uma relva rala e selvagem crescia na porção aberta do terreno, mas na parte que ficava à sombra, crescia apenas musgo. A luz do sol não chegava ali, de novembro até março: a única claridade que penetrava aquele recôndito era a da fria luz da lua.

✤

Certa noite, com Buster fora de casa, participando de uma excursão a uma estação de esqui, Candace e eu recebemos dois grandes importadores de vinho provenientes de Kyoto. O Sr. Nakamura, rotundo e altissonante, e o Sr. Togashi, franzino e de voz muito baixa — ambos perfazendo uma versão japonesa do Gordo e o Magro — posicionaram-se polidamente diante da mesa de degustação colocada entre os barris. Candace, a excelente *sommelier* e anfitriã, serviu-lhes o nosso Albatro — obtido da mistura, em partes iguais, de Merlot e Sangiovese —, enquanto gastava com eles as dez frases que aprendera a pronunciar em japonês. Então, ela acrescentou, em inglês:

— Vamos nos deliciar com o nosso vinho enquanto meu marido nos traz a *bruschetta* — e deu-me aquele tipo de sorriso encorajador que costuma-se reservar para os bebês feios.

Naquela noite, eu havia sido designado para ser o cozinheiro. Isto foi um notável voto de confiança que recebi da parte de Candace, visto que ela é uma *chef* muito inventiva, enquanto meu repertório culinário resume-se a ovos cozidos e torradas. Aliás, naquele momento, o cheiro de pão torrado saudou-me, vindo da cozinha — onde deparei-me com oito fatias de carvão, calcinadas no forno. As torradas estavam, literalmente, torradas.

Geralmente, isto não é um problema; mas, naquela ocasião, defrontávamo-nos com uma verdadeira crise: aqueles eram os nossos últimos pedaços de pão, até a próxima sexta-feira. O pão é entregue em nossa casa duas vezes por semana, quando Giuseppe, o padeiro, vem até nós com sua pequenina *van* cheia de delícias crocantes. Agindo com rapidez, eu raspei todo o carvão das fatias de pão, até ficar com oito hóstias de comunhão diante de mim. Com a delicadeza de um neurocirurgião, esfreguei-as com um pouco de alho, reguei-as com azeite de oliva e corri de volta à adega.

Depositei a bandeja diante dos homens que se deliciavam com o nosso vinho e, para demonstrar-lhes, apanhei uma das torradas e a levei à boca. Como se tivesse sido atingido por um raio, o pedaço de pão fino como papel desfez-se em minha mão; e eu lambi o azeite que escorria-me pelos dedos.

Os japoneses são as pessoas mais polidas do mundo. Eu já vira um ônibus cheio deles alinhar-se em formação perfeitamente organizada, nos jardins de Tóquio, para ouvir as informações prestadas por um guia turístico — debaixo de uma chuva torrencial. Agora, o Sr. Nakamura e o Sr. Togashi, fiéis à sua cultura, comiam diligentemente suas torradas e, então, lambiam os dedos.

— Sem "plobrema" —, disse o Sr. Nakamura; e, graciosamente, apanhou outra torrada, que desfez-se entre seus dedos.

Um prato havia sido servido. Só faltavam dois.

❦

O ingrediente mais vital da cozinha toscana é o vinho. Não exatamente para cozinhar; mas para ser bebido enquanto você cozinha. Abri uma garrafa do nosso Merlot 2002, denso, escuro e tão potente que, com frequência, me faz cantar canções populares que eu nem sabia que conhecia. Como não é filtrado — e, também, para maximizar seus sabores — eu deixei o vinho decantar por alguns momentos e servi-me de uma taça. Então, virei a galinha que assava em uma grelha vertical, ao lado do fogo. Virar uma galinha enquanto assa é uma tarefa para ser levada muito a sério. Eu virava a minha a cada dez minutos, em todas as direções possíveis: de cabeça para baixo, da esquerda para a direita, de um lado do fogo para o outro — e posso afirmar que, nessas ocasiões, haver estudado o Kama-Sutra é algo de grande utilidade —, até que cada pedaço tivesse sido perfeitamente assado. Assim, pude iniciar a preparação do prato de massa: *fettuccini* com anchovas. Eu comprara as anchovas na peixaria local, naquela manhã — após travar um vigoroso combate corpo-a-corpo com uma multidão de senhoras idosas; uma das quais, a certa altura, gritou do fim da fila: "Desse jeito, acho que vai ser mais rápido se eu mesma pescar os peixes!".

Tirei as anchovas do embrulho de papel e atirei-as no óleo, acompanhadas de alho, tomates e salsa. Cheio de autoconfiança, eu cantarolava enquanto lidava com as panelas. Quando a massa começou a transbordar de uma delas, atirei-a para dentro de um escorredor. Foi então que me dei conta de haver esquecido de limpar os peixes. "Sem plobrema", murmurei para mim mesmo. Espetei cada um dos pequenos desgraçados, "pescando-os" do óleo quente; cortei-lhes as cabeças e as caudas e arranquei-lhes as tripas, antes de atirá-los de volta à panela.

Nunzi fizera a massa fresca naquela mesma manhã — tão fina que quase se desmanchava enquanto eu a colocava na panela. Por isso, tendo sido deixada sob seu próprio peso no escorredor, ela adquiriu a mesma consistência de uma bola de golfe. Sem problema. Apanhei uma faca e, presumindo que o Sr. Nakamura e o Sr. Togashi ainda não fossem muito versados nas sutilezas da culinária toscana, em vez de uma massa leve e delicada, servi-lhes *fettuccini alla cube*.

Eu os ouvi chegando da adega no momento exato em que a galinha mergulhou nas cinzas do forno. Sem problema. Deixei-a limpinha outra vez, com auxílio de um espanador. Eles entraram com as faces coradas e seus olhos passearam por toda cozinha.

O jantar estava impecável. A massa era cortada sem qualquer esforço com facas para churrasco, e as cinzas sobre a galinha foram facilmente deglutidas com o auxílio de um Brunello; e, para finalizar, um queijo *pecorino di fossa*, fez um par perfeito com uma taça do nosso Syrah.

Depois, sentei-me, satisfeito, tentando lembrar-me dos nomes dos nossos convidados.

Quando os convidados foram embora, com a minha visão um tanto embaçada e a lua cheia brilhando através da janela, eu sugeri que fizéssemos algo diferente: que fôssemos dar um passeio pela floresta, percorrendo a trilha nova. Candace olhou-me como se eu estivesse apenas um pouco fora do meu juízo perfeito — gesto que interpretei como um entusiástico "sim"; até que ela balançou sua cabeça como se quisesse despertar-me de um transe.

— Está escuro, lá fora —, disse ela.

— Não está escuro. Tem uma lua cheia.

—Tem uma lua porque está escuro. Se não estivesse escuro, haveria um sol.

— Ora —, contemporizei. — Esta pode ser uma daquelas grandes experiências que se tem na vida.

— Esta pode ser uma das *últimas* experiências que se tem na vida.

—Vamos fazer o seguinte —, propus. —Vamos apenas começar. Assim que você começar a sentir-se desconfortável, nós voltaremos.

— Estou me sentindo desconfortável. Pronto. Poupei você de uma caminhada.

Porém, ao notar meu desapontamento, ela cedeu.

— Está bem, querido —, suspirou. —Vamos sair e brincar de Indiana Jones.

A lua brilhava com tanta intensidade na noite fria que nos obrigava a semicerrar os olhos. A sombra do poço alongava-se como uma torre tombada e os ramos das oliveiras destacavam-se como teias de aranha contra o céu. Apenas uma coruja solitária piava de algum lugar em meio aos vinhedos. Através dos arbustos ílex e do *porcinaio*, o luar desenhava poças de luz no chão. Então, adentramos a floresta.

— Já estamos na trilha —, assegurei a Candace. — Simplesmente acredite que seus pés sempre encontrarão terra firme para pisar.

— Sim, ao menos até que cheguemos ao despenhadeiro —, suspirou Candace.

— A trilha corre *ao longo* do despenhadeiro, não *sobre* ele —, argumentei.

— A trilha corre ao longo do despenhadeiro durante o dia. Como posso saber para onde as trilhas correm à noite?

Eu ouvia os passos dela atrás de mim. Voltei-me e ela estacou ali; seu rosto voltado diretamente para a lua cheia, encarando-a como a uma rival.

Caminhamos por quase uma hora através da floresta, até o vinhedo mais alto, e voltamos passando pelas ruínas e descendo para o fundo desfiladeiro. O luar dançava sobre as águas do riacho. Candace entrelaçou seu braço no meu e eu puxei-a para junto de mim, para mantê-la aquecida.

— Sinto-me como se fôssemos as últimas pessoas que restaram sobre a face da Terra —, disse ela.

— Isso seria ótimo —, disse eu. — Assim, poderíamos beber todo o vinho da Terra.

37 ~ "Um Vinho Enfeitiçante"

Os picos truncados das Dolomitas são vermelhos sob o sol baixo. Sendo montanhas ainda jovens, sua coloração é vívida e brilhante, pois elas sofrem com a erosão antes que possam tornar-se cinzentas pela ação do clima. Visitá-las em outubro, quando todos os alpinistas estão em suas casas, em algum outro lugar do mundo, é como sentir-se sozinho em todo o planeta.

Com nossas últimas uvas armazenadas na adega, Giancarlo insistiu para que tirássemos uma semana de folga. Ele ficaria feliz de encarregar-se de afundar o "chapéu" nas pipas, quatro vezes a cada dia — incluindo a submersão de "boanoite", ritual executado por volta da meia-noite. Assim, fizemos uma provisão de vinho e azeite de oliva e rumamos para o nosso sótão em San Vigilio.

A cinco mil pés de altitude, o ar da manhã é cortante devido à geada; por isso é melhor manter suas botas de alpinismo dentro de casa, durante a noite, ou você terá a sensação de mergulhar seus pés diretamente no gelo ao calçá-las pela manhã. Preparamos nossas mochilas leves para uma escalada: um "poncho" fino para a chuva, uma bússola, fósforos, uma lanterna e um altímetro; pão, queijo e linguiças para o almoço; maçãs, chocolate e água, para as breves paradas para descanso. Agasalhamo-nos bem e calçamos luvas, pois nesta época do ano as nevascas costumam cair inesperadamente, sopradas do mar. Também levamos uma corda para amarrarmos a uma guia, para Buster, para atravessarmos os trechos em que as pedras soltas deslocam-se e despencam com facilidade.

No primeiro dia, subimos até oito mil pés, para visitarmos nosso amigo Rudy, que se parece com um gnomo saído diretamente de alguma fábula tirolesa. Ele mantém suas vacas em suas pastagens alpinas até que os primeiros flocos de neve os obriguem a descer para o vale, para passarem o inverno. Rudy vive em uma cabana construída entre dois lagos glaciais, onde ele alegremente nos presenteou com alguns ovos e queijo fresco, provenientes de suas galinhas e vacas. Nós comemos e bebemos de sua cerveja, e deixamos-lhe uma garrafa de vinho. Já estava quase escurecendo quando descemos pelas rochas até as árvores.

No dia seguinte, subimos mais alto.

Quando saíamos de casa naquela manhã, Antonio retornava da floresta com uma cesta cheia de cogumelos. Dissemos-lhe que iríamos escalar o Monte Senes e ele olhou para cima, para as nuvens que passavam sobre o nosso telhado.

— Eu não sei... —, disse ele. — É difícil dizer...

E foi-se embora, parecendo pouco convencido.

A partir de San Vigilio, a estrada sobe até chegar ao seu fim entre as paredes laterais de um desfiladeiro muito fechado, onde tem início o Parque Nacional. Dali, é possível subir os próximos dois mil pés no sentido vertical, se não se desejar ir além disso. Mas, se você estiver planejando subir mais uns três mil pés, como nós estávamos, é aconselhável ligar para o Max, no refúgio alpino, que irá levar-lhe em seu Land Rover pela trilha sinuosa acima, até além do limite a partir do qual as árvores não crescem mais.

※

Saímos da área dos rochedos e escalamos a borda de uma campina pedregosa. À nossa volta, os picos escarpados recortavam-se contra o céu. Ali estavam o Monte Cristallo e o Croda del Becco; o Croda Rossa e o Vallon Bianco, e o mortalmente perigoso Cima Nove, que ceifava as vidas de muitos alpinistas, todos os anos. Abotoamos nossos agasalhos e rumamos na direção do pico. Uma vez longe da proteção dos rochedos, o vento açoitava impiedosamente as nossas costas.

—Você calculou o tempo muito bem, querido —, disse Candace. — Quem mais pensaria em ser soprado pelo vento até o topo?

Visto lá de baixo, o Monte Sella di Senes parece formidável. Sua face oeste é um paredão liso de dois mil pés, sem uma só saliência; enquanto as faces sul e norte são acidentadas como uma pequena cordilheira, parecendo os gumes serrilhados de facas retorcidas. Mas a face leste é escalável, dispensando até mesmo a utilização de cordas. Tudo o que ela exigiria de nós era um pouco de perseverança e que mantivéssemos os olhos onde pisássemos; pois, após a primeira subida, a superfície da montanha é profundamente sulcada e caminhar sobre ela é como andar sobre as gigantescas costelas de um brontossauro. O solo aqui é de rocha calcária, e milhões de anos de degelo escavaram profundas fissuras, que podem ser facilmente transpostas com um salto — mas dentro das quais é igualmente fácil cair. Amarrei Buster à corda e ele disparou, olhando corajosamente para as fendas a seus pés, à medida que as transpunha. Quando as fissuras terminaram, a subida mais íngreme começou. Seguimos por uma trilha de cabras montanhesas, na qual flores selvagens brotavam das fendas. Mais acima, os edelvais floresciam.

Durante longas escaladas, toda a sua vida desenrola-se, com clareza, diante de você. Há quem diga que isto se deve à rarefação do oxigênio; outros dizem que é por causa do silêncio. Mantendo-me firme na subida, eu já não sentia a montanha; mas, em vez dela, tinha a nítida sensação das pedras nos nossos terraços de Syrah.

Nos últimos dias de agosto, antes de nossa primeira colheita, Candace e eu fomos checar as uvas. Começamos pelo terraço mais elevado. Eu apanhava uma uva a cada cinco videiras, sempre da mesma posição nos cachos — mais ou menos à metade do tamanho destes — e espremia uma gota de sumo sobre o refratômetro, para medir o teor de açúcar. Então, eu dava a uva a Candace, para que ela a experimentasse e eu pudesse constatar se as sementes haviam-se tornado marrons, bem como se os ramos dos cachos já se haviam tornado secos, indicando o final da maturação. As uvas sempre atingiam entre 22 e 24 na escala e eram doces, com sabores elaborados. Fomos instruídos a não esperar para colhê-las até que ultrapassassem 24 na escala de medição, para evitar um teor muito elevado de álcool no vinho. Chegamos até o ponto em que os terraços começavam a inclinar-se. As vinhas, aqui, eram mais frágeis e as uvas menores; as folhas enrolavam-se sobre si mesmas. A escala indicou 26; uma marca que eu jamais vira ser alcançada antes. Candace mordeu uma uva e cuspiu-a; então, mordeu-a outra vez.

— Meu Deus! Experimente isto! —, disse ela.

O sabor não se parecia com o de nenhuma uva que eu já provara. Não era apenas mais doce — havia somente uma pequena porcentagem adicional de açúcar; mas o sabor revelava-se mais complexo no palato: mais picante e frutado, mais tânico e intrigante. Testamos as uvas de cada uma das videiras: toda a fileira apresentava o mesmo resultado. Acidentalmente, havíamos descoberto como produzir aquele que os críticos chamariam, mais tarde, de "um vinho enfeitiçante".

※

O céu escurecia entre os picos a oeste, e chumaços de nuvens alojavam-se nas frestas próximas de nós.

Fizemos uma parada, tiramos nossos cantis e bebemos. A cerração rolava sobre nossas cabeças; mas, na verdade, não era cerração: nós estávamos sendo envolvidos por uma nuvem cinzenta, cheia de neve. Flocos, como borboletas, dançavam ao vento.

— Papai! Papai! Está nevando! — Buster gritou, em êxtase. — Vamos fazer um homem de neve!

— Logo nós mesmos seremos homens de neve —, disse Candace, suavemente.

Avançamos em meio à neve que caía.

— Vou fazer marcos de referência —, disse eu, apanhando algumas pedras para empilhá-las, fazendo sinalizações como os *mani* que eu vira serem erigidos nas montanhas do Tibete. Para assegurar que encontraríamos os marcos em nosso caminho de volta, decidi erigi-los a intervalos iguais à extensão da corda à qual Buster estava amarrado. Assim, à medida que subíamos, construíamos mais marcos de pedra. A neve cobriu o chão. Candace seguia à frente. Ela possui a tenacidade de um *pitbull*: mesmo que deteste escalar montanhas, ela jamais desistirá uma vez tendo começado a fazê-lo. Cinco-Charlie simplesmente mantém-se voando.

Os picos mais distantes não eram mais visíveis e unicamente o Senes assomava adiante, como um objetivo tentador, através da neve. O altímetro dizia que faltavam apenas quinhentos pés para alcançarmos o topo. Os flocos de neve grudavam-se em nossos gorros de lã. Atrás de nós, uma linha de *mani* escuros surgia tranquilizadoramente da neve que, agora, nivelava todo o solo. Nós continuamos subindo.

No ano anterior, tínhamos colhido nossa primeira pequena safra de Merlot. Numa manhã fria como esta, a fermentação foi completada e as uvas estavam prontas para serem esmagadas. Elas haviam fermentado em um pequeno barril de madeira; e, depois que coamos o mosto, ainda restara meio barril de cascas de uvas muito úmidas. Como não tivéssemos uma prensa, nós transferimos as cascas para baldes de aço inoxidável, sentamo-nos de frente uns para os outros — Buster, Candace e eu —, e começamos a espremê-las manualmente. Espremamos o dia inteiro, um punhado por vez, fazendo o vinho escorrer por entre os nossos dedos e gotejar em um balde. Aquele foi dos melhores vinhos que já fizemos.

Fizemos uma parada, descarregamos as mochilas em um abrigo improvisado sob uma elevação e desembrulhamos nosso almoço, quando o céu escureceu de repente.

— É melhor embrulharmos tudo de novo —, disse eu.

Candace concordou, embrulhou tudo e recomeçou a escalada. Chamei-a e disse-lhe para que parasse. Desta vez, ela voltou-se para mim discordando da proposta. Concluir o que havíamo-nos proposto a fazer seria um bom exemplo para Buster, sobre como terminar uma tarefa iniciada.

— A montanha ainda estará aqui, amanhã —, disse eu.

Ela deve ter pressentido, pela calma em meu tom de voz, que seria importante retornarmos. Ela contemplou o alto da montanha, levantou seu chapéu e disse: *"A domani"*; "até amanhã".

Quando nos voltamos contra o vento, flocos de neve salpicaram nossos rostos. A neve estralejava sob os nossos pés enquanto passávamos pelos *mani* — dos quais, agora, somente as pedras mais altas afloravam à superfície branca. A trilha das cabras no despenhadeiro era relativamente protegida do vento; mas as "costelas de brontossauro" esculpidas na rocha encontravam-se completamente cobertas pela neve, tornando arriscada a caminhada sobre elas. Puxei o mapa para tentar encontrar outro caminho. Ao norte havia uma imensa base rochosa côncava: uma avalanche de pedras sobre a qual — se não caíssemos — poderíamos caminhar até chegar lá embaixo. Abrimos caminho em meio à neve para chegarmos até ela.

No dia em que colamos os rótulos em nossas primeiras garrafas caíra uma ligeira nevasca. A maioria das vinícolas utiliza máquinas complexas para aplicar os rótulos a duas mil garrafas por hora. Nós não possuíamos máquina alguma; por isso, colávamos os nossos rótulos manualmente.

Haviam sido necessários quatro meses e uma centena de discussões para que decidíssemos sobre o desenho dos rótulos. Primeiro, tínhamos tentado utilizar um desenho da casa, como os franceses imprimem desenhos dos seus *châteaux*; então, tentamos utilizar pinturas de Giotto, Lorenzetti e Botticelli; e chegamos mesmo a tentar imprimir uma reprodução de um baixo-relevo egípcio. Mas nenhuma dessas opções nos agradava. Então, certo dia de inverno, eu estava escrevendo na torre quando vi um raio de luz do sol poente incidir sobre uma das pinturas de Candace. O facho de luz iluminava apenas um detalhe do quadro, mas eu não conseguia desviar meus olhos dele. Aquele detalhe viria a ser o nosso rótulo.

Apanhei a caixa de madeira que contivera o Sori San Lorenzo de Angelo Gaja, forrei-a de modo que uma garrafa pudesse ficar perfeitamente em pé, sem folga, e marquei linhas-guia com uma caneta nos lados da caixa, indicando a posição em que o topo do rótulo deveria ser alinhado para que fosse colado. Por dias a fio, Buster, Candace e eu colamos rótulos, com auxílio da caixa de madeira, em uma garrafa de cada vez.

Chegamos ao topo da elevação e o cone de rochas surgiu diante de nós. Açoitada pelo vento, a neve revoluteava; e, de vez em quando, abria-se, como cortinas. Com o salto da minha bota, experimentei a solidez do monte de pedras, forçando meu calcanhar a enterrar-se profundamente na neve. Parecia suficientemente sólido. Tentei mais uma vez, imprimindo menos pressão, para avaliar se uma pessoa mais leve do que eu — como Candace — conseguiria encontrar apoio em solo firme, sem deslizar pela superfície gelada. Refizemos a amarração da corda de Buster, deixando-o no meio, enquanto Candace e eu atávamo-nos às pontas; e, então, distanciamo-nos em linha ao longo da borda do cone. Contamos até três e iniciamos nossa longa descida pela neve, apoiando um pé de cada vez. Nós escorregamos e caímos de costas; levantamo-nos, escorregamos e caímos novamente. O vento levava o som das risadas de Candace e Buster. Temi que ambos pudessem cair para a frente, rolando lá para baixo; mas a única ameaça séria parecia ser a de que os dois morressem de tanto rir. Buster foi o primeiro a começar a descer em ziguezague. Logo, todos nós passamos a descrever curvas muito abertas, em forma de S, pela encosta da montanha abaixo — até que um de nós caísse e puxasse os outros, estirando a corda.

Os grandes rochedos à nossa volta deram-nos a certeza de que havíamos chegado à base; ao final da descida.

— Agora, pode nevar! — cantou Buster. — Pode nevar, pode nevar!

Josef encontrava-se no celeiro, rachando lenha para o fogo. Ele parou de trabalhar quando nos viu, e sorriu. Contei a ele que nossa aventura havia terminado com a decepção de havermos chegado a cem metros do topo e termos sido forçados a voltar. Seu semblante ficou sério.

— Se você não tiver uma sensação de que está tudo bem aqui... — disse ele, apontando para seu próprio estômago. — Eu conheci alpinistas que jamais voltaram.

Ele meneou a cabeça, apontando-a na direção da montanha.

— Eles ainda estão lá em cima.

38 ~ Véspera de Ano Novo

Em novembro, reinava uma quietude monástica nas adegas. O mosto havia sido totalmente prensado, e os barris cheios e vedados descansavam em seus leitos. Uma vez a cada duas semanas, nós retirávamos os batoques — as "rolhas" que vedam o orifício existente nas laterais dos barris — para permitir que o vinho respirasse e completasse seu processo de maturação. Mas, afora isso, todo o trabalho já teria sido feito.

Os *porcini* surgiam e "sumiam": nós os comíamos grelhados, refogados com alho, fritos "à milanesa", ou sobre os *crostini*; e ainda tínhamos uma boa provisão deles no *freezer*.

Buster e eu, sob o pretexto de cortar lenha para o fogo, estávamos secretamente abrindo uma nova trilha para presentear Candace, no Natal. Mas esta não era uma tarefa fácil: frequentemente, tínhamos de nos esconder. Novembro é a época em que surgem os *chanterelles*, os cogumelos favoritos de Candace; e ela saía para procurá-los nas campinas e na floresta. Quando a ouvíamos aproximar-se, fazíamos o mais absoluto silêncio e nos escondíamos — quase sempre em meio aos galhos e arbustos que havíamos acabado de cortar.

Em uma clareira além do lago, construímos uma casinha de pedra porosa com uma cobertura de telhas de cerâmica, para as galinhas e os pombos. Tanto os campos quanto as florestas são cheios de galinhas e galos, barulhentos e insolentes; e todos escavam o solo constantemente, em busca dos bichinhos mais saborosos.

Certa manhã, Candace anunciou um passeio invernal, e seguimos pela colina do vulcão acima. Subimos a pé em meio a uma floresta de árvores altas. Debaixo delas, as folhas caídas haviam sido varridas e amontoadas; e somente umas bolotas revestidas de espinhos espalhavam-se por toda parte. Candace apanhou uma delas e abriu-a diante de nós. No interior, havia um bulbo escuro e brilhante.

— *Castagne!* —, ela disse, triunfante. Castanhas.

— É com elas que eu recheio os gansos.

✦

A grande mesa foi posta para o jantar de Natal; e, no centro dela, havia aquilo com que sonháramos por tanto tempo: garrafas do nosso próprio vinho, extraído dos vinhedos plantados por nós mesmos. Toda a sala enchia-se de um caloroso espírito de orgulho e conquista. Nós havíamos criado — contra todas as probabilidades e o mais elementar bom-senso — algo capaz de levar alegria às vidas de muitas pessoas. E a melhor parte desta longa aventura não era o vinho, nem mesmo os elogios que recebíamos por ele; mas, sim, as lembranças preciosas de todas as pessoas que trabalharam duro para nos ajudar, ao longo de todos esses anos.

Eu trocaria, de bom grado, todo o vinho da adega por mais oportunidades de convivermos.

✦

Da sala de jantar nós podemos olhar para a cozinha, onde o fogo aquece o ambiente; ou através do pátio, para as luzes da árvore de Natal que ergue-se onde as vacas costumavam dormir, muito tempo atrás. Ao sul, através da varanda coberta, pode-se contemplar os castelos; e, pelas janelas a oeste, veem-se os vinhedos e as colinas. A quietude do exterior parece haver permeado nossas paredes, as pedras, as lajotas antigas e as vigas. E todos os sabores desta terra vivem em nossos vinhos, cuja forte cor vermelha reluz sedutoramente à luz de velas.

Porém, a magia da Toscana talvez não esteja contida apenas na excitação dos sentidos: ela não está apenas na comida e no vinho, ou nas cidadezinhas montanhesas, ou na dramaticidade de suas luzes cambiantes. Talvez a magia esteja no tesouro que possuímos e, quase sempre, negligenciamos: a paz que alcançamos dentro de nós mesmos.

꽃

A noite da véspera do Ano Novo nas fontes termais é um evento que ninguém pode esquecer.

A cidade de Bagno Vignoni foi edificada nos tempos do Império Romano, sobre a encosta suave de uma colina. Ao sul, um despenhadeiro de rocha calcária formado pelas leitosas águas termais ergue-se acima de um riacho que corre através de uma fenda. A meio caminho, as ruínas da torre de Rocca D'Orcia despontam sobre um vilarejo banhado pelos últimos raios de sol do ano.

As casas formam um círculo em torno de uma enorme *vasca*, uma bacia de rocha escavada diretamente sobre o solo. Ao crepúsculo, durante o inverno, pode-se sentir o ar frio que desce das montanhas nos atingindo no rosto, e ver o nevoeiro que se forma em torno das claraboias.

Segundo as antigas tradições folclóricas, este é um lugar em que as pessoas que o frequentam, apaixonam-se entre si. Talvez isto se deva às águas quentes, ou à neblina que se desprende delas; ou ao luar que se reflete nas ondulações e rebrilha bailando sobre as paredes.

Bem tarde numa noite de inverno, quando toda a cidade dormia, uma pintora nossa amiga caminhava de volta para casa, contemplando a lua. No interior das paredes da *vasca*, ao nível da água, blocos de travertino fazem as vezes de bancos. Então, ela tirou os sapatos e sentou-se sobre um deles, mergulhando seus pés na água. Como não houvesse ninguém olhando, ela tirou, também, suas roupas; deixou-se submergir nas águas cálidas e nadou um pouco, sentindo-se delirantemente feliz. Quando retornou ao banco onde havia deixado suas roupas, ela encontrou uma taça de champanhe. Como não havia ninguém a vista, ela brindou à lua e bebeu. Então, ela ouviu a água agitar-se na outra extremidade da *vasca* e virou-se. Um vulto mergulhara e, agora, nadava suavemente na direção dela, segurando uma taça de champanhe acima da neblina que se levantava. Ela jamais o vira antes, mas, quando ambos olharam-se nos olhos, ela soube que o conhecia desde sempre. Os dois brindaram às estrelas e apaixonaram-se.

Após o tradicional *cenone* — um jantar interminável que toma a maior parte da noite da véspera de Ano Novo —, a calçada em torno da *vasca* ganha vida à medida que a meia-noite se aproxima. As pessoas passeiam por ali, envoltas em xales, carregando sacolas cheias de fogos de artifício, velas coloridas e garrafas de champanhe. Elas acendem suas velas em algum ponto da borda de pedra, e afixam seus fogos às placas, cercas ou galhos de árvores.

As aglomerações de velas acesas começam a ficar ainda maiores, e as vozes — a princípio, abafadas pela umidade do ar — logo se tornam mais audíveis. Poucos segundos antes da meia-noite, as janelas das casas acima de uma grande escadaria abrem-se para a luz do luar. Nunca é possível precisar quem dá o sinal, mas as rolhas das garrafas de champanhe saltam estrepitosamente dos gargalos, os pavios dos fogos são acesos e, através das janelas, *Nessun Dorma*, a música de Verdi, ecoa dentro da noite. De toda a volta da *vasca*, fogos espocam e riscam o céu, iluminando as paredes, os telhados e as chaminés das casas e as estátuas; copos e taças tilintam em brindes e todo mudo tem um sorriso no rosto.

Eu beijei meus entes mais próximos e queridos, e rezei para que ninguém me beliscasse, fazendo-me despertar de um sonho.

Nós também lançamos nossos fogos de artifício — busca-pés e um rojão — à beira da *vasca*; e Candace afixou um foguete prateado em uma rachadura da pedra, mas curvou a vareta de modo a apontá-lo para o astro refulgente no céu.

— O que você acha de partirmos para a Lua? —, disse ela, sorrindo.

Agradecimentos

Este livro não existiria sem o carinho e a dedicação dos nossos amigos, da Toscana até Nova York. A Piccardi e aos pedreiros de Pignattai: Fosco, Piero, Georgi, Alessandro, Arnaldo e Asea; e aos outros mestres de ofícios: Mario, Scarpini, Enzo e Marco — muito obrigado por nos ajudarem a reconstruir *Il Colombaio*, com seu infatigável trabalho duro e seu orgulho ao criar uma obra de rara beleza, que durará por séculos. Aos nossos conselheiros: Fabrizio, Guillaume e Oriano; e aos operadores de máquinas que virtualmente esculpiram o terreno: Rino e Constantino — obrigado por haverem trazido estas terras abandonadas de volta à vida. A Giancarlo, Alfiero, Alessandro, Gianni, Pelo, Vasco e às duas Nunzis — obrigado por plantarem as nossas vinhas e por cuidarem delas com tanto amor, ao longo dos anos. E a nossa gratidão àqueles que nos ajudaram a fazer o vinho: os brilhantes consultores Carlo Corino e Roberto Cipresso.

Agradeço à minha associada Céline Little, que habilmente editou um amontoado de lembranças confusas e, com seu senso de humor cáustico, nos fez rir o tempo todo. E, como sempre, há o editor-chefe da Norton, meu querido amigo Starling Lawrence, que graças aos sacrifícios que já fez por mim, encontra-se a meio caminho da santidade.

Candace foi a melhor parceira que alguém jamais poderia haver desejado: amiga, psicóloga, arquiteta, carpinteira e, finalmente, vinicultora, capaz de transformar magicamente meras uvas em um néctar dos deuses. Acima de tudo, agradeço ao nosso amado filho, Peter, que não apenas tem nos ajudado ativamente desde os seus cinco anos de idade, mas também nos deu uma razão para fazermos tudo isso.

Foi uma verdadeira alegria e uma honra ter trabalhado com cada um de vocês.

A Propriedade Vinícola Máté

A PROPRIEDADE VINÍCOLA FAMILIAR MÁTÉ abrange duas colinas privativas na zona costeira, de clima temperado, de Montalcino. Um antigo vinhedo romano há 2.000 anos, os sete *campi* de terrenos maravilhosamente variados situam-se entre 275 e 365 metros acima do nível do mar. Totalizando 15,75 acres cultivados entre florestas de ervas e frutos selvagens, os vinhedos foram projetados por Fabrizio Moltard, agrônomo a serviço de Angelo Gaja. As mudas, selecionadas para cada um dos campos — pelo especialista francês Pierre Guillaume — compreendem uvas das variedades Sangiovese (cultivada em *tuffo* rico em minerais fósseis), Merlot (cultivada em solo de argila arenosa), Cabernet Sauvignon (cultivada em *galestro*) e Syrah (cultivada nos terraços ricos em minerais, ao sul da propriedade).

Semeadas em alta densidade, com 3.000 videiras por acre, a produção é mantida em níveis extremamente baixos, por meio de três podas anuais dos cachos ainda verdes, para concentrar os sabores. As uvas são selecionadas e colhidas manualmente, no auge de sua maturidade, e fermentadas em pequenas pipas de aço inoxidável com controle de temperatura; ou em barris novos de madeira, nos quais o "chapéu" é submergido manualmente, garantindo a máxima extração das cores e dos taninos, enquanto o mosto é mantido resfriado, para que conserve a riqueza dos aromas frutados e secundários.

Os vinhos são envelhecidos por até dois anos e meio, em *barriques* e *tonneaux* de carvalho francês, manufaturados pela companhia Allier.

Total de acres de terreno	– 70
Total de acres cultivados com videiras	– 15,75
Sangiovese	– 10,6
Merlot	– 2,5
Cabernet-Sauvignon	– 1,75
Syrah	– 0,9

www.matewine.com   www.ferencmate.com

RESENHAS E CLASSIFICAÇÕES DOS VINHOS MÁTÉ

Brunello di Montalcino (100% Sangiovese)

Wine Spectator	90
Decantor (Steven Spurrier)	★★★★

Aromas de amoras silvestres, tabaco e baunilha. Encorpado, muito equilibrado, com retrogosto frutado e paladar harmônico e aveludado.
—James Suckling

Vermelho intenso. Acentuado sabor frutado, mas possui uma certa delicadeza. ***Verdadeiramente* distinto!**
—Jancis Robinson

Banditone (100% Syrah)

Wine Spectator	92
Boston Globe	92
Gerhard Eichelmann's *Mondo*	90
Morrell/New York **100 Melhores Vinhos de 2007**	
Grandes Tintos Italianos, **n.º 1**	

Proporciona um rico buquê de ameixa e pimenta ao olfato. Encorpado, com taninos aveludados e retrogosto persistente. Aconchegante, distinto e irresistível .
—James Suckling

"Puro Rhône do Norte."

—Steven Spurrier

Luxuriante. Opulentamente envolvente em sedutores sabores maduros de frutas silvestres e ameixas.

—Dr. Michael Apstein

Mantus (100% Merlot)

Wine Spectator	**91**
Wine & Spirits	**90**

Aromas de ameixas, amoras silvestres e chocolate. Encorpado, com taninos aveludados e retrogosto duradouro. Delicioso.

—James Suckling

Albatro (Sangiovese/Merlot/Cabernet)

Wine & Spirits	**91**
Wine Spectator	**88**

Exibe aromas de frutas maduras e alecrim fresco. Encorpado, com paladar aveludado. Denota complexidade e estrutura.

—James Suckling

Cabernet Sauvignon (100%)

Luca Maroni *I Migliori Vini Italiani 2008*
Melhores Vinhos Italianos 2008

RECEITAS CLÁSSICAS DA COZINHA TOSCANA
da Trattoria Castello Banfi

NA TOSCANA, QUASE TODAS AS GRANDES REFEIÇÕES são iniciadas com pão torrado coberto por algumas delícias típicas de cada estação: na primavera, legumes frescos; no inverno as atenções voltam-se para as carnes menos refinadas, tais como fígado, ou os defumados e embutidos, como toucinho e linguiças; e, em dezembro, a cobertura predominante é simplesmente o jovem e picante azeite de oliva. A *bruschetta* nada mais é do que uma fatia de pão toscano comum, torrada e salpicada com alho, e regada com azeite de oliva, sobre a qual acrescenta-se o que houver à mão: fígado picadinho, pedaços de linguiça ou tomates.

Crostini são pequenas rodelas de *frusta* — um pão fino e comprido, semelhante à *baguette* francesa — tostadas e cobertas com qualquer coisa de consistência mais líquida ou cremosa, como patê de azeitonas ou queijo de cabra. Talvez seja possível considerar-se a *bruschetta* mais rústica e os *crostini* mais refinados; mas ambos são deliciosos e suas variações são infinitas.

Bruschetta al Olio Nuovo

O que pode haver de mais reconfortante contra os rigores do inverno do que uma fatia fresquinha de pão toscano torrado diretamente sobre o fogo, pincelado com alho e regado com um delicioso azeite de oliva recém-prensado?

Bruschetta al Cavolfiore

1 cabeça de couve-flor
1 dente de alho
azeite de oliva extravirgem
sal e pimenta do reino a gosto

Remova as grandes folhas que envolvem a cabeça de couve-flor e ferva-a em água salgada. Cuidado para não cozinhá-la por muito tempo, ou ela irá desmanchar-se. Retire-a da água e escorra. Quebre a couve-flor em pedacinhos pequenos e distribua-os sobre uma fatia de pão torrado, pincelado com alho. Regue generosamente com azeite de oliva e salpique sal e pimenta do reino à vontade. Opcional: você também pode salpicá-las com *pepperoncini*.

Bruschetta ou Crostini al Fegatini

½ kg de fígado de galinha
½ kg de vitela moída
½ fígado de vitela
1 maço de salsinha, picado
1 cebola média, picada fina
2 ou 3 colheres de chá de extrato de tomate
alcaparras picadas
pasta de anchovas, ou anchovas picadas finas

Refogue a salsinha e a cebola em azeite de oliva. Quando a cebola dourar, acrescente a vitela moída e refogue-a até que adquira uma tonalidade marrom. Cozinhe separadamente o fígado de galinha por alguns minutos e, então, misture-o à vitela moída e ao fígado de vitela e bata tudo em um processador, até obter uma consistência pastosa. Devolva a massa à frigideira do refogado e deixe-a até que adquira novamente uma tonalidade marrom; se quiser, adicione meia taça de vinho branco à mistura na frigideira. Dissolva o extrato de tomate em um pouco de água quente e incorpore-o à mistura, acrescentando as alcaparras e as anchovas. Termine de cozinhar tudo por mais um ou dois minutos.

Crostini agli Asparagi

1 kg de aspargos, quebrados e picados finos
¼ de xícara de chá de creme de leite integral
azeite de oliva e manteiga, para fritar
água quente
sal e pimenta do reino a gosto

Frite os aspargos na manteiga e no azeite de oliva. Adicione um pouco de água quente para amolecê-los e tempere-os com sal e pimenta do reino. Assim que os aspargos ficarem macios, adicione o creme de leite e amasse os aspargos até obter a consistência de um purê.

Zuppa di Farro (Ristorante Boccon di Vino, Montalcino)

1 kg de feijão branco
350 g de grão-de-bico fresco ou seco
350 g de favas
200 g de toucinho, picado em cubinhos

12 xícaras de chá de caldo de legumes
alho picado
cebola picada em cubinhos
sal e *pepperoncini* a gosto
extrato de tomate
azeite de oliva extravirgem

Se você utilizar os feijões e o grão-de-bico secos, deixe-os de molho em uma tigela com água desde o dia anterior ao preparo. Doure a cebola e o alho em azeite de oliva, até que a cebola torne-se translúcida, e adicione todo o grão de bico, metade dos feijões esmagados e metade deles inteiros e cozinhe tudo numa panela de pressão por alguns minutos. Adicione um pouco de extrato de tomate e incorpore o caldo de legumes. Separadamente, frite os pedacinhos de toucinho e adicione-os à sopa, junto com o *pepperoncini* e o sal. Ferva por cerca de 40 minutos, mexendo sempre, para que a sopa não grude no fundo da panela. Junte o restante dos feijões e as favas e ferva por mais 20 minutos. Sirva quente, sobre uma fatia de pão toscano torrado e acrescente um fio de azeite de oliva sobre o prato. Esta receita rende 50 porções.

Arista Al Forno

Segundo uma lenda, este prato de porco desossado recebeu o nome de "Arista" — um termo empregado exclusivamente na Toscana — quando o Arquiduque da Toscana ofereceu um banquete para o qual fora convidado o Patriarca Grego. Após haver sido servido deste prato, deliciado, ele usou a palavra grega "aristos" para defini-lo — um elogio da mais alta distinção. Os toscanos adaptaram a pronúncia, mas o significado permanece verdadeiro; e o prato segue sendo digno dos maiores elogios.

4 folhas de sálvia

4 ramos de alecrim

Cascas de ¼ de limão

1 pitada de sal refinado e pimenta do reino moída na hora

1 lombo de porco desossado (entre 750 g e 1 kg)

2 ou 3 colheres de sopa de azeite de oliva extravirgem

2 dentes de alho

180 ml de vinho branco

Pique a sálvia, o alho, o alecrim e a casca de limão bem finos, misture-os ao sal e à pimenta e esfregue a carne com a mistura. Coloque o lombo em uma assadeira untada com azeite de oliva, espalhe um pouco de azeite sobre a carne e asse-a no forno, a 180°C, por uma hora e meia. Vire o lombo várias vezes para que asse por igual, derramando-lhe um pouco de vinho por cima, a cada vez que virá-lo. Aumente a temperatura do forno para 240°C até que todo o álcool do vinho tenha evaporado. Retire do forno e espere alguns minutos antes de fatiá-lo e servi-lo com seu próprio molho. Rende cinco porções.

Cinghiale in Scottiglia

O campo toscano é rico em vários tipos de carne de caça e de aves; por isso, é provável que o método de prepará-las *in scottiglia* tenha-se originado nesta parte da Itália. Diferentes tipos de carne podem ser preparados *in scottiglia* — inclusive frango, galinha d'angola, coelho, cordeiro, faisão e javali selvagem. O método é o mesmo para todas as carnes — exceto a de javali selvagem, que deve ser deixada marinando de um dia para outro, devido ao seu caráter de carne de caça: primeiro, refogue-a sozinha, para que perca o excesso de líquido absorvido da marinada e, em seguida, termine de refogá-la adicionando um pouco de leite. A receita de javali *in scottiglia* descrita abaixo pode ser adaptada às outras carnes, simplesmente ignorando os três passos mencionados acima.

½ kg de javali selvagem, cortado em pedaços pequenos

300 ml de azeite de oliva extravirgem

ervas aromáticas: 3 dentes de alho, 3 cenouras médias, 2 talos de aipo e 1 cebola média — tudo picado bem fino; alguns ramos de sálvia, alecrim e salsinha; e algumas folhas de louro inteiras

sal, pimenta do reino e *pepperoncini* a gosto

½ xícara de chá de leite integral

300 g de tomates frescos sem pele

1 garrafa de Brunello di Montalcino

Deixe a carne marinando de um dia para outro em uma mistura de ¼ de garrafa de vinho, 100 ml de água e uma terça parte das ervas aromáticas. Retire a carne da marinada e coloque-a numa frigideira com outra terça parte das ervas (mas sem azeite) e uma colher de sopa de sal e cozinhe em fogo médio, permitindo que a carne "transpire" o líquido absorvido na marinada (cerca de dez minutos). Retire a carne da frigideira e coloque-a numa panela limpa, com o azeite de oliva. Doure-a ligeiramente e adicione o restante das ervas aromáticas, o *pepperoncini*, o sal e a pimenta, a seu gosto. Continue a cozinhar por alguns minutos e, então, adicione um ou dois copos generosos de *Brunello*, cozinhando a carne até que o álcool evapore. Finalmente, adicione os tomates e cozinhe até que um molho denso seja formado. Finalize ao adicionar o leite nos últimos minutos de cozimento. Rende quatro porções.

Bisteca Fiorentina

Assada sobre galhos aparados dos vinhedos e simplesmente untada com azeite de oliva extravirgem: o que poderia ser — ao mesmo tempo — mais simples e mais magnífico do que esta bisteca?

Insalata di Farro (Ristorante Boccon di Vino, Montalcino)

1 kg de trigo sarraceno (trigo vermelho ou espelta) debulhado
1½ kg de vagens (feijões verdes) congeladas
1 kg de camarão miúdo
1 maço de cebolinhas, cortadas em metades
sal, pimenta do reino e ervas aromáticas a gosto
azeite de oliva extravirgem

Cozinhe o trigo sarraceno (do mesmo modo que arroz) em água salgada, por 20 a 25 minutos, e deixe esfriar. Cozinhe as vagens em água salgada, despejando-as ainda congeladas na água fervente, para que mantenham sua cor; então, escorra e pique-as em pedaços. Caso utilize camarões miúdos congelados, deixe-os imersos em água fervente por alguns momentos e, então, complete a panela com água fria. Misture o trigo às vagens e à cebolinha com o azeite, o sal, a pimenta e as ervas aromáticas e sirva à temperatura ambiente, com um fio de azeite. Rende cinco porções.

Purê de Legumes

300 g de lentilhas
300 g de grão de bico
300 g de feijão branco
sal, azeite de oliva extravirgem e extrato de tomate a gosto
2 dentes de alho
2 ramos de alecrim fresco
pepperoncino
toucinho para guarnecer

Ferva e escorra os legumes e, enquanto isso, frite o alho, o alecrim e um pouco de *pepperoncino* no azeite; então, adicione os legumes com um pouco da água em que foram cozidos. Adicione sal a gosto e o extrato de tomate, para dar cor. Passe tudo pelo processador de alimentos com mais um pouco de azeite. Sirva sobre fatias de pão torrado, com um pedacinho de toucinho por cima. Rende 10 porções.

Fiori di Zucca Fritti (Flores de abobrinha fritas)

½ xícara de chá de farinha de trigo
1 colher de sopa de azeite de oliva extravirgem
½ xícara de chá de farelo de pão
1 xícara de chá de leite
20 flores de abobrinha, ainda fechadas
5 filés de anchovas
1 colher de sopa de salsinha picada
salsa balsamica (Castello Banfi)
sal e pimenta do reino a gosto

Misture a farinha e o azeite com água suficiente para obter uma massa pastosa. Deixe o farelo de pão embeber-se no leite e escorra. Corte os cabinhos das flores de abobrinha arrancando-lhes os pistilos e recheie-as com o farelo de pão misturado aos filés de anchovas picados e à salsinha. Empane as flores com a massa de farinha de trigo e frite-as em óleo bem quente. Escorra sobre papel-toalha. Derrame uma quantidade generosa de *salsa balsamica* sobre as flores fritas e sirva imediatamente, enquanto estejam quentes e crocantes. Rende quatro porções.

A *Salsa Balsamica* na Culinária

Quando utilizar a *salsa balsamica* (vinagre balsâmico) para cozinhar, há duas coisas importantes que você deve ter em mente:

1. Por natureza, ela é extremamente "individualista" — ou seja, seu sabor facilmente sobrepõe-se aos de todos os outros condimentos; e quando utilizada na preparação de pratos cozidos, a *salsa balsamica* sempre é acrescentada por último, depois de todos os outros ingredientes da receita.

2. A *salsa balsamica* realça os sabores de cada um dos ingredientes separadamente.

I Sapori del Castellano (Molho para saladas do "Senhor do Castelo")

1 colher de sopa de *salsa balsamica*
3 colheres de sopa de azeite de oliva extravirgem
1 colher de chá de patê de azeitonas

Coloque os três ingredientes em uma tigela de cerâmica, mexendo-os com uma colher de pau até que constituam uma mistura homogênea. Adicione às saladas imediatamente antes de servi-las. Recomenda-se servir como molho ou como cobertura para saladas de folhas verdes, de cogumelos ou de legumes.

Conheça outros títulos da editora em:
www.pensamento-cultrix.com.br